이병민
이상민
Kim Christian
고미라
김수연

MIDDLE SCHOOL ENGLISH

교과서 평가
문제집

1-❷

동아출판

MIDDLE SCHOOL ENGLISH

교과서 평가 문제집

1-❷

Contents
이 책의 **차례**

정답 및 해설

Structure
이 책의 **구성과 특징**

기본기 다지기

New Words&Phrases
Listening&Speaking
Grammar

꼭 알아야 할 단어 및 표현, 의사소통 기능
표현과 문법을 정리하였습니다.

해석 대표 예문들의 해석을 확인하는 코너

➕ Plus 알아두면 좋은 추가 표현이나 추가
설명을 확인할 수 있는 코너

 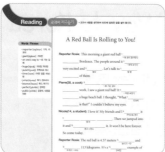

Listening&Speaking 교과서 파고들기
Reading 교과서 파고들기

교과서에 제시된 주요 대화문과 읽기 지문을
빈칸 채우기와 간단한 Check 문제로
확인합니다.

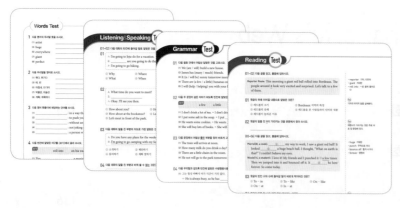

Words Test
Listening&Speaking Test
Grammar Test
Reading Test

각 영역의 학습 내용에 대한 다양한 문제를
풀면서 실력을 점검합니다.

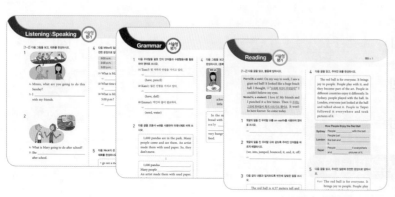

Listening&Speaking 서술형 평가
Grammar 서술형 평가
Reading 서술형 평가

영역별로 제공되는 서술형 문제를
통해 최신 유형의 서술형 평가에
대비합니다.

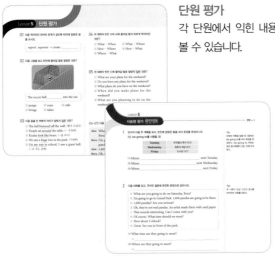

단원 평가
각 단원에서 익힌 내용을 종합적으로 평가해
볼 수 있습니다.

서술형 평가 완전정복
실전 유형의 서술형 문제를 통해 서술형
평가에 자신감을 가질 수 있습니다.

수행 평가 완전정복 말하기·쓰기
각 단원의 주요 학습 내용과 관련된
말하기·쓰기 수행 평가 대비 문제를
제공하여 다양한 수행 평가 유형에
대처할 수 있습니다.

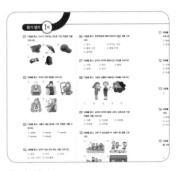

중간고사·기말고사
엄선된 문제를 통해 중간고사와
기말고사를 완벽하게 준비할 수
있습니다.

총괄 평가
한 학기 동안 익힌 학습 내용을
종합적으로 점검합니다.

듣기 평가
다양한 유형의 문제를 통해 듣기 평가에
대한 자신감을 충전합니다.

Happiness is the key to success.

Lesson 5

Art for All

Function

- 계획 말하기
  A: What are you going to do after school?
  B: I'm going to go swimming.
- 시간 약속 정하기
  A: What time should we meet?
  B: How about 11:00 a.m.?

Grammar

- 조동사 will/won't
  The ball **will not** be here forever.
- 수량형용사 a few
  My friends and I punched the ball **a few** times.

New Words & Phrases) 알고 있는 단어나 숙어에 ✔표 해 보세요.

- [ ] artist 명 예술가
- [ ] bounce 동 튀다, 튀기다
- [ ] concert 명 연주회, 콘서트
- [ ] creator 명 창작자, 창조자
- [ ] differently 부 다르게
- [ ] everywhere 부 모든 곳(에), 어디나
- [ ] excited 형 신이 난, 흥분한
- [ ] feel 동 (촉감이) ~하다; (기분이) 들다
- [ ] finally 부 마침내, 드디어
- [ ] giant 형 거대한
- [ ] huge 형 거대한, 막대한

- [ ] jump 동 뛰다, 점프하다
- [ ] museum 명 박물관, 미술관
- [ ] perfect 형 완벽한; ~에 꼭 알맞은
- [ ] plan 명 계획 동 계획하다
- [ ] public 형 공공의, 대중을 위한
- [ ] punch 동 주먹으로 치다, 때리다
- [ ] real 형 진짜의, 실제의
- [ ] remember 동 기억하다
- [ ] reporter 명 기자, 리포터
- [ ] serious 형 진심인, 농담이 아닌
- [ ] sound 동 ~처럼 들리다

- [ ] stadium 명 경기장
- [ ] surprised 형 놀란
- [ ] theater 명 극장
- [ ] then 부 그러고는; 그때
- [ ] time 명 (어떤 일을 하는, 일이 있는) 때(번)
- [ ] weekend 명 주말
- [ ] all over the world 세계 도처에
- [ ] look like ~인 것처럼 보이다
- [ ] on one's way to ~로 가는 길에
- [ ] roll into ~로 굴러 들어오다
- [ ] used paper 폐지, 사용한 종이

Words Test

1 다음 영어의 우리말 뜻을 쓰시오.

(1) artist _____ (2) excited _____

(3) huge _____ (4) punch _____

(5) everywhere _____ (6) then _____

(7) giant _____ (8) sound _____

(9) perfect _____ (10) weekend _____

2 다음 우리말을 영어로 쓰시오.

(1) 튀다, 튀기다 _____ (2) 연주회, 콘서트 _____

(3) 때, 번 _____ (4) 공공의 _____

(5) 마침내, 드디어 _____ (6) 극장 _____

(7) 박물관, 미술관 _____ (8) 놀란 _____

(9) 계획; 계획하다 _____ (10) 기억하다 _____

3 다음 영어 뜻풀이에 해당하는 단어를 쓰시오.

(1) _____ : in a way that is not the same

(2) _____ : to push yourself up into the air

(3) _____ : without any error or flaw

(4) _____ : not joking or funny

(5) _____ : a person who makes something new

4 다음 빈칸에 알맞은 어구를 〈보기〉에서 골라 쓰시오.

보기			
roll into	on his way to	look like	all over the world

(1) You _____ a movie star.

(2) He wants to travel _____.

(3) He bought some flowers _____ her house.

(4) A big red ball is going to _____ Olympic Park tomorrow.

5 다음 우리말과 같도록 빈칸에 알맞은 단어를 쓰시오.

(1) 거대한 경기장을 봐! ➡ Look at the huge _____!

(2) 나는 장래에 기자가 되고 싶다. ➡ I want to be a _____ in the future.

(3) 공공 미술은 모두를 위한 것이다. ➡ _____ _____ is for everyone.

(4) 그 가수의 진짜 이름은 Wilson이다. ➡ The singer's _____ name is Wilson.

(5) 너는 사용한 종이를 재활용하니? ➡ Do you recycle _____ _____?

A 계획 말하기

A: What are you going to do after school?
B: I'm going to go swimming.

(1) 계획 묻기

'너는 무엇을 할 거니?'라고 미래의 계획을 물어볼 때 What are you going to do?로 말한다.

· What are you going to do on the weekend? 너는 주말에 무엇을 할 거니?
· What are you planning to do on the weekend? 너는 주말에 무엇을 할 계획이니?
· Do you have any plans for the weekend? 너는 주말에 무슨 계획이 있니?
· What plans do you have this weekend? 너는 이번 주말에 무슨 계획이 있니?

(2) 계획 말하기

'나는 ～을 할 거야.'라는 뜻으로 계획을 말할 때 「I'm going to＋동사원형 ～.」의 표현을 사용한다.

· I'm going to go camping. 나는 캠핑을 하러 갈 거야.
· I'm planning to go swimming after school. 나는 방과 후에 수영을 하러 갈 계획이야.
· I have plans to go to the movies tomorrow. 나는 내일 영화를 보러 갈 계획이 있어.

해석
A: 너는 방과 후에 무엇을 할 거니?
B: 나는 수영하러 갈 거야.

⊕ Plus

· be going to는 '～할 것이다'라는 뜻으로, 이전에 계획된 미래의 일을 나타낼 때 쓰며 뒤에는 반드시 동사원형이 온다. 부정은 「be동사＋not going to＋동사원형」의 형태로 쓰고 '～하지 않을 것이다'라고 해석한다.
I am not going to eat out tonight.
(나는 오늘 밤에 외식을 하지 않을 것이다.)

B 시간 약속 정하기

A: What time should we meet?
B: How about 11:00 a.m.?

(1) 약속 시간 묻기

What time should we meet?은 '우리 몇 시에 만날까?'라는 뜻으로 시간 약속을 정할 때 사용하는 표현이다. what time 대신 의문사 when을 쓰기도 한다.

· What time do you want to meet? 너는 몇 시에 만나고 싶니?
· What time should we make it? 우리 몇 시에 만날까?
· When should we meet? 우리 언제 만날까?

(2) 약속 시간 제안하기

구체적인 시간을 제안할 때 「How about＋시간?」 또는 「Let's meet at＋시간.」 등의 표현을 사용하여 말할 수 있다.

· How about 3:00 p.m.? 오후 3시는 어때?
· Let's meet at 12 o'clock. 12시에 만나자.
· Why don't we meet at 2 o'clock? 2시에 만나는 게 어때?

해석
A: 우리 몇 시에 만날까?
B: 오전 11시는 어때?

⊕ Plus

· 약속 장소 묻기
Where should we meet?
(우리 어디에서 만날까?)
Where do you want to meet?
(너는 어디에서 만나고 싶니?)

· 약속 장소 제안하기
How about이나 Let's meet 다음에 구체적인 장소를 넣어 말할 수 있다.
How about at the bus stop?
(버스 정류장은 어때?)
Let's meet in front of the library.
(도서관 앞에서 만나자.)

Listening&Speaking 교과서 파고들기

오른쪽 우리말 해석에 맞게 빈칸에 알맞은 말을 써 봅시다.

● Listen and Speak 1 Ⓑ

교과서 p. 82

G: It's 1._____ Friday!

B: 2._____ are you going to 3._____ on the weekend, Somi?

G: 4._____ _____ _____ go to the Blue Boys concert. I'm a

big fan of rock music.

B: That's great! 5._____ is the concert?

G: At Olympic Park. What 6._____ you? Do you have any 7._____

for the weekend?

B: Well, I'm going to 8._____ _____ _____ with a friend.

● Listen and Speak 2 Ⓑ

교과서 p. 83

B: Amy, do you want 9._____ _____ a movie with me this

afternoon? I have tickets for *The Runners*.

G: Of course. I love action movies. 10._____ _____ does the

movie start?

B: It starts 11._____ 4:00 p.m. What time 12._____ we _____?

G: 13._____ _____ 3:30?

B: Sounds great! 14._____ _____ in front of the movie theater.

G: Okay. I'll see you there.

CHECK 위 대화의 내용과 일치하면 T, 일치하지 않으면 F에 체크하시오.

Listen and Speak 1 Ⓑ

1. Somi is going to go to the concert on the weekend. (T / F)
2. Somi is a big fan of pop music. (T / F)
3. The Blue Boys concert is going to be at Olympic Park. (T / F)

Listen and Speak 2 Ⓑ

4. *The Runners* is an action movie. (T / F)
5. Amy is going to meet the boy at 4:oo. (T / F)

해석

● Listen and Speak 1 Ⓑ

소녀: 드디어 금요일이야!

소년: 소미야, 너는 주말에 무엇을 할 거니?

소녀: 나는 Blue Boys 콘서트에 갈 거야. 나는 록 음악의 열혈 팬이야.

소년: 멋지다! 콘서트는 어디에서 하니?

소녀: 올림픽 공원에서. 너는 어때? 너는 주말에 계획이 있니?

소년: 음, 나는 친구와 자전거를 탈 거야.

● Listen and Speak 2 Ⓑ

소년: Amy, 오늘 오후에 나와 영화 볼래? 나는 The Runners의 표가 있어.

소녀: 물론이지. 나는 액션 영화를 매우 좋아해. 영화는 몇 시에 시작하니?

소년: 오후 4시에 시작해. 우리 몇 시에 만날까?

소녀: 3시 30분은 어때?

소년: 좋아! 영화관 앞에서 만나자.

소녀: 좋아. 거기서 봐.

빈칸 채우기 정답

1. finally 2. What 3. do
4. I'm going to 5. Where
6. about 7. plans 8. ride my bike
9. to see 10. What time 11. at
12. should, meet
13. How about 14. Let's meet

CHECK 정답

1. T 2. F 3. T 4. T 5. F

• Real Life Talk > Watch a Video

교과서 p. 84

Alex: What ¹·_____ you _____ _____ do on Saturday, Bora?

Bora: I'm ²·_____ _____ _____ to Grand Park. 1,600 pandas are going to be there.

Alex: 1,600 pandas? Are you ³·_____?

Bora: Oh, they're not ⁴·_____ pandas. An artist made them with used paper.

Alex: That ⁵·_____ interesting. Can I come with you?

Bora: Of course. ⁶·_____ _____ should we meet?

Alex: How about 3 o'clock?

Bora: Great. See you ⁷·_____ _____ _____ the park.

해석

• Real Life Talk > Watch a Video

Alex: 보라야, 너는 토요일에 무엇을 할 거니?
보라: 나는 대공원에 갈 거야. 1,600마리의 판다가 그곳에 있을 거야.
Alex: 1,600마리 판다라고? 정말이야?
보라: 아, 그것들은 진짜 판다는 아니야. 한 예술가가 재활용 종이로 그것들을 만들었어.
Alex: 재미있을 것 같아. 내가 너와 함께 가도 될까?
보라: 물론이지. 우리 몇 시에 만날까?
Alex: 3시 어때?
보라: 좋아. 공원 앞에서 보자.

CHECK 위 대화의 내용과 일치하면 T, 일치하지 <u>않으면</u> F에 체크하시오.

1. Bora is going to go to Grand Park on Sunday. (T / F)
2. There will be 1,600 real pandas in Grand Park. (T / F)
3. An artist made the pandas with used paper. (T / F)
4. Alex wants to go to Grand Park with Bora. (T / F)
5. Bora and Alex are going to meet behind the park. (T / F)

빈칸 채우기 정답

1. are, going to
2. going to go
3. serious
4. real
5. sounds
6. What time
7. in front of

CHECK 정답
1. F 2. F 3. T 4. T 5. F

Art for All **11**

Listening&Speaking Test

(01~02) 다음 대화의 빈칸에 들어갈 말로 알맞은 것을 고르시오.

01

> A: I'm going to Jeju-do for a vacation.
> B: _____ are you going to do there?
> A: I'm going to go hiking.

① Why   ② Where   ③ What time
④ What   ⑤ When

- vacation 방학, 휴가
- go hiking 하이킹을 가다

02

> A: What time do you want to meet?
> B: _____
> A: Okay. I'll see you then.

① How about you?   ② How about 12:00?
③ How about at the bookstore?   ④ Let's have dinner.
⑤ Let's meet in front of the park.

(Tip)
What time do you want to meet?은 시간 약속을 정할 때 사용하는 표현이다.

- then 그때
- in front of ~ 앞에

03 다음 대화의 밑줄 친 부분의 의도로 가장 알맞은 것은?

> A: Do you have any plans for the weekend?
> B: <u>I'm going to go camping with my family.</u>

① 소개하기   ② 제안하기   ③ 관심 말하기
④ 동의하기   ⑤ 계획 말하기

(Tip)
be going to를 사용하여 주말에 할 일을 말하고 있다.

- go camping 캠핑 가다

04 다음 대화의 밑줄 친 부분과 바꿔 쓸 수 없는 것은?

> A: Jane, let's go to the museum together.
> B: Sure. <u>What time should we meet?</u>

① When can we meet?   ② When do you want to meet?
③ When should we meet?   ④ Where do you want to meet?
⑤ What time do you want to meet?

(Tip)
What time 또는 When을 사용하여 시간 약속을 정하는 질문을 할 수 있다.

Level UP
05 자연스러운 대화가 되도록 괄호 안의 단어들을 사용하여 빈칸에 알맞은 말을 쓰시오.

> A: _____?
>   (what, going, do, this weekend)
> B: I'm going to go to the Blue Boys concert.

(Tip)
주말 계획을 묻는 말을 완성한다.

- concert 연주회, 콘서트

(06~07) 다음 대화의 빈칸에 들어갈 말로 알맞지 <u>않은</u> 것을 고르시오.

06

A: Let's meet at 7 o'clock.
B: _____

① Of course.   ② Sorry, but I can't.   ③ Okay. See you then.
④ Sounds great!   ⑤ That sounds interesting.

Let's ~.로 상대방에게 만날 시간을 제안하고 있으므로 승낙 또는 거절의 대답을 한다.

07

A: What is your plan for this Friday?
B: _____

① I'm going to watch TV.
② I'm planning to go shopping.
③ I want to visit my grandparents.
④ I have a plan to meet my friends.
⑤ I went to the park with my brother.

What is your plan for ~?는 계획을 묻는 말이다.
• go shopping 쇼핑하러 가다
• visit 방문하다

08 자연스러운 대화가 되도록 (A)~(D)를 바르게 배열하시오.

(A) Sure. What time should we meet?
(B) Jenny, let's go out for dinner this evening.
(C) How about 6 o'clock?
(D) Great! I'll see you then.

함께 할 일을 제안하고 만날 시간을 정하는 내용의 흐름으로 문장을 배열한다.
• go out for dinner 저녁 먹으러 나가다

(09~10) 다음 대화를 읽고, 물음에 답하시오.

A: Amy, do you want to see a movie with me this afternoon? I have tickets for *The Runners*. (①)
B: Of course. I love action movies. (②)
A: It starts at 4:00 p.m. What time should we meet? (③)
B: How about 3:30? (④)
A: Sounds great! Let's meet in front of the movie theater. (⑤)
B: Okay. I'll see you there.

• action movie 액션 영화
• theater 극장

09 위 대화의 ①~⑤ 중 주어진 문장이 들어갈 알맞은 곳은?

What time does the movie start?

①   ②   ③   ④   ⑤

What time ~?은 시간을 묻는 표현이므로 구체적인 시간으로 답한 문장 앞에 와야 한다.

Level UP
10 What time are they going to meet?
➡ They _____.

정답 p. 2

[1~2] 다음 그림을 보고, 대화를 완성하시오.

1

A: Minsu, what are you going to do this Sunday?

B: I _____

　with my friends.

2

A: What is Mary going to do after school?

B: She _____

　after school.

3 다음 대화의 빈칸에 들어갈 알맞은 말을 괄호 안의 단어를 사용하여 쓰시오.

> A: Let's go to the Blue Boys concert.
> B: Sure. (1)_____?
> 　　　(what time, should)
> A: How about 6 o'clock?
> B: Great! (2)_____?
> 　　　(where, want)
> A: Let's meet at the bus stop.
> B: Okay. I'll see you there.

4 다음 Mike의 일요일 계획표를 보고, 주어진 질문에 완전한 문장으로 답하시오.

9:00 a.m.	do my homework
2:00 p.m.	watch TV
5:00 p.m.	go hiking with my dad

(1) What is Mike going to do at 9:00 a.m.?
➡ _____

(2) What time is Mike going to watch TV?
➡ _____

(3) What is Mike going to do with his dad at 5:00 p.m.?
➡ _____

5 다음 Nick이 쓴 메모를 보고, Jane과 약속을 정하는 대화를 완성하시오.

> • go see a movie with Jane tomorrow
> • at 2:00 p.m.
> • in front of the movie theater

> Nick: Jane, let's (1)_____
> _____.
>
> Jane: Of course. When do you want to meet?
>
> Nick: (2)_____ 2 o'clock?
>
> Jane: Sounds great.
>
> Nick: Let's (3)_____
> _____.
>
> Jane: Okay. See you there.

A 조동사 will / won't

The giant ball will be here until this Sunday.
The ball will not be here forever.

해석
그 거대한 공은 이번 주 일요일까지 이곳에 있을 것이다.
그 공은 이곳에 영원히 있지는 않을 것이다.

- 조동사 will은 '~할 것이다, ~일 것이다'라는 뜻으로, 미래에 관해 말하거나 예측할 때 사용하며 「will+동사원형」의 형태로 쓴다. 이전에 계획된 미래의 일을 말할 때는 will을 be going to로 바꿔 쓸 수 있다.
She **will** read a book after school. 그녀는 방과 후에 책을 읽을 것이다.
I **will** go to the zoo tomorrow. 나는 내일 동물원에 갈 것이다.

- 부정문은 will 다음에 not을 써서 나타내며, won't로 축약하여 쓸 수 있다. 의문문은 주어 앞에 will을 써서 「Will+주어+동사원형 ~?」의 형태로 쓴다.
He **will not(won't)** listen to your advice. 그는 네 충고를 듣지 않을 것이다.
Will they come to the party? 그들이 파티에 올까?

Plus
- 대명사 주어와 will은 축약해서 쓸 수 있다.
I will → I'll
You will → You'll
He/She will → He'll/She'll
It will → It'll
- 의문문에 대한 대답은 긍정일 때 will, 부정일 때 will not(won't)을 사용한다.
A: Will Tom come tomorrow? (Tom이 내일 올까?)
B: Yes, he will. / No, he will not(won't).
(응, 올 거야. / 아니, 오지 않을 거야.)

B 수량형용사 a few

My friends and I punched the ball a few times.
A few people are playing soccer in the stadium.
There are many teddy bears in the store.

해석
내 친구들과 나는 그 공을 주먹으로 몇 번 쳤다.
몇몇 사람들이 경기장에서 축구를 하고 있다.
가게에 곰 인형이 많이 있다.

- 개수나 양을 나타내는 형용사를 수량형용사라고 한다. a few는 '조금 있는, 약간의'라는 뜻의 수량형용사로, 셀 수 있는 명사의 복수형과 함께 쓰인다.

- **여러 가지 수량형용사**

	조금 있는	거의 없는	많은
셀 수 있는 명사 수식	a few	few	many
셀 수 없는 명사 수식	a little	little	much
둘 다 수식	some / any	-	a lot of / lots of

There are **a few** people in the park. 공원에 몇 명의 사람들이 있다.
Mike has **few** pencils. Mike는 연필이 거의 없다.
We will drink **a little** milk. 우리는 우유를 조금 마실 것이다.
I have **little** money. 나는 돈이 거의 없다.
Amy bought **many(a lot of / lots of)** apples. Amy는 사과를 많이 샀다.
We had **much(a lot of / lots of)** rain last summer.
작년 여름에 비가 많이 왔다.

Plus
- some과 any는 둘 다 '약간의'라는 뜻이지만 some은 주로 긍정문에, any는 부정문과 의문문에 사용된다.
I bought some candies. (나는 사탕을 몇 개 샀다.)
I didn't eat any bread. (나는 빵을 조금도 먹지 않았다.)
Do you have any questions? (너는 질문이 있니?)

Grammar (Test)

01 다음 괄호 안에서 어법상 알맞은 것을 고르시오.

(1) We (are / will) build a new house.

(2) James has (many / much) friends.

(3) It (is / will be) sunny tomorrow morning.

(4) There are (a few / a little) bananas on the table.

(5) I will (help / helping) you with your homework.

Tip
· 조동사 will은 미래에 일어날 일을 나타내며 뒤에는 동사원형이 온다.
· 셀 수 있는 명사와 셀 수 없는 명사 앞에 쓰이는 수량형용사에 유의한다.

02 다음 두 문장이 같은 의미가 되도록 빈칸에 알맞은 말을 〈보기〉에서 골라 쓰시오.

보기			
a few	a little	many	much

(1) I don't drink a lot of tea. = I don't drink _____ tea.

(2) I put some salt in the soup. = I put _____ salt in the soup.

(3) He wants some cookies. = He wants _____ cookies.

(4) She will buy lots of books. = She will buy _____ books.

Tip
수식을 받는 명사가 셀 수 있는 명사인지, 셀 수 없는 명사인지 확인한 후 알맞은 수량형용사를 쓴다.

· salt 소금

03 다음 문장에서 어법상 틀린 부분을 찾아 바르게 고쳐 쓰시오.

(1) The train will arrives at noon.　_____ ➡ _____

(2) How many milk do you drink a day?　_____ ➡ _____

(3) There are a little chairs in the room.　_____ ➡ _____

(4) He not will go to the park tomorrow.　_____ ➡ _____

· arrive 도착하다
· at noon 정오에

04 다음 우리말과 같도록 빈칸에 알맞은 수량형용사를 쓰시오.

(1) 그는 항상 바빠서 여가 시간이 거의 없다.

➡ He is always busy, so he has _____ free time.

(2) 몇 명의 학생들이 영화를 보고 있다.

➡ _____ _____ students are watching a movie.

(3) 유리컵에 주스가 조금 있다.

➡ There is _____ _____ juice in the glass.

Tip
수량형용사 a few와 a little은 '조금 있는', few와 little은 '거의 없는'의 뜻이다.

05 다음 문장을 지시에 맞게 바꿔 쓰시오.

(1) She will clean her room.

(부정문으로) ➡ _____

(2) They will bring a lot of tomatoes.

(의문문으로) ➡ _____

(3) Mary studies English with her friend.

(미래시제로) ➡ _____

· bring 가져오다

06 다음 문장의 밑줄 친 부분과 바꿔 쓸 수 있는 것은?

> Jack is going to visit his uncle's farm on the weekend.

① can　　　② will　　　③ may
④ must　　　⑤ should

07 다음 빈칸에 들어갈 말로 알맞지 않은 것은?

> Sujin will go to the concert _____.

① tomorrow　　　② this weekend　　　③ next Friday
④ last Sunday　　　⑤ this afternoon

08 다음 빈칸에 들어갈 말이 바르게 짝지어진 것은?

> • There is _____ water in the lake.
> • I have _____ questions about them.

① a few – few
② a few – a little
③ little – a few
④ a little – little
⑤ few – some

09 다음 문장을 의문문으로 바르게 바꿔 쓴 것은?

> She will take many pictures there.

① Will she takes many pictures there?
② Will she take many pictures there?
③ Does she take many pictures there?
④ Is she will take many pictures there?
⑤ Does she will take many pictures there?

Level **UP**
10 다음 빈칸에 들어갈 알맞은 말을 쓰시오.

> Suho is 11 years old now. He _____ _____ 12 years old next year.

11 다음 문장에서 어법상 <u>틀린</u> 부분을 찾아 바르게 고쳐 쓰시오.

> When will you finishes your homework?

> _____ ➡ _____

12 다음 빈칸에 들어갈 말로 알맞은 것은?

> Let's go shopping with me, Suji. I need _____ T-shirts.

① few   ② little   ③ a little
④ a few   ⑤ much

13 다음 대화의 밑줄 친 ①~⑤ 중 어법상 옳지 <u>않은</u> 것은?

> A: Will you ① go to Eric's birthday party?
> B: No, I ② will. I have to ③ study for the test. How about you?
> A: I ④ will go there. I ⑤ bought his birthday gift yesterday.
> B: Have a great time there!

Level UP
14 다음 중 어법상 옳은 것은?

① She needs a little pens.
② Kate will drink a few milk.
③ The shop has a lot of clothes.
④ He wants to buy a little flowers.
⑤ Much children are playing in the beach.

Level UP
15 다음 우리말을 주어진 단어들을 사용하여 영어로 쓰시오.

> Sally는 내일 아침에 일찍 일어날 것이다.
> ➡ _____
>
> (get up, tomorrow morning)

Grammar 서술형 평가

1 다음 우리말을 괄호 안의 단어들과 수량형용사를 활용하여 영어로 쓰시오.

(1) Tom은 몇 자루의 연필을 가지고 있다.

➡ _____

(have, pencil)

(2) Kate는 많은 인형을 가지고 있다.

➡ _____

(have, doll)

(3) Emma는 약간의 물이 필요하다.

➡ _____

(need, water)

2 다음 글을 조동사 will을 사용하여 미래시제로 바꿔 쓰시오.

> 1,600 pandas are in the park. Many people come and see them. An artist made them with used paper. So, they don't move.

⬇

> 1,600 pandas _____.
> Many people _____.
> An artist made them with used paper.
> So, they _____.

3 다음 글에서 어법상 <u>어색한</u> 부분을 찾아 바르게 고쳐 쓰시오.

> I love the red ball! My friends and I punched it a little times. Then we jumped into it and bounced off it. It will be not here forever. So come today.

(1) _____ ➡ _____

(2) _____ ➡ _____

4 다음 그림을 보고, 〈보기〉에서 알맞은 말을 골라 글을 완성하시오. (중복 사용 가능)

보기		
a few	few	a little
little	much	many

> In the morning, I ate _____ bread with some tea. For lunch, I had only _____ cookies with _____ milk. In the evening, I was very hungry. So, I ate too _____ food.

5 다음 표를 보고, 각 인물의 내일 계획을 세 문장으로 완성하시오.

Name	Plans for tomorrow
Julie	산책하기
Tim	아빠와 낚시하러 가기
Kevin and Mike	공원에서 배드민턴 치기

Q: What will they do tomorrow?

(1) Julie _____.

(2) Tim _____.

(3) Kevin and Mike _____

_____.

A Red Ball Is Rolling to You!

Words&Phrases

- reporter[rɪpɔ́rtər] 기자, 리 포터
- giant[ʤáɪənt] 거대한
- on one's way to ~로 가는 길 에
- huge[hjuːʤ] 거대한, 막대한
- punch[pʌntʃ] 주먹으로 치다
- time[taɪm] (어떤 일을 하는) 번
- jump[ʤʌmp] 뛰다, 점프하다
- bounce[baʊns] 튀다, 튀기다
- perfect[pə́ːrfɪkt] 완벽한
- public[pʌ́blɪk] 공공의, 대중을 위한

Reporter Rosie: This morning a giant red ball ¹._____ ~로 굴러 들어왔다 _____ Bordeaux. The people around it ²._____ ~하게 보이다 very excited and ³._____ 놀란 . Let's talk to ⁴._____ 몇 명 _____ of them.

Pierre(38, a cook): ⁵._____ _____ ~로 가는 길에 _____ work, I saw a giant red ball! It ⁶._____ ~처럼 보였다 _____ a huge beach ball. I thought, "What ⁷._____ 도대체 _____ is that?" I couldn't believe my eyes.

Nicole(14, a student): I love it! My friends and I ⁸._____ 주먹으로 쳤다 it ⁹._____ _____ _____ 몇 번 . Then we jumped into it and ¹⁰._____ 튕겨 나갔다 it. It won't be here forever. So come today.

Reporter Rosie: The red ball is 4.57 meters ¹¹._____ 높이가 ~인 and ¹²._____ 무게가 ~이다 113 kilograms. It's a ¹³._____ 완벽한 example of public art. Public art jumps out of the museum. It goes into

---

CHECK 윗글의 내용과 일치하면 T, 일치하지 않으면 F에 체크하시오.

1. A giant red ball rolled into Bordeaux this afternoon.   (T / F)
2. The people around the red ball look very excited and surprised.   (T / F)
3. Pierre couldn't believe his eyes when he saw the red ball.   (T / F)
4. Nicole and her friends punched the red ball many times.   (T / F)
5. The red ball is a kind of public art.   (T / F)

빈칸 채우기 정답
1. rolled into 2. look
3. surprised 4. a few
5. On my way to 6. looked like
7. on earth 8. punched
9. a few times 10. bounced off
11. tall 12. weighs 13. perfect

CHECK 정답
1. F 2. T 3. T 4. F 5. T

places 1._____ parks and streets. The 2._____ of
_{~ 같은}_{창작자}

the red ball, Kurt, takes it 3._____
_{세계 도처로}

_____ _____. He is here with us today. Can you

tell us about it?

Kurt: Sure. The red ball is for everyone. It 4._____
_{기쁨을 가져다주다}

_____ to people. People 5._____ it,
_{~와 함께 놀다}

and they become 6._____ the art. People in
_{~의 일부}

7._____ countries enjoy it 8._____. In Sydney,
_{다른}_{다르게}

people played with the ball. In London, everyone just

9._____ the ball and 10._____
_{~을 바라보았다}_{~에 대해 이야기했다}

_____ it. People in Taipei 11._____ it everywhere
_{따라갔다}

and 12._____ of it.
_{사진을 찍었다}

Reporter Rosie: Interesting. Why is it red?

Kurt: Red is the color of energy and love!

Reporter Rosie: Thank you, Kurt. Well, the giant ball

13._____ until this Sunday. So
_{이곳에 있을 것이다}

14._____ and feel its energy and love!
_{밖으로 나오다}

Words&Phrases

• creator[kriéɪtər] 창작자, 창조자
• bring[brɪŋ] 가져다주다
• joy[dʒɔɪ] 기쁨
• differently[dífərəntli] 다르게
• follow[fá:lou] 따라가다
• everywhere[évriwer] 모든 곳(에), 어디나
• interesting[íntrəstɪŋ] 재미있는, 흥미로운
• until[əntíl] ~까지

CHECK 윗글의 내용과 일치하면 T, 일치하지 않으면 F에 체크하시오.

1. People in different countries enjoy the red ball in the same way. (T / F)
2. In London, people looked at the red ball and took pictures of it. (T / F)
3. People in Taipei followed the red ball everywhere. (T / F)
4. Red is the color of energy and hope. (T / F)
5. The red ball will stay in Bordeaux until this Sunday. (T / F)

빈칸 채우기 정답
1. like 2. creator 3. all over the world 4. brings joy 5. play with 6. part of 7. different 8. differently 9. looked at 10. talked about 11. followed 12. took pictures 13. will be here 14. come out

CHECK 정답
1. F 2. F 3. T 4. F 5. T

Reading Test

(01~02) 다음 글을 읽고, 물음에 답하시오.

> **Reporter Rosie:** This morning a giant red ball rolled into Bordeaux. The people around <u>it</u> look very excited and surprised. Let's talk to a few of them.

- reporter 기자, 리포터
- giant 거대한
- roll into ~로 굴러 들어오다

01 윗글의 뒤에 이어질 내용으로 알맞은 것은?

① 레드볼의 크기
② Bordeaux 지역의 특징
③ 레드볼의 유래
④ 레드볼을 본 사람들과의 인터뷰 내용
⑤ 레드볼이 놀라운 이유

Tip
기자의 마지막 말을 살펴본다.

02 윗글의 밑줄 친 it이 가리키는 것을 본문에서 찾아 쓰시오.

_____

Tip
대명사가 가리키는 것은 주로 바로 앞 문장에 있다.

(03~06) 다음 글을 읽고, 물음에 답하시오.

> **Pierre(38, a cook):** ____ⓐ____ my way to work, I saw a giant red ball! It looked ____ⓑ____ a huge beach ball. I thought, "What on earth is that?" I couldn't believe my eyes.
>
> **Nicole(14, a student):** I love it! My friends and I punched it ⓒ<u>a few</u> times. Then we jumped into it and bounced off it. It ____ⓓ____ be here forever. So come today.

- huge 거대한
- punch 주먹으로 치다
- bounce off 튕겨 나가다
- forever 영원히

03 윗글의 빈칸 ⓐ와 ⓑ에 들어갈 말이 바르게 짝지어진 것은?

① To – in
② To – like
③ On – like
④ On – at
⑤ In – at

04 윗글의 밑줄 친 ⓒ와 같은 말이 들어가는 것은?

① I bought _____ bread.
② He needs _____ money.
③ I have _____ homework.
④ This work will take _____ time.
⑤ _____ people are playing baseball.

Tip
a few는 셀 수 있는 명사와 함께 쓰이는 수량형용사이다.

05 윗글의 흐름상 빈칸 ⓓ에 들어갈 말로 알맞은 것은?

① will
② won't
③ can
④ may
⑤ shouldn't

06 윗글의 Pierre의 심정으로 가장 알맞은 것은?

① worried
② sad
③ bored
④ surprised
⑤ angry

Tip
Pierre의 말 What on earth is that?과 I couldn't believe my eyes.의 의미를 생각해 본다.

(07~09) 다음 글을 읽고, 물음에 답하시오.

> Reporter Rosie: The red ball is 4.57 meters tall and weighs 113 kilograms. ① It's a perfect example of public art. ② Public art jumps out of the museum. ③ Visiting the museum brings joy to everyone. ④ It goes into places like parks and streets. ⑤ The creator of the red ball, Kurt, takes it all over the world. He is here with us today.

07 윗글의 밑줄 친 ①~⑤ 중 흐름상 <u>어색한</u> 것은?

    ①   ②   ③   ④   ⑤

08 윗글의 레드볼에 관한 내용과 일치하지 <u>않는</u> 것은?

① It is public art.
② It is 4.57 meters tall.
③ The creator of it is Kurt.
④ It weighs 113 kilograms.
⑤ It goes into places like museums.

Level UP

09 윗글의 내용과 일치하도록 빈칸에 알맞은 말을 쓰시오.

> Public art doesn't stay in the _____. It stays in places like _____ and _____.

(10~13) 다음 글을 읽고, 물음에 답하시오.

> Reporter Rosie: _____
>
> Kurt: Sure. The red ball is for everyone. It brings joy to people. People play with it, and they become part of the art. People in ⓐ different / differently countries enjoy it ⓑ different / differently. In Sydney, people played with the ball. In London, everyone just looked at the ball and talked about it. People in Taipei followed it everywhere and took pictures of it.

10 윗글의 빈칸에 들어갈 기자의 질문으로 알맞은 것은?

① What is public art?
② Can I talk to a few people?
③ Can you tell us about the red ball?
④ Where did you go with the red ball?
⑤ Why does the red ball bring joy to people?

- weigh 무게가 ~이다
- perfect 완벽한
- example 예
- public 공공의
- creator 창작자

Tip
이 글은 공공 미술로서의 레드볼에 관해 설명하는 내용이다.

Tip
레드볼은 공공 미술의 완벽한 예로 공원과 거리 같은 곳으로 간다고 했다.

- bring 가져다주다
- everywhere 모든 곳(에)

Tip
Kurt는 레드볼의 역할과 여러 나라의 사람들이 레드볼을 즐기는 다양한 방식에 대해 설명하고 있다.

11 윗글의 ⓐ와 ⓑ에서 어법상 옳은 것을 골라 쓰시오.

ⓐ _____   ⓑ _____

Tip
형용사는 명사를 수식하고, 부사는 형용사, 부사, 동사 또는 문장 전체를 수식할 수 있다.

12 윗글의 내용과 일치하도록 할 때 빈칸에 알맞은 것은?

> There are _____ ways to enjoy the red ball.

① easy   ② real   ③ perfect   ④ same   ⑤ different

Tip
서로 다른 나라의 사람들은 레드볼을 각자 자신들만의 방식으로 즐긴다.

13 윗글의 내용과 일치하지 <u>않는</u> 것은?

① 레드볼은 사람들에게 기쁨을 가져다준다.
② 레드볼은 특정한 도시의 사람들을 위한 것이다.
③ 타이베이의 사람들은 레드볼을 어디든 따라다녔다.
④ 런던에서는 모든 사람들이 레드볼을 바라보기만 했다.
⑤ 여러 나라의 사람들은 레드볼을 다양한 방식으로 즐긴다.

Tip
레드볼이 누구를 위한 것인지 첫 번째 문장에 제시되어 있다.

[14~15] 다음 글을 읽고, 물음에 답하시오.

> **Reporter Rosie:** Interesting. _____
> **Kurt:** Red is the color of energy and love!
> **Reporter Rosie:** Thank you, Kurt. Well, the giant ball <u>이번 주 일요일까지 여기에 있을 것이다</u>. So come out and feel its energy and love!

• feel ~을 느끼다

14 윗글의 문맥상 빈칸에 들어갈 말로 알맞은 것은?

① Why is the ball red?
② What color is the ball?
③ Why don't people like red?
④ What is your favorite color?
⑤ Where can you see the red ball?

Tip
빨간색이 에너지와 사랑의 색이라는 Kurt의 대답에 어울리는 질문을 찾는다.

Level UP

15 윗글의 밑줄 친 우리말과 같도록 주어진 단어들을 사용하여 문장을 완성하시오.

➡ Well, the giant ball _____.
                          (be, until)

Tip
'~할 것이다, ~일 것이다'라는 뜻의 조동사 will을 사용하여 문장을 완성한다.

[1~2] 다음 글을 읽고, 물음에 답하시오.

> Pierre(38, a cook): On my way to work, I saw a giant red ball! It looked like a huge beach ball. I thought, ⓐ "도대체 저것이 무엇일까?" I couldn't believe my eyes.
>
> Nicole(14, a student): I love it! My friends and I punched it a few times. Then ⓑ <u>우리는 그것에 뛰어들어 튕겨 나오기도 했어요.</u> It won't be here forever. So come today.

1 윗글의 밑줄 친 우리말 ⓐ를 on earth를 사용하여 영어로 쓰시오.

➡ _____

2 윗글의 밑줄 친 우리말 ⓑ와 같도록 주어진 단어들을 바르게 배열하시오.

(we, into, jumped, bounced, it, and, it, off)

➡ _____

3 다음 글의 내용과 일치하도록 빈칸에 알맞은 말을 쓰시오.

> The red ball is 4.57 meters tall and weighs 113 kilograms. It's a perfect example of public art. Public art jumps out of the museum. It goes into places like parks and streets. The creator of the red ball, Kurt, takes it all over the world.

⬇

> _____ _____ doesn't stay in the museum. It is in public places like _____ and _____. The red ball is a perfect example of _____ _____.

4 다음 글을 읽고, 주어진 표를 완성하시오.

> The red ball is for everyone. It brings joy to people. People play with it, and they become part of the art. People in different countries enjoy it differently. In Sydney, people played with the ball. In London, everyone just looked at the ball and talked about it. People in Taipei followed it everywhere and took pictures of it.

How People Enjoy the Red Ball		
Sydney	People _____ with the ball.	
London	People just _____ _____ the ball and _____ _____ it.	
Taipei	People _____ it everywhere and _____ pictures of it.	

5 다음 글을 읽고, 주어진 질문에 완전한 문장으로 답하시오.

> Kurt: The red ball is for everyone. It brings joy to people. People play with it, and they become part of the art.
>
> Reporter Rosie: Interesting. Why is it red?
>
> Kurt: Red is the color of energy and love!
>
> Reporter Rosie: Thank you, Kurt. Well, the giant ball will be here until this Sunday. So come out and feel its energy and love!

(1) What does the red ball bring to people?

➡ _____

(2) Why did Kurt choose the color red?

➡ _____

01 다음 짝지어진 단어의 관계가 같도록 빈칸에 알맞은 말을 쓰시오.

> report : reporter = create : _____

02 다음 그림을 보고 빈칸에 들어갈 말로 알맞은 것은?

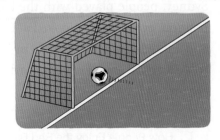

> The soccer ball _____ into the net.

① jumps   ② runs   ③ rolls
④ brings   ⑤ takes

03 다음 밑줄 친 부분의 의미가 알맞지 않은 것은?

① The ball bounced off the wall. (튕겨 나갔다)
② People sat around the table. (~ 주위에)
③ Koalas look like bears. (~을 보다)
④ We saw a huge tree in the park. (거대한)
⑤ On my way to school, I saw a giant ball.
(~로 가는 길에)

[04~05] 다음 대화를 읽고, 물음에 답하시오.

> A: It's finally Friday!
> B: _____ⓐ_____ are you going to do on the weekend, Somi?
> A: I'm going to go to the Blue Boys concert. I'm a big fan of rock music.
> B: That's great! _____ⓑ_____ is the concert?
> A: At Olympic Park. What about you?
>   ⓒ
> B: Well, I'm going to ride my bike with a friend.

04 위 대화의 빈칸 ⓐ와 ⓑ에 들어갈 말이 바르게 짝지어진 것은?

① What – When   ② What – Where
③ How – Where   ④ How – What
⑤ Where – What

05 위 대화의 빈칸 ⓒ에 들어갈 말로 알맞지 <u>않은</u> 것은?

① What are your plans for the weekend?
② Do you have any plans for the weekend?
③ What plans do you have on the weekend?
④ When did you make plans for the weekend?
⑤ What are you planning to do on the weekend?

[06~07] 다음 대화를 읽고, 물음에 답하시오.

> Alex: What are you going to do on Saturday, Bora?
> Bora: I'm going to go to Grand Park. 1,600 pandas are going to be there.
> Alex: 1,600 pandas? Are you serious?
> Bora: Oh, they're not real pandas. An artist made them with used paper. (①)
> Alex: That sounds interesting. (②) Can I come with you? (③)
> Bora: Of course. (④)
> Alex: How about 3 o'clock? (⑤)
> Bora: Great. See you in front of the park.

06 위 대화의 ①~⑤ 중 주어진 문장이 들어갈 알맞은 곳은?

> What time should we meet?

①   ②   ③   ④   ⑤

07 위 대화의 내용과 일치하지 <u>않는</u> 것은?

① Alex is going to meet Bora on Saturday.
② An artist made the pandas with used paper.
③ Bora and Alex are going to meet at 3 o'clock.
④ Bora is going to go to Grand Park on Saturday.
⑤ The real pandas will be in Grand Park on Saturday.

08 다음 중 짝지어진 대화가 <u>어색한</u> 것은?

① A: What are you going to do there?
  B: I'm going to take many pictures.
② A: What is your plan for this vacation?
  B: I'm planning to read many books.
③ A: Let's meet in front of the station.
  B: Great. See you there.
④ A: Where do you want to meet?
  B: Let's meet before the movie starts.
⑤ A: When should we meet?
  B: How about 6 o'clock?

09 다음 우리말을 영어로 바르게 옮긴 것은?

> 그들은 일요일에 콘서트에 가지 않을 것이다.

① They will go to the concert on Sunday.
② They don't go to the concert on Sunday.
③ They will not go to the concert on Sunday.
④ They cannot go to the concert on Sunday.
⑤ They not will go to the concert on Sunday.

10 다음 빈칸에 들어갈 말이 바르게 짝지어진 것은?

> • I have a lot of homework to do. I _____ play basketball after school.
> • It is raining now. But it _____ be sunny tomorrow.

① will − will
② will − won't
③ will − should
④ won't − will
⑤ won't − won't

11 다음 빈칸에 들어갈 말로 알맞은 것은?

> Tom has _____ money, so he can't buy flowers.

① a few
② little
③ few
④ much
⑤ many

12 다음 중 어법상 옳은 것은?

① It will rained this afternoon.
② Kate will leaving tomorrow.
③ He won't to visit us this weekend.
④ Will your sister goes to the library?
⑤ Sue and I will go shopping after school.

13 다음 중 어법상 옳지 <u>않은</u> 것은?

① She has little free time.
② Mike has a little friends.
③ I know many English songs.
④ He made some cookies for me.
⑤ There is a little salt in this soup.

(14~17) 다음 글을 읽고, 물음에 답하시오.

> Reporter Rosie: This morning a giant red ball rolled into Bordeaux. The people around it look very excited and surprised. Let's ____ⓐ____ to ① a few of them.
>
> Pierre(38, a cook): ② On my way to work, I saw a giant red ball! It looked like a huge beach ball. I thought, "What ③ on earth is that?" I couldn't believe my eyes.
>
> Nicole(14, a student): I love it! My friends and I ④ punched it a few ____ⓑ____. Then we ⑤ jumped into it and bounced off it. It won't be ⓒ here forever. So come today.

14 윗글의 빈칸 ⓐ와 ⓑ에 들어갈 말의 형태가 바르게 짝지어진 것은?

① talk – time
② talk – times
③ talking – time
④ talking – times
⑤ talked – times

15 윗글의 밑줄 친 ①~⑤의 의미가 알맞지 않은 것은?

① 그들 중 몇 명
② 직장으로 가는 길에
③ 도대체
④ 던졌다
⑤ ~로 뛰어들었다

16 윗글의 밑줄 친 ⓒhere가 가리키는 것을 본문에서 찾아 쓰시오.

_____

17 윗글을 읽고 답할 수 없는 질문은?

① What is Pierre's job?
② What did Nicole do with the red ball?
③ What did the red ball look like to Pierre?
④ How long can the people see the red ball?
⑤ When did the red ball roll into Bordeaux?

(18~21) 다음 글을 읽고, 물음에 답하시오.

> Reporter Rosie: The red ball is 4.57 meters tall and weighs 113 kilograms. It's a perfect example of public art. Public art jumps ____ⓐ____ the museum. It goes ____ⓑ____ places like parks and streets. The creator of the red ball, Kurt, takes it all over the world. He is here with us today. Can you tell us about it?
>
> Kurt: Sure. The red ball is for everyone. It brings joy ____ⓒ____ people. People play with it, and they become part of the art.

18 윗글의 빈칸 ⓐ~ⓒ에 들어갈 말이 바르게 짝지어진 것은?

① into – into – to
② into – out of – to
③ into – out of – for
④ out of – into – for
⑤ out of – into – to

19 윗글의 밑줄 친 like와 같은 의미로 쓰인 것은?

① Do you like your new house?
② What are his likes and dislikes?
③ The girl looks like her mother.
④ I like watching soccer games on TV.
⑤ I eat healthy food like vegetables and fish.

20 윗글을 읽고 알 수 있는 내용이 <u>아닌</u> 것은?

① 레드볼의 높이
② 레드볼의 무게
③ 레드볼의 가격
④ 레드볼이 가는 장소
⑤ 레드볼을 만든 사람

21 윗글의 내용과 일치하지 <u>않는</u> 것은?

① Kurt made the red ball.
② Public art is for everyone.
③ Rosie is interviewing Kurt.
④ The red ball gives joy to people.
⑤ Kurt takes the red ball to some countries.

[22~25] 다음 글을 읽고, 물음에 답하시오.

Kurt: The red ball is for everyone. It brings ⓐjoy to people. People play with it, and they become part of the art. People in different countries enjoy it ①different. In Sydney, people played with the ball. In London, everyone just looked at the ball and ②talks about it. People in Taipei followed it everywhere and ③take pictures of it.
Reporter Rosie: Interesting. Why is it red?
Kurt: Red is the color of energy and love!
Reporter Rosie: Thank you, Kurt. Well, the giant ball ④will is here until this Sunday. So come out and ⑤feeling its energy and love!

22 윗글의 밑줄 친 ⓐ와 바꿔 쓸 수 있는 것은?

① pain   ② hope   ③ worry
④ happiness   ⑤ fear

23 윗글의 밑줄 친 ①~⑤를 어법상 <u>잘못</u> 고친 것은?

① different → differently
② talks → talked
③ take → took
④ will is → will being
⑤ feeling → feel

24 다음 영어 뜻풀이에 해당하는 단어를 본문에서 찾아 쓰시오.

in all places

_____

25 윗글의 내용과 일치하는 것은?

① 레드볼은 특정 사람들을 위한 것이다.
② 이번 주 일요일에 레드볼을 볼 수 없다.
③ 레드볼을 본 사람들의 반응은 나라마다 똑같다.
④ 레드볼은 눈으로만 감상해야 하는 예술 작품이다.
⑤ Rosie는 사람들에게 레드볼을 직접 접하기를 권하고 있다.

서술형 평가 완전정복

정답 p. 8

1 민수의 다음 주 계획을 보고, 빈칸에 알맞은 말을 써서 문장을 완성하시오.
(단, **be going to**를 사용할 것)

Tuesday	친구들과 축구 하기
Wednesday	컴퓨터 게임 하기
Friday	도서관 가기

(1) Minsu _____ next Tuesday.

(2) Minsu _____ next Wednesday.

(3) Minsu _____ next Friday.

Tip
미래의 계획을 말할 때 사용하는 be going to를 써서 문장을 완성한다. be going to 뒤에는 항상 동사원형이 오는 것에 유의한다.

2 다음 대화를 읽고, 주어진 질문에 완전한 문장으로 답하시오.

> A: What are you going to do on Saturday, Bora?
> B: I'm going to go to Grand Park. 1,600 pandas are going to be there.
> A: 1,600 pandas? Are you serious?
> B: Oh, they're not real pandas. An artist made them with used paper.
> A: That sounds interesting. Can I come with you?
> B: Of course. What time should we meet?
> A: How about 3 o'clock?
> B: Great. See you in front of the park.

(1) What time are they going to meet?

➡ _____

(2) Where are they going to meet?

➡ _____

Tip
두 사람이 만날 시간과 장소를 파악하며 대화를 읽는다.

3 다음 대화의 우리말과 같도록 빈칸에 알맞은 말을 쓰시오.

> A: I saw a giant red ball! I couldn't believe my eyes.
> B: Me, too. My friends and I (1) _____
>   and took pictures of it.　　(그것을 주먹으로 몇 번 쳤다)
> A: I heard it is a perfect example of public art. It goes into places like parks and streets.
> B: Oh, (2) _____.
>   (그것은 여기에 영원히 있지는 않을 것이다)
>   I'll bring my family and play with it.

Tip
수량형용사와 조동사 will의 부정형을 사용하여 문장을 완성한다.

친구들의 주말 계획 말하기

1 다음 친구들의 주말 계획을 보고, 주어진 질문에 답해 봅시다.

Mike   Sarah   Yumi   Homin

e.g. What is Mike going to do this weekend?

➡ He is going to go swimming.

(1) What is Sarah going to do this weekend?

➡ _____

(2) What is Yumi going to do this weekend?

➡ _____

(3) What is Homin going to do this weekend?

➡ _____

가까운 미래의 계획을 말하는 문제이다. 「be going to+동사원형」의 형태를 활용하여 완성한다.

평가 영역	점수
언어 사용: 적절한 어휘를 사용하고, 문법과 어순이 정확하다.	0 1 2 3
내용 이해: 학습한 내용을 정확히 이해하고 활용했다.	0 1 2 3
유창성: 말에 막힘이 없고 자연스럽다.	0 1 2 3
과제 완성도: 세 명의 친구들의 주말 계획을 모두 말했다.	0 1 2 3

약속 정하기

2 다음 그림을 보고, Tom이 방과 후에 할 일을 Eric에게 제안하고, 약속 시간과 장소를 정하는 대화를 완성해 봅시다.

┌─ 조건 ─────────────────────────────┐
1. let's / what time / where를 한 번씩 사용하여 문장을 완성할 것
2. 주어와 동사를 포함한 완전한 문장으로 말할 것
└────────────────────────────────────┘

Tom: Hi, Eric. (1) _____

Eric: That sounds good. (2) _____

Tom: How about 5 o'clock?

Eric: Great! (3) _____

Tom: Let's meet in front of the park.

Eric: Okay. I'll see you there.

방과 후에 할 일을 제안하고 만날 시간과 장소를 정하는 문제이다. 적절한 의문사와 제안하는 표현을 사용하여 말한다.

평가 영역	점수
언어 사용: 적절한 어휘를 사용하고, 문법과 어순이 정확하다.	0 1 2 3
내용 이해: 학습한 내용을 정확히 이해하고 활용했다.	0 1 2 3
유창성: 말에 막힘이 없고 자연스럽다.	0 1 2 3
과제 완성도: 약속을 정하는 대화를 완성했다.	0 1 2 3

미래에 할 일 쓰기

1 자신이 2학기에 할 일과 하지 않을 일을 생각해 보고, 결심하는 문장을 써 봅시다.

─조건─
1. 조동사 will을 사용하여 할 일을 두 문장 쓸 것
2. 조동사 will not을 사용하여 하지 않을 일을 두 문장 쓸 것
3. 주어와 동사를 포함한 완전한 문장으로 쓸 것

e.g. I will be kind to my friends.
    I will not be late for school.

(1) _____

(2) _____

(3) _____

(4) _____

수량형용사를 사용하여 그림 묘사하기

2 다음 그림을 보고, 주어진 단어를 활용하여 묘사하는 문장을 써 봅시다.

─조건─
1. 주어진 단어를 한 번씩 사용하여 네 문장을 쓸 것
2. 예시와 같이 그림을 묘사하는 문장을 쓸 것
3. 위치를 나타내는 표현을 쓸 것

a few	a little	many	a lot of

e.g. There is a little juice in the bottle.
    There are a few pencils on the desk.

(1) _____

(2) _____

(3) _____

(4) _____

2학기에 실천할 일을 미래를 나타내는 조동사 will을 사용하여 「will+동사원형」, 「will not+동사원형」의 형태로 쓴다.

평가 영역	점수
언어 사용: 문장의 단어, 문법, 어순이 정확하다.	0 1 2 3
내용 이해: 학습한 내용을 정확히 이해하고 활용했다.	0 1 2 3
과제 완성도: 제시한 조건을 모두 충족하여 작성하였다.	0 1 2 3

그림 속 물건의 수량을 확인한 후 명사 앞에 쓰이는 수량형용사의 종류에 유의하여 문장을 완성한다.

평가 영역	점수
언어 사용: 문장의 단어, 문법, 어순이 정확하다.	0 1 2 3
내용 이해: 학습한 내용을 정확히 이해하고 활용했다.	0 1 2 3
과제 완성도: 제시한 조건을 모두 충족하여 작성하였다.	0 1 2 3

Lesson 6

Dream High, Fly High!

Function

- 관심 말하기
  A: What are you interested in?
  B: I'm interested in solving puzzles.

- 장래 희망 말하기
  A: What do you want to be in the future?
  B: I want to be a doctor.

Grammar

- to부정사의 명사적 용법
  Rahul loved **to sing**.

- 접속사 when
  When Rahul was in middle school, he acted in a school play.

New Words & Phrases

알고 있는 단어나 숙어에 ✔표 해 보세요.

- ☐ act 동 연기하다; 행동하다
- ☐ activity 명 활동
- ☐ actor 명 배우
- ☐ as 전 ~로(서)
- ☐ challenging 형 흥미를 돋우는
- ☐ coach 명 (스포츠 팀의) 코치
- ☐ designer 명 디자이너
- ☐ even 부 ~조차도, 심지어
- ☐ famous 형 유명한
- ☐ following 형 다음의, 다음에 나오는
- ☐ future 형 미래의, 장래의 명 미래, 장래

- ☐ leave 동 떠나다
- ☐ luckily 부 운 좋게도, 다행히도
- ☐ musician 명 음악가
- ☐ novelist 명 소설가
- ☐ play 명 연극 동 놀다; 연주하다
- ☐ poem 명 시
- ☐ poet 명 시인
- ☐ practice 동 연습하다
- ☐ solve 동 풀다, 해결하다
- ☐ spend 동 (시간을) 보내다
- ☐ still 부 아직(도), 여전히

- ☐ sure 형 확신하는
- ☐ traditional 형 전통적인
- ☐ travel 동 여행하다
- ☐ yet 부 아직
- ☐ be interested in ~에 관심이 있다
- ☐ fall in love 사랑에 빠지다
- ☐ get hurt 다치다
- ☐ grow up 자라다, 성장하다
- ☐ movie director 영화감독
- ☐ take care of ~을 돌보다
- ☐ up close 바로 가까이에(서)

Words Test

1 다음 영어의 우리말 뜻을 쓰시오.

(1) poem _____   (2) spend _____

(3) activity _____   (4) still _____

(5) musician _____   (6) traditional _____

(7) poet _____   (8) coach _____

(9) challenging _____   (10) following _____

2 다음 우리말을 영어로 쓰시오.

(1) ~로(서) _____   (2) 확신하는 _____

(3) 운 좋게도 _____   (4) 떠나다 _____

(5) 아직 _____   (6) 유명한 _____

(7) 배우 _____   (8) 소설가 _____

(9) ~ 조차도, 심지어 _____   (10) 연습하다 _____

3 다음 영어 뜻풀이에 해당하는 단어를 쓰시오.

(1) _____ : to find the answer to a problem

(2) _____ : coming after the present time

(3) _____ : to go from one place to another

(4) _____ : to perform a part in a play or movie

(5) _____ : a story that is acted out on a stage

4 다음 빈칸에 알맞은 어구를 〈보기〉에서 골라 쓰시오.

보기			
get hurt	grow up	take care of	up close

(1) Did you _____ when you played soccer?

(2) I was lucky, so I could watch the show _____.

(3) He has to _____ his little brother.

(4) What do you want to be when you _____?

5 다음 우리말과 같도록 빈칸에 알맞은 단어를 쓰시오.

(1) 나는 그의 소설에 푹 빠졌다. ➡ I _____ _____ _____ with his novel.

(2) 한옥은 한국의 전통적인 집이다. ➡ Hanok is a Korean _____ house.

(3) 그는 한국에서 유명한 영화감독이다. ➡ He is a famous _____ _____ in Korea.

(4) 우리는 매일 학교에서 많은 시간을 보낸다. ➡ We _____ a lot of time in school every day.

(5) 나는 과학을 공부하는 것에 관심이 있다. ➡ I'm _____ _____ studying science.

A 관심 말하기

A: What are you interested in?

B: I'm interested in solving puzzles.

(1) 관심 묻기

'너는 무엇에 관심이 있니?'라는 뜻으로 상대방이 관심 있어 하는 것이 무엇인지 물을 때 What are you interested in?으로 말한다.

- What are your interests? 너의 관심사는 무엇이니?
- What do you enjoy doing? 너는 무엇을 하는 것을 즐기니?

(2) 관심 말하기

자신이 관심 있어 하는 것을 말할 때 I'm interested in ~.의 표현을 사용한다. 전치사 in 뒤에는 명사나 동명사를 쓴다.

- I'm interested in movies. 나는 영화에 관심이 있어.
- I'm interested in cooking. 나는 요리하는 것에 관심이 있어.
- My interests are singing and dancing. 나의 관심사는 노래 부르는 것과 춤추는 거야.
- I enjoy listening to music. 나는 음악 듣는 것을 즐겨.
- I like reading books. 나는 책 읽는 것을 좋아해.

해석

A: 너는 무엇에 관심이 있니?

B: 나는 퍼즐을 푸는 것에 관심이 있어.

⊕ Plus

- 특정 대상에 관심이 있는지 물을 때는 Are you interested in ~? 으로 말하고, 대답은 Yes, I am. 이나 No, I'm not.으로 한다.

A: Are you interested in art? (너는 미술에 관심이 있니?)

B: Yes, I am. / No, I'm not. (응, 관심이 있어. / 아니, 관심이 없어.)

B 장래 희망 말하기

A: What do you want to be in the future?

B: I want to be a doctor.

(1) 장래 희망 묻기

'너는 장래에 무엇이 되고 싶니?'라는 뜻으로 상대방의 장래 희망을 물을 때 What do you want to be in the future?로 말한다.

- What do you want to be? 너는 무엇이 되고 싶니?
  = What would you like to be?
- What do you want to be when you grow up? 너는 자라서 무엇이 되고 싶니?
- What is your dream job? 네 꿈의 직업은 무엇이니?

(2) 장래 희망 말하기

자신의 장래 희망을 말할 때 '나는 ~이 되고 싶다.'라는 뜻으로 I want to be a(n) ~.의 표현을 사용한다.

- I want to be a musician. 나는 음악가가 되고 싶어.
- I would like to be a scientist. 나는 과학자가 되고 싶어.
- My dream job is a poet. 내 꿈의 직업은 시인이야.

해석

A: 너는 장래에 무엇이 되고 싶니?

B: 나는 의사가 되고 싶어.

⊕ Plus

- 장래 희망을 묻는 표현인 What do you want to be in the future?에서 be 대신 become 이나 do를 넣어 말할 수도 있다.

What do you want to become in the future? (너는 장래에 무엇이 되고 싶니?)

What do you want to do in the future? (너는 장래에 무엇을 하고 싶니?)

Listening&Speaking 교과서 파고들기

오른쪽 우리말 해석에 맞게 빈칸에 알맞은 말을 써 봅시다.

• Listen and Speak 1 **B**

교과서 p. 98

M: How can I help you?

G: 1._____ _____ _____ a good book for me?

M: Of course. We have many books in our library. What 2._____

you _____ _____?

G: I'm interested in planes.

M: Then, 3._____ the new book on the Wright Brothers.

G: 4._____ _____ _____. Thank you.

• Listen and Speak 2 **B**

교과서 p. 99

G: 5._____ _____ the cute boy in the picture! He's 6._____

_____ _____.

B: That's me. I was six years old 7._____ _____ _____.

G: Do you 8._____ play the piano?

B: Yes, I practice every day.

G: Great! Do you 9._____ _____ _____ a pianist?

B: 10._____ _____.

G: Then 11._____ do you _____ _____ _____?

B: I want to be a 12._____ _____.

CHECK 위 대화의 내용과 일치하면 T, 일치하지 않으면 F에 체크하시오.

Listen and Speak 1 **B**

1. The man is looking for a book in the library.   (T / F)
2. The girl is interested in planes.   (T / F)
3. The man recommends the new book on the Wright Brothers. (T / F)

Listen and Speak 2 **B**

4. The boy still plays the piano.   (T / F)
5. The boy wants to be a famous pianist.   (T / F)

해석

• Listen and Speak 1 B

남자: 어떻게 도와 드릴까요?

소녀: 저에게 좋은 책을 추천해 주실 수 있나요?

남자: 물론입니다. 저희 도서관에는 많은 책이 있어요. 무엇에 관심이 있나요?

소녀: 저는 비행기에 관심이 있어요.

남자: 그럼 Wright 형제에 관한 새로운 책을 읽어 봐요.

소녀: 좋은 것 같네요. 감사합니다.

• Listen and Speak 2 B

소녀: 사진 속 귀여운 소년을 봐! 그는 피아노를 치고 있어.

소년: 그건 나야. 그때 나는 여섯 살이었어.

소녀: 너는 여전히 피아노를 치니?

소년: 응, 나는 매일 연습해.

소녀: 멋지다! 너는 피아니스트가 되고 싶니?

소년: 더 이상은 아니야.

소녀: 그럼 너는 무엇이 되고 싶니?

소년: 나는 유명한 가수가 되고 싶어.

빈칸 채우기 정답

1. Can you recommend
2. are, interested in 3. try
4. That sounds wonderful
5. Look at
6. playing the piano
7. at the time 8. still
9. want to be
10. Not anymore
11. what, want to be
12. famous singer

CHECK 정답

1. F 2. T 3. T 4. T 5. F

• Real Life Talk > Watch a Video

교과서 p. 100

Kate: What do you 1._____ _____ _____ in the future, Jiho?

Jiho: I'm 2._____ _____ yet, Kate.

Kate: Well, what 3._____ _____ _____ _____?

Jiho: 4._____ _____ _____ cooking and teaching.

Kate: Then, 5._____ _____ _____ at a cooking school?

Jiho: That's a great idea. What do you want to be 6._____ _____ _____, Kate?

Kate: I 7._____ _____ _____ an animal doctor. I want to 8._____ _____ _____.

Jiho: That sounds wonderful. 9._____ _____ to you!

해석

• Real Life Talk > Watch a Video

Kate: 너는 장래에 무엇이 되고 싶니, 지호야?

지호: 아직 확신이 없어, Kate.

Kate: 음, 너는 무엇에 관심이 있니?

지호: 나는 요리하는 것과 가르치는 것에 관심이 있어.

Kate: 그럼, 요리 학교에서 가르치는 것은 어때?

지호: 좋은 생각이야. 너는 장래에 무엇이 되고 싶니, Kate?

Kate: 나는 수의사가 되고 싶어. 나는 아픈 동물들을 돕고 싶어.

지호: 그거 멋지다. 행운을 빌어!

CHECK 위 대화의 내용과 일치하면 T, 일치하지 않으면 F에 체크하시오.

1. Kate and Jiho are talking about their future jobs. (T / F)
2. Jiho is sure about his future job. (T / F)
3. Jiho is interested in cooking and teaching. (T / F)
4. Jiho wants to become an animal doctor. (T / F)
5. Kate wants to help sick animals. (T / F)

빈칸 채우기 정답

1. want to be
2. not sure
3. are you interested in
4. I'm interested in
5. how about teaching
6. in the future
7. want to be
8. help sick animals
9. Good luck

CHECK 정답

1. T 2. F 3. T 4. F 5. T

Dream High, Fly High! **37**

Listening&Speaking Test

01 다음 대화의 밑줄 친 부분의 의도로 알맞은 것은?

> A: <u>What are you interested in, Andy?</u>
> B: I'm interested in playing basketball.

① 장래 희망 묻기　　② 소망 묻기　　③ 제안하기
④ 관심 묻기　　⑤ 계획 묻기

Tip
상대방이 무엇에 관심 있는지 묻는
표현이다.

02 다음 대화의 빈칸에 들어갈 말로 알맞은 것은?

> A: Do you want to be an animal doctor?
> B: ＿＿＿＿＿＿＿＿＿ I want to help sick animals.

① Not anymore.　　② Yes, I do.　　③ No, I don't.
④ I'm not sure.　　⑤ I don't know.

Tip
아픈 동물을 돕고 싶다는 빈칸
뒤의 말과 연결되는 대답을 고른
다.
· animal doctor 수의사

(03~04) 다음 대화의 빈칸에 들어갈 말로 알맞지 <u>않은</u> 것을 고르시오.

03

> A: What are you interested in?
> B: ＿＿＿＿＿＿＿＿＿＿＿＿＿

① I love reading books.　　② I'm not good at singing.
③ I like painting and cooking.　　④ I'm interested in playing tennis.
⑤ My interests are math and science.

Tip
관심사를 묻는 말에 답하는 말이
들어가야 한다.
· math 수학
· science 과학

04

> A: ＿＿＿＿＿＿＿＿＿＿＿＿＿
> B: I want to be a teacher.

① What do you want to be?
② What would you like to be?
③ What kind of job do you have?
④ What do you want to be in the future?
⑤ What do you want to be when you grow up?

Tip
I want to be ~.는 '나는 ～이
되고 싶다.'라는 뜻으로 장래 희
망을 말하는 표현이다.

05 자연스러운 대화가 되도록 (A)~(D)를 바르게 배열하시오.

> (A) I want to be a movie director.
> (B) What do you want to be in the future?
> (C) I want to make action movies.
> (D) Why do you want to be a movie director?

· movie director 영화감독
· action movie 액션 영화

06 다음 대화의 흐름에 맞게 빈칸에 알맞은 말을 쓰시오.

> A: Can you recommend a book for me?
> B: Of course. What are you interested in?
> A: _____ planes.
> B: Then, try the new book on the Wright Brothers.

Tip
What are you interested in?은 상대방의 관심사를 묻는 말로 이에 적절한 대답을 한다.

· recommend 추천하다

07 다음 대화의 빈칸에 공통으로 들어갈 말로 알맞은 것은?

> A: What do you want to be in the future, Jake?
> B: I want to be a _____.
> A: Why do you want to be a _____?
> B: I want to make beautiful songs.

① poet   ② reporter   ③ pianist
④ musician   ⑤ scientist

Tip
아름다운 노래를 만드는 직업이 무엇인지 생각해 본다.

· poet 시인
· reporter 기자, 리포터

08 다음 우리말과 같도록 주어진 단어들을 활용하여 문장을 완성하시오.

> 나는 동물들을 돌보는 것에 관심이 있다. (interested, take care of)
> ➡ I'm _____ animals.

Tip
'~에 관심이 있다'라는 뜻을 나타내는 be interested in을 활용한다.

(09~10) 다음 대화를 읽고, 물음에 답하시오.

> A: Mike, ① what do you want to be in the future?
> B: I want to be a car designer. I love cars. ② How about you?
> A: I'm not sure yet. ③ I want to be a cook.
> B: Well, ④ what are you interested in?
> A: I'm interested in cooking and teaching.
> B: Then, ⑤ how about teaching at a cooking school?
> A: That's a great idea!

· car designer 자동차 디자이너
· yet 아직

09 위 대화의 밑줄 친 ①~⑤ 중 흐름상 어색한 것은?

①   ②   ③   ④   ⑤

Level UP
10 위 대화의 내용과 일치하도록 다음 질문에 대한 답을 완성하시오.

> Q: What does Mike want to be?
> A: He _____.

Tip
Mike의 장래 희망이 무엇인지 대화에서 찾는다.

Listening&Speaking 서술형 평가

[1~2] 다음 그림을 보고, 대화를 완성하시오.

1

A: What does Tom want to be in the future?

B: _____

2

A: What is Sujin interested in?

B: _____

3 자연스러운 대화가 되도록 빈칸에 알맞은 말을 〈보기〉 에서 골라 쓰시오.

> 보기
> • Great! Do you want to be a pianist?
> • Then what do you want to be?
> • Do you still play the piano?

A: Look at the cute boy in the picture! He's playing the piano.

B: That's me. I was six years old at the time.

A: (1) _____

B: Yes, I practice every day.

A: (2) _____

B: Not anymore.

A: (3) _____

B: I want to be a famous singer.

4 다음 괄호 안의 단어들을 사용하여 대화의 빈칸에 들어 갈 알맞은 말을 쓰시오.

A: (1) _____
(what, want, be, in the future)

B: I want to be a poet.

A: (2) _____
(why, want, be)

B: I want to write beautiful poems.

A: That sounds wonderful!

5 다음 표의 내용을 보고, 주어진 대화를 완성하시오.

	Interests	Future Jobs
Jiho	cooking, teaching	not sure
Kate	making beautiful clothes	fashion designer

A: What do you want to be in the future, Jiho?

B: I'm not sure yet, Kate.

A: Well, what are you interested in?

B: I'm (1) _____.

A: Then, how about teaching at a cooking school?

B: That's a great idea. What do you want to be in the future, Kate?

A: I (2) _____.
I like to make beautiful clothes.

B: That sounds wonderful. Good luck to you!

A to부정사의 명사적 용법

Rahul loved to sing.
Kevin wanted to leave early.
We plan to visit a few theaters in London.

- to부정사는 「to+동사원형」의 형태로 문장에서 명사, 형용사, 부사의 역할을 한다.

- **to부정사의 명사적 용법**

역할	의미	예문
주어	~하는 것은, ~하기는	**To see** is to believe. 보는 것이 믿는 것이다.
보어	~하는 것, ~하기	My hobby is **to read** books. 내 취미는 책을 읽는 것이다.
목적어	~하는 것을, ~하기를	I want **to become** a scientist. 나는 과학자가 되기를 원한다.

- **to부정사를 목적어로 취하는 동사**

want(원하다), hope(희망하다), plan(계획하다), decide(결정하다), agree(동의하다), promise(약속하다), expect(기대하다), wish(바라다) 등
I want **to borrow** some books. 나는 책을 몇 권 빌리고 싶다.
She hopes **to finish** her work on time. 그녀는 제시간에 일을 끝내기를 바란다.
I decided **to take** a writing class. 나는 글쓰기 수업을 듣기로 결정했다.

B 접속사 when

When Rahul was in middle school, he acted in a school play.
When I'm sad, I eat peanut ice cream.
My dad cooks dinner when he comes home early.

접속사 when은 '~할 때, ~하면'이라는 뜻으로 시간을 나타내는 부사절을 이끌며, when 뒤에는 「주어+동사」가 온다. when이 이끄는 부사절은 주절의 앞이나 뒤에 올 수 있고, 주절의 앞에 올 때는 부사절 뒤에 콤마(,)를 쓴다.

주어+동사 ~+when+주어+동사 ....
When+주어+동사 ...., 주어+동사 ~.

When I'm sleepy, I drink cold water. 나는 졸릴 때, 차가운 물을 마신다.
= I drink cold water **when** I'm sleepy.
When I cleaned the house, my mom smiled. 내가 집을 청소했을 때, 엄마는 미소를 지으셨다.

해석

Rahul은 노래하는 것을 아주 좋아했다.
Kevin은 일찍 떠나고 싶어 했다.
우리는 런던에 있는 몇 개의 극장을 방문할 계획이다.

Plus

- **to부정사의 형용사적 용법**
'~할, ~하는'이라는 뜻으로 명사나 대명사를 뒤에서 수식한다.
I need something to drink.
(나는 마실 것이 필요하다.)

- **to부정사의 부사적 용법**
목적, 원인, 결과 등의 의미를 나타내며 동사나 형용사를 수식한다.
He took the bus to go there.
(그는 그곳에 가기 위해 버스를 탔다.)
I'm glad to see you.
(너를 보게 되어 기쁘다.)

해석

Rahul이 중학교에 다녔을 때, 그는 학교 연극에서 연기를 했다.
나는 슬플 때, 땅콩 아이스크림을 먹는다.
우리 아빠는 집에 일찍 오실 때 저녁 식사를 요리하신다.

Plus

when이 이끄는 시간의 부사절이 미래에 관한 내용일 때 when 부사절에서는 미래시제 대신 현재시제를 쓴다.
I will tell you when the bus arrives.
(버스가 도착하면 네게 말해 줄게.)

Grammar Test

01 다음 괄호 안에서 어법상 알맞은 것을 고르시오.

(1) Do you want (to being / to be) a reporter?

(2) I expect (catching / to catch) a big fish.

(3) She loves (to take / to takes) a walk.

(4) (Where / When) you are hungry, eat this snack.

(5) I had to be quiet (when / what) he was studying.

• expect 기대하다
• catch 잡다, 붙잡다
• take a walk 산책하다
• have to ~해야 한다

02 다음 괄호 안의 동사를 올바른 형태로 바꿔 쓰시오.

(1) He likes _____ poems. (read)

(2) My brother wants _____ a computer. (buy)

(3) He decided _____ at this company. (work)

(4) We hope _____ Australia someday. (visit)

(5) I wish _____ a pet. (have)

Tip
to부정사를 목적어로 취하는 동사인지 확인한다.

• company 회사
• someday 언젠가
• pet 애완동물

03 다음 문장에서 어법상 틀린 부분을 찾아 바르게 고쳐 쓰시오.

(1) He plans to going camping. _____ ➡ _____

(2) She hopes get a good grade. _____ ➡ _____

(3) To learning Chinese is not easy. _____ ➡ _____

(4) When he will come back, I will leave. _____ ➡ _____

• grade 성적
• come back 돌아오다
• leave 떠나다(-left-left)

04 다음 우리말과 같도록 괄호 안의 단어들을 바르게 배열하시오.

(1) 우리는 내일 만나기로 약속했다. (promised, tomorrow, we, meet, to)

➡ _____

(2) 그는 행복할 때 음악을 듣는다. (happy, he's, music, when, he, to, listens)

➡ _____

(3) 나는 영어 책을 읽기로 결정했다. (books, English, I, decided, read, to)

➡ _____

• promise 약속하다

05 다음 두 문장을 when을 사용하여 한 문장으로 바꿔 쓰시오.

(1) I'm sick. I go to see a doctor.

➡ _____

(2) He was a student. He studied very hard.

➡ _____

(3) It will rain. I will not go hiking.

➡ _____

Tip
when은 '~할 때'라는 뜻으로 시간의 부사절을 이끈다.

[06~07] 다음 빈칸에 들어갈 말로 알맞은 것을 고르시오.

06

> She is planning _____ around the country with her mom.

① traveled ② to travel ③ travel
④ traveling ⑤ travels

07

> She wishes _____ her favorite backpack.

① buy ② bought ③ buying
④ to buying ⑤ to buy

08 다음 빈칸에 공통으로 들어갈 말로 알맞은 것은?

> · _____ did he come back?
> · _____ he was in middle school, he joined a sports club.

① How ② What ③ Where
④ When ⑤ Why

09 다음 우리말을 영어로 바르게 옮긴 것은?

> 나는 피곤할 때 일찍 잔다.

① I go to bed early because I'm tired.
② Because I'm tired, I go to bed early.
③ I go to bed early when I'm tired.
④ When I go to bed early, I'm tired.
⑤ When I was tired, I go to bed early.

10 다음 우리말을 괄호 안의 단어들을 활용하여 영어로 쓰시오.

> Kate는 그 옷을 입기를 원했다.
> ➡ _____
> (want, wear, clothes)

11 다음 빈칸에 **to read**가 들어갈 수 <u>없는</u> 것은?

① I love _____ books after school.

② I want _____ books in my free time.

③ She expects _____ books in the library.

④ He decided _____ books at home.

⑤ Mike enjoys _____ books about animals.

Tip

to부정사를 목적어로 취하는 동사와 동명사를 목적어로 취하는 동사를 구분한다.

• free time 여가 시간
• expect 기대하다

12 다음 중 밑줄 친 부분의 쓰임이 <u>다른</u> 하나는?

① <u>When</u> I went out, it was raining.

② <u>When</u> do you usually go to work?

③ I was watching TV <u>when</u> he called.

④ I cooked for my mom <u>when</u> she had a cold.

⑤ <u>When</u> he is sad, he listens to his favorite song.

Tip

when이 '언제'로 해석되면 의문사이고, '～할 때'로 해석되면 접속사이다.

• usually 보통, 대개
• have a cold 감기에 걸리다

Level UP
13 다음 중 어법상 옳지 <u>않은</u> 것은?

① Sally expected to meet Jane.

② I was shy when I was young.

③ Mary wishes to win the game.

④ When I arrived home, I washed my hands.

⑤ When I will finish my work, I'll send you an email.

Tip

시간을 나타내는 부사절에서는 의미가 미래인 경우에도 현재시제로 쓴다.

• shy 수줍음을 많이 타는

[14~15] 다음 글을 읽고, 물음에 답하시오.

I am a writer. I decided _____ⓐ_____ a writer 내가 13살이었을 때. I liked _____ⓑ_____ books. Now I love my work and my life.

• writer 작가
• life 삶

14 윗글의 빈칸 ⓐ와 ⓑ에 들어갈 말의 형태가 바르게 짝지어진 것은?

① to be - read   ② to be - to read

③ being - read   ④ being - to read

⑤ being - reading

Level UP
15 윗글의 밑줄 친 우리말을 영어로 쓰시오.

➡ _____

Tip

접속사 when을 사용하여 「when+주어+동사」의 어순으로 쓴다.

Grammar 서술형 평가

1 다음 글의 빈칸에 알맞은 단어를 〈보기〉에서 골라 쓰시오.

보기

enjoyed   decided   liked
where   when

I was interested in planes. I (1) _____ to read books on the Wright Brothers. (2) _____ I read these books, I (3) _____ to be a pilot. Now I fly all over the world. I love my job.

2 다음 우리말을 괄호 안의 단어들을 활용하여 영어로 쓰시오.

(1) 내가 어렸을 때 우리 가족은 서울로 이사했다.

➡ _____

(when, young, move, to, Seoul)

(2) 그는 행복할 때 많이 웃는다.

➡ _____

(when, happy, smile, a lot)

3 방학 때 지민이가 하고 싶은 일을 적은 목록을 보고, 괄호 안의 동사를 활용하여 문장을 완성하시오.

Things to do on vacation
(1) watch movies
(2) go shopping with my mom
(3) play badminton with my friends

(1) Jimin _____.
　　(want)

(2) Jimin _____.
　　(hope)

(3) Jimin _____.
　　(plan)

4 다음 그림을 보고, 각 상황을 설명하는 문장을 완성하시오.

(1)

➡ When Tom has free time, _____ _____.

(2)

➡ When it's warm outside, Kate _____ _____.

5 다음 글에서 어법상 어색한 부분을 찾아 바르게 고쳐 쓰시오.

I'm Minsu Kim. I am a doctor for a soccer team. I take care of the players on my team. I decided be a team doctor when I was in middle school. I liked play soccer, but I was not good at it. Now I love my work and my life!

(1) _____ ➡ _____

(2) _____ ➡ _____

교과서 파고들기 ● 교과서 내용을 생각하며 빈칸에 알맞은 말을 넣어 봅시다.

The Perfect Job for You

Words&Phrases

• perfect[pə́:rfɪkt] 완벽한; ~에 꼭 알맞은
• activity[æktívəti] 활동
• future[fjúːtʃər] 미래의, 장래의
• following[fáːloʊɪŋ] 다음의, 다음에 나오는
• even[íːvən] ~조차도, 심지어
• act[ækt] 연기하다
• play[pleɪ] 연극
• fall in love 사랑에 빠지다

What do you love 1._____? Do you love

2._____? Do you love
　　　　피아노 치는 것을

3._____? Well, those activities can
　　　텔레비전 보는 것을

become your 4._____. Let's read about the
　　　　　장래 직업들

5._____ people. They found the 6._____
　다음에 나오는　　　　　　　　　　　　　　꼭 맞는 직업들

for them.

Rahul

Rahul loved 7._____. He sang 8._____
　　　　　　노래하는 것을　　　　　　　　　　　~에 가는 도중에

_____ _____ _____ school. He sang in the

shower. He 9._____ sang in his sleep! 10._____ Rahul
　　　　심지어　　　　　　　　　　　~할 때

was in middle school, he 11._____ in a school play. At that
　　　　　　　　　　　　　연기했다

time, he 12._____ _____ _____ with acting, too.
　　　　　　　사랑에 빠졌다

Rahul is now an 13._____ in musicals. He's a great singer,
　　　　　　　　배우

but he 14._____ _____ _____.
　　　　　춤을 잘 못 춘다

CHECK 윗글의 내용과 일치하면 T, 일치하지 않으면 F에 체크하시오.

1. Your favorite activities can become your future jobs.　　(T / F)
2. Rahul didn't sing in his sleep.　　(T / F)
3. When Rahul was in elementary school, he acted in a school play.　(T / F)
4. The perfect job for Rahul is an actor in musicals.　　(T / F)
5. Rahul is a great dancer.　　(T / F)

빈칸 채우기 정답
1. to do 2. to play the piano
3. to watch television
4. future jobs 5. following
6. perfect jobs 7. to sing
8. on the way to 9. even
10. When 11. acted
12. fell in love 13. actor
14. has two left feet

CHECK 정답
1. T 2. F 3. F 4. T 5. F

Mina

Mina always played with her dolls. She ¹_____
_____ _____ every day. She ate and slept with her
dolls. ²_____, Mina found the perfect job. She is a doll
dress designer. She makes ³_____ dresses for dolls
⁴_____ _____ _____. Her favorite traditional
dress is hanbok.

Kevin

Kevin ⁵_____ _____ a doctor. He also
loved sports. Now, he ⁶_____ _____ a doctor for a
baseball team. Kevin travels ⁷_____ _____
_____ _____ with his team. He ⁸_____
_____ _____ the players when they ⁹_____
_____. Kevin loves to help the players. He also loves to
watch the games ¹⁰_____!

What do you think? People ¹¹_____ about 30 percent of
their lives at their jobs. So, how will you spend this 30 percent
of your life?

Words & Phrases

- luckily[lʌ́kili] 운 좋게도
- traditional[trədíʃənl] 전통적인
- as[æz] ~로(서)
- travel[trǽvəl] 여행하다
- take care of ~을 돌보다
- get hurt 다치다
- up close 바로 가까이에(서)
- spend[spend] (시간을) 보내다

CHECK 윗글의 내용과 일치하면 T, 일치하지 않으면 F에 체크하시오.

1. Mina is a doll dress designer. (T / F)
2. Mina's favorite traditional dress is hanbok. (T / F)
3. Kevin wanted to be a baseball player. (T / F)
4. Kevin helps the players when they get hurt. (T / F)
5. Kevin loves to watch the games at home. (T / F)

빈칸 채우기 정답
1. changed their clothes
2. Luckily 3. traditional
4. around the world
5. wanted to be 6. works as
7. all over the country
8. takes care of 9. get hurt
10. up close 11. spend

CHECK 정답
1. T 2. T 3. F 4. T 5. F

Reading Test

(01~03) 다음 글을 읽고, 물음에 답하시오.

> What do you love to do? Do you love to play the piano? Do you love to watch television? Well, ⓐ those activities can become your future jobs. Let's _____ⓑ_____ about the following people. They _____ⓒ_____ the perfect jobs for them.

- activity 활동
- future 미래의, 장래의
- following 다음에 나오는
- perfect ~에 꼭 알맞은

01 윗글의 밑줄 친 ⓐ가 가리키는 것을 모두 고르면?

① playing the piano   ② reading books   ③ playing soccer
④ watching television   ⑤ baking cookies

(Tip)
앞 문장에서 activities에 해당하는 것을 찾는다.

02 윗글의 빈칸 ⓑ와 ⓒ에 들어갈 말의 형태가 바르게 짝지어진 것은?

① reading – found   ② reading – find   ③ read – found
④ read – founded   ⑤ to read – find

(Tip)
동사의 과거형
find(찾다) – found
found(설립하다) – founded

03 윗글의 요지로 가장 알맞은 것은?

① 다양한 직업을 가진 사람들이 있다.
② 좋아하는 활동이 장래 직업이 될 수 있다.
③ 취미 생활을 즐기는 여러 가지 방법이 있다.
④ 장래 직업을 선택할 때 재능이 가장 중요하다.
⑤ 자신에게 맞는 취미를 찾기 위한 노력이 필요하다.

(04~07) 다음 글을 읽고, 물음에 답하시오.

> ⓐ Rahul loved to sing. He sang on the way to school. (①) He sang in the shower. (②) He even sang in his sleep! (③) When Rahul was in middle school, he acted in a school play. (④) Rahul is now an actor in musicals. (⑤) He's a great singer, but he ⓑ has two left feet.

- on the way to ~에 가는 도중에
- even 심지어
- act 연기하다
- play 연극

04 윗글의 밑줄 친 ⓐ와 의미가 같도록 할 때 빈칸에 알맞은 것은?

> = Rahul loved _____.

① sing   ② sings   ③ singing
④ to singing   ⑤ sang

(Tip)
love는 to부정사와 동명사를 모두 목적어로 취할 수 있다.

05 윗글의 ①~⑤ 중 주어진 문장이 들어갈 알맞은 곳은?

> At that time, he fell in love with acting, too.

①   ②   ③   ④   ⑤

(Tip)
주어진 문장의 At that time이 가리키는 때가 언제인지를 찾는다.

- fall in love 사랑에 빠지다

06 윗글의 밑줄 친 ⓑ가 의미하는 것으로 알맞은 것은?

① 춤을 잘 춘다 ② 춤에 관심이 없다 ③ 춤을 잘 못 춘다

④ 왼발이 약하다 ⑤ 왼발을 잘 못 쓴다

Tip
have two left feet은 동작이 매우 어색함을 나타내는 표현이다.

07 윗글의 Rahul에 관한 설명으로 알맞지 <u>않은</u> 것은?

① 노래하는 것을 좋아했다.

② 학교 가는 길에 노래를 했다.

③ 잠을 자는 중에도 노래를 했다.

④ 현재 뮤지컬 연기 지도를 하고 있다.

⑤ 중학생 때 학교 연극에서 연기를 했다.

Tip
Rahul의 현재 직업이 무엇인지 확인한다.

(08~10) 다음 글을 읽고, 물음에 답하시오.

> Mina always played with her dolls. She changed their clothes every day. She ⓐ eat and ⓑ sleep with her dolls. Luckily, Mina found the perfect job. She is a doll dress designer. She makes _____ⓒ_____ dresses for dolls around the world. Her favorite _____ⓓ_____ dress is hanbok.

- luckily 운 좋게도
- around the world 전 세계의

08 윗글의 밑줄 친 ⓐ와 ⓑ의 알맞은 형태로 짝지어진 것은?

① ate – slept ② ate – sleeps ③ ate – sleep

④ eated – slept ⑤ eated – sleep

Tip
동사의 과거형이 바르게 짝지어진 것을 찾는다. 동사 eat와 sleep의 과거형은 불규칙 변화한다.

09 윗글의 빈칸 ⓒ와 ⓓ에 공통으로 들어갈 말로 알맞은 것은?

① huge ② traditional ③ different

④ perfect ⑤ same

Tip
한복은 한국의 전통 의상이다.

10 윗글의 Mina에 관한 내용과 일치하지 <u>않는</u> 것은?

① She makes dresses for dolls.

② She liked to play with her dolls.

③ Her job is a doll dress designer.

④ She didn't find the perfect job for her.

⑤ She changed her dolls' clothes every day.

Tip
미나는 그녀의 관심사와 관련된 직업을 갖게 되었다.

[11~13] 다음 글을 읽고, 물음에 답하시오.

ⓐKevin은 의사가 되고 싶어 했다. He also loved sports. Now, he works as a doctor for a baseball team. Kevin travels all over the country with his team. He takes care of the players _____ⓑ_____ they get hurt. Kevin loves to help the players. He also loves to watch the games up close!

- all over the country 전국 곳곳을
- take care of ~을 돌보다
- get hurt 다치다
- up close 바로 가까이에(서)

11 윗글의 밑줄 친 우리말 ⓐ를 주어진 단어들을 활용하여 영어로 쓰시오.

➡ _____ (want, be)

Tip
want의 목적어로 to부정사를 써서 문장을 완성한다.

12 윗글의 문맥상 빈칸 ⓑ에 들어갈 말로 알맞은 것은?

① but ② and ③ until ④ before ⑤ when

- until ~까지

13 윗글을 읽고 답할 수 없는 질문은?

① What is Kevin's job?
② What is Kevin good at?
③ Where does Kevin travel?
④ What does Kevin love to do?
⑤ When does Kevin take care of the players?

- be good at ~을 잘하다

[14~15] 다음 글을 읽고, 물음에 답하시오.

What do you think? People <u>spend</u> about 30 percent of their lives at their jobs. So, how will you spend this 30 percent of your life?

- about 약, 대략

14 윗글의 밑줄 친 spend와 의미가 다른 것은?

① He will <u>spend</u> a day at the beach.
② I <u>spend</u> much time with my family.
③ How do you <u>spend</u> your free time?
④ We plan to <u>spend</u> the weekend in Paris.
⑤ I will <u>spend</u> my money on a new book.

Tip
spend는 '(시간을) 보내다; (돈을) 쓰다'라는 뜻으로 쓰인다.

Level UP
15 윗글의 내용과 일치하도록 할 때 빈칸에 들어갈 말로 알맞은 것은?

Mr. Jones is 60 years old now. He spent about _____ years at his job.

① 6 ② 10 ③ 20 ④ 30 ⑤ 40

Tip
사람들은 자기 인생의 약 30퍼센트의 시간을 일을 하는 데 보낸다고 했다.

Reading 서술형 평가

1 다음 글의 밑줄 친 우리말을 주어진 단어들을 활용하여 영어로 쓰시오.

> What do you love to do? (1) 당신은 피아노 치는 것을 아주 좋아하는가? Do you love to watch television? Well, those activities can become your future jobs. Let's read about the following people. (2) 그들은 자신에게 꼭 맞는 직업을 찾았다.

(1) (love, to, play)

➡ _____

(2) (find, perfect, for)

➡ _____

[2~3] 다음 글을 읽고, 주어진 질문에 완전한 문장으로 답하시오.

> Rahul loved to sing. He sang on the way to school. He sang in the shower. He even sang in his sleep! When Rahul was in middle school, he acted in a school play. At that time, he fell in love with acting, too. Rahul is now an actor in musicals. He's a great singer, but he has two left feet.

2 What did Rahul do when he was in middle school?

➡ _____

3 What does Rahul do now?

➡ _____

4 다음 글을 읽고, 빈칸에 알맞은 말을 쓰시오.

> Mina always played with her dolls. She changed their clothes every day. She ate and slept with her dolls. Luckily, Mina found the perfect job. She is a doll dress designer. She makes traditional dresses for dolls around the world. Her favorite traditional dress is hanbok.

Past	• She always played with (1)_____. • She changed her (2)_____ every day.
Now	• She is a (3)_____. • She makes (4)_____ for dolls around the world.

5 다음 글의 내용과 일치하도록 대화의 빈칸에 알맞은 말을 쓰시오.

> Kevin wanted to be a doctor. He also loved sports. Now, he works as a doctor for a baseball team. Kevin travels all over the country with his team. He takes care of the players when they get hurt. Kevin loves to help the players. He also loves to watch the games up close!

⬇

A: What did you want to be, Kevin?
B: I wanted to be a _____, and I loved sports.
A: So you became a doctor for a _____ _____.
B: Right. I _____ all over the country with my team. I also _____ _____ _____ the players when they get hurt. I love my job!

01 다음 중 나머지 단어들을 모두 포함하는 단어는?

① actor   ② poet   ③ job
④ novelist   ⑤ designer

02 다음 빈칸에 공통으로 들어갈 말로 알맞은 것은?

> • I like to _____ with a ball on the ground.
> • She acted in a popular _____.

① act   ② play   ③ spend
④ movie   ⑤ practice

03 다음 밑줄 친 부분의 의미가 알맞지 <u>않은</u> 것은?

① Children <u>grow up</u> so fast. (자라다)
② Kelly <u>fell in love</u> with opera. (사랑에 빠졌다)
③ He fell from a tree but didn't <u>get hurt</u>. (다치다)
④ She <u>took care of</u> her sister. (~을 돌보았다)
⑤ Tom watched the soccer game <u>up close</u>. (멀리 떨어져서)

[04~05] 다음 대화를 읽고, 물음에 답하시오.

> Suji: Look at the cute boy in the picture! He's playing the piano.
> Jihun: That's me. I was six years old at the time.
> Suji: Do you still play the piano?
> Jihun: Yes, I practice every day.
> Suji: Great! Do you want to be a pianist?
> Jihun: _____
> Suji: Then what do you want to be?
> Jihun: I want to be a famous singer.

04 위 대화의 빈칸에 들어갈 말로 알맞은 것은?

① Yes, I do.
② I think so.
③ Not anymore.
④ Of course.
⑤ That's a great idea.

05 위 대화의 내용과 일치하는 것은?

① Suji is playing the piano now.
② Jihun wants to be a famous pianist.
③ The cute boy in the picture is Jihun.
④ Jihun doesn't practice the piano anymore.
⑤ They are talking about being a good pianist.

06 다음 중 짝지어진 대화가 <u>어색한</u> 것은?

① A: What are you interested in?
   B: I'm interested in playing sports.
② A: What are your interests?
   B: My interests are painting and teaching children.
③ A: I'm interested in reporting the news.
   B: Then, how about becoming a writer?
④ A: Why do you want to be a doctor?
   B: I want to help sick people.
⑤ A: What do you want to be in the future?
   B: I'd like to be an animal doctor.

07 다음 대화의 밑줄 친 부분과 바꿔 쓸 수 있는 것은?

> A: What do you want to be?
> B: I want to be a movie director.

① What is your job?
② What do you have?
③ What are you doing?
④ What would you like to be?
⑤ What about being a movie director?

08 다음 문장에 이어질 대화의 순서를 바르게 배열한 것은?

> What do you want to be in the future, Jiho?

> (A) I'm interested in cooking and teaching.
> (B) That's a great idea.
> (C) I'm not sure yet, Kate.
> (D) Well, what are you interested in?
> (E) Then, how about teaching at a cooking school?

① (A) – (B) – (E) – (D) – (C)
② (A) – (C) – (D) – (B) – (E)
③ (B) – (E) – (A) – (C) – (D)
④ (C) – (D) – (A) – (E) – (B)
⑤ (C) – (E) – (D) – (B) – (A)

09 다음 중 어법상 옳은 것은?

① She wants to going to Japan.
② They don't like reading books.
③ People expected watching the show.
④ They hope listening to music together.
⑤ I decided waking up early in the morning.

10 다음 빈칸에 들어갈 말로 알맞지 않은 것은?

> I _____ to ride my bike in my free time.

① want　　② hope　　③ like
④ plan　　⑤ enjoy

11 다음 중 어법상 옳지 않은 것은?

① When I can't sleep, I drink some milk.
② When I arrived there, it was very cold.
③ I will leave here when you will get home.
④ When I came back home, my sister was sleeping.
⑤ I will take you to Busan when you visit Korea.

12 다음 문장의 밑줄 친 **to play**와 쓰임이 다른 것은?

> I want to play soccer with my friends.

① I love to take a walk.
② To make a cake is difficult.
③ Give me something to drink.
④ She plans to go to the movies.
⑤ My wish is to help poor people.

13 다음 우리말과 같도록 주어진 단어들을 배열하여 문장을 완성하시오.

> 나는 어렸을 때 소설가가 되기를 원했다.

➡ I _____

_____.

(novelist, be, was, a, when, I, child, to, a, wanted)

[14~15] 다음 글을 읽고, 물음에 답하시오.

당신은 무엇을 하는 것을 아주 좋아하나요? Do you love to play the piano? Do you love to watch television? Well, those activities can become your future jobs. Let's read about the following people. They found the perfect jobs for them.

14 윗글은 어떤 글의 도입 부분이다. 글의 제목으로 가장 알맞은 것은?

① Ways to Enjoy Your Hobbies
② The Perfect Job for You
③ Feel Happy About Your Job
④ The Popular Jobs in the World
⑤ What Are Interesting Activities?

15 윗글의 밑줄 친 우리말을 주어진 단어들을 활용하여 영어로 쓰시오.

➡ _____

(what, love, to)

[16~18] 다음 글을 읽고, 물음에 답하시오.

Rahul loved to sing. He sang on the way to school. ① He sang in the shower. ② He even sang in his sleep! ____ⓐ____ Rahul was in middle school, he acted in a school play. ③ At that time, he fell in love with acting, too. ④ He was good at playing sports. ⑤ Rahul is now an actor in musicals. He's a great singer, ____ⓑ____ he has two left feet.

16 윗글의 밑줄 친 ①~⑤ 중 글의 흐름상 어색한 문장은?

①   ②   ③   ④   ⑤

17 윗글의 빈칸 ⓐ와 ⓑ에 들어갈 말이 바르게 짝지어진 것은?

① Because − but
② Because − so
③ While − so
④ When − but
⑤ When − because

18 윗글을 읽고 답할 수 없는 질문은?

① Is Rahul a great dancer?
② Was Rahul interested in singing?
③ What does Rahul do for a living?
④ When did Rahul fall in love with acting?
⑤ When did Rahul become an actor in musicals?

[19~21] 다음 글을 읽고, 물음에 답하시오.

Mina always played with her dolls. She changed their clothes every day. She ate and slept with her dolls. _____, Mina found the perfect job. She is a doll dress designer. She makes traditional dresses for dolls around the world. Her favorite traditional dress is hanbok.

19 윗글의 문맥상 빈칸에 들어갈 말로 알맞은 것은?

① Sadly   ② Luckily
③ Still   ④ Usually
⑤ Unhappily

20 윗글의 내용과 일치하도록 할 때 다음 빈칸에 들어갈 말로 알맞은 것은?

> Mina's _____ activity became her job.

① popular   ② difficult   ③ famous
④ favorite   ⑤ healthy

21 윗글의 내용과 일치하는 것은?

① 미나는 인형 모으기에 관심이 있었다.
② 미나가 가장 좋아하는 옷은 치마이다.
③ 미나는 그녀에게 꼭 맞는 직업을 찾았다.
④ 미나는 세계의 전통 의상을 홍보하는 일을 한다.
⑤ 미나는 전 세계를 여행하면서 각 나라의 전통 의상을 연구한다.

[22~25] 다음 글을 읽고, 물음에 답하시오.

> Kevin wanted _____ⓐ a doctor. He also loved sports. Now, he works as a doctor for a baseball team. Kevin travels all over the country with his team. He takes care of the players (A) 그들이 다칠 때. Kevin loves _____ⓑ the players. He also loves _____ⓒ the games up close!
>
> What do you think? People spend (B) about 30 percent of their lives at their jobs. So, how will you spend this 30 percent of your life?

22 윗글의 빈칸 ⓐ~ⓒ에 들어갈 말이 바르게 짝지어진 것은?

	ⓐ	ⓑ	ⓒ
①	being	helping	watching
②	being	helping	to watch
③	being	to help	watching
④	to be	to help	to watching
⑤	to be	helping	to watch

23 윗글의 밑줄 친 우리말 (A)를 영어로 바르게 옮긴 것은?

① when they got hurt
② when they get hurt
③ when they will get hurt
④ while they get hurt
⑤ while they will get hurt

24 윗글의 밑줄 친 (B)와 의미가 같은 것은?

① This book is about animals.
② She arrived at about ten.
③ Let's talk about your plan.
④ They know about Korean culture.
⑤ I learned about slow food at school.

25 윗글의 Kevin에 관한 설명으로 알맞지 않은 것은?

① 의사가 되고 싶어 했다.
② 운동을 아주 좋아했다.
③ 그의 팀과 함께 전국을 여행한다.
④ 선수들을 돕는 것을 아주 좋아한다.
⑤ 선수들과 같이 경기하는 것을 좋아한다.

서술형 평가 완전정복

1 다음 표를 보고, 예시와 같이 친구를 소개하는 문장을 완성하시오.

	What are you interested in?	What do you want to be?
Jisu	cook and sing	a cook
Jenny	write poems	a poet
Minsu	play basketball	a basketball player

e.g. Jisu is interested in cooking and singing. She wants to be a cook.

(1) Jenny _____

(2) Minsu _____

Tip
be interested in과 want to be의 표현을 사용해 관심 분야와 장래 희망을 소개하는 문장을 완성한다.

2 다음 그림을 보고, 주어진 단어들을 활용하여 **Mary**가 좋아하는 일을 영어로 쓰시오.

(1) Mary _____.
  (like, library)

(2) Mary _____.
  (love, theater)

Tip
동사 like와 love는 목적어로 to부정사와 동명사를 모두 취할 수 있다.

3 다음 글을 읽고, 요약문의 빈칸에 들어갈 알맞은 말을 쓰시오.

Let's read about the following people. They found the perfect jobs for them.

Rahul loved to sing. When Rahul was in middle school, he acted in a school play. At that time, he fell in love with acting, too. Rahul is now an actor in musicals.

Mina always played with her dolls. She changed their clothes every day. She ate and slept with her dolls. Luckily, Mina found the perfect job. She is a doll dress designer.

➡ Some people found _____ for them. Rahul loved to sing and fell in love with acting. He is now _____. Mina loved to play with her dolls and she works as _____.

Tip
주어진 글은 자신의 관심 분야와 관련된 직업을 찾은 두 사람에 관한 내용이다. 글의 내용과 일치하도록 알맞은 말을 찾아 쓴다.

그림을 보고 관심사 말하기
1 다음 그림을 보고, 친구들의 관심사에 대해 말해 봅시다.

Somin

Jisu

Mike

Kelly

Minsu

e.g. What is Minsu interested in?

➡ He is interested in taking pictures.

(1) What is Jisu interested in?

➡ _____

(2) What is Somin interested in?

➡ _____

(3) What is Kelly interested in?

➡ _____

(4) What is Mike interested in?

➡ _____

표를 보고 장래 희망과 그 이유 말하기
2 다음 표를 보고, 친구들의 장래 희망과 그 이유를 소개한 후 자신의 장래 희망과 그 이유를 말해 봅시다.

이름	장래 희망	이유
Jane	가수	노래하고 춤추는 것을 좋아함
Sara	수의사	아픈 동물들을 돌보고 싶어 함
Jack	작가	이야기를 쓰는 것을 좋아함
I		

e.g. Jane wants to be a singer. She likes to sing and dance.

(1) _____

(2) _____

(3) _____

이번 주 계획 쓰기

1 다음 Emma의 계획표를 보고, 이번 주 계획에 대한 글을 써 봅시다.

┌─(조건)
1. 동사 want, plan, expect, hope를 한 번씩 사용할 것
2. 모든 문장의 주어는 대명사로 쓸 것
3. 표의 내용을 모두 포함하여 쓸 것
└─

Weekly Plans	
Monday	-
Tuesday	taking a walk in the park
Wednesday	-
Thursday	playing tennis with my friends
Friday	going shopping with Kate
Saturday	visiting my grandmother

Emma wants _____

_____

_____

_____

_____

to부정사를 목적어로 취하는 동사를 사용하여 Emma의 이번 주 계획에 대한 글을 완성한다.

평가 영역	점수
언어 사용: 문장의 단어, 문법, 어순이 정확하다.	0 1 2 3
내용 이해: 학습한 내용을 정확히 이해하고 활용했다.	0 1 2 3
과제 완성도: 제시한 조건을 모두 충족하여 작성하였다.	0 1 2 3

특정 상황에서 자신의 행동 쓰기

2 다음 주어진 상황에서 자신은 주로 어떤 행동을 하는지 써 봅시다.

┌─(조건)
1. when절의 내용에 어울리는 행동을 쓸 것
2. 현재시제로 쓸 것
3. 주어와 동사를 갖춘 완전한 문장으로 쓸 것
└─

e.g. When I'm sad, I eat sweets.

(1) When I feel angry, _____.

(2) When I'm hungry, _____.

(3) When I meet my friends, _____.

(4) _____ when I'm sick.

(5) _____ when I grow up.

특정 상황에서 자신이 어떻게 행동하는지 쓰는 문제이다. when절의 내용을 보고, 주절에 구체적인 행동을 쓴다.

평가 영역	점수
언어 사용: 문장의 단어, 문법, 어순이 정확하다.	0 1 2 3
내용 이해: 학습한 내용을 정확히 이해하고 활용했다.	0 1 2 3
과제 완성도: 제시한 조건을 모두 충족하여 작성하였다.	0 1 2 3

01 다음 중 짝지어진 단어의 관계가 나머지와 다른 하나는?

① sing – singer   ② teach – teacher
③ create – creator   ④ write – writer
⑤ poem – poet

02 다음 밑줄 친 단어의 쓰임이 알맞지 않은 것은?

① China is a huge country.
② Please be quiet in public places.
③ Answer the following questions.
④ How much does this book weight?
⑤ Everyone thinks and feels differently.

03 다음 영어 뜻풀이에 해당하는 단어로 알맞은 것은?

> to do something again and again in order to become better at it

① travel   ② act   ③ practice
④ bounce   ⑤ spend

04 다음 대화의 빈칸에 들어갈 말로 알맞은 것은?

> A: Jenny, let's go out for dinner this evening.
> B: Sure. _____
> A: How about 6 o'clock?
> B: Great! I'll see you then.

① What time is it?
② When did you meet?
③ Where shall we meet?
④ What are you going to do?
⑤ What time should we meet?

05 다음 대화의 빈칸에 들어갈 말로 알맞지 않은 것은?

> A: What are you interested in, Andy?
> B: _____

① I'm not sure.
② I like watching movies.
③ I'm interested in drawing.
④ I have an interest in singing.
⑤ I would like to listen to music.

06 다음 대화의 우리말과 같도록 빈칸에 알맞은 말을 쓰시오.

> A: _____ are you _____
> _____ _____ on Saturday?
> (너는 토요일에 무엇을 할 거니?)
> B: I'm going to play soccer with my friends.

07 다음 대화의 내용과 일치하지 않는 것은?

> Sue: Look at the cute boy in the picture! He's playing the piano.
> Tom: That's me. I was six years old at the time.
> Sue: Do you still play the piano?
> Tom: Yes, I practice every day.
> Sue: Great! Do you want to be a pianist?
> Tom: Not anymore.
> Sue: Then what do you want to be?
> Tom: I want to be a famous singer.

① Sue와 Tom은 사진을 보고 있다.
② 사진 속 귀여운 소년은 Tom이다.
③ Tom은 여섯 살 때 피아노를 연주했다.
④ Tom은 여전히 피아노를 연습하고 있다.
⑤ Tom은 유명한 피아니스트가 되고 싶어 한다.

08 다음 문장의 빈칸에 will이 들어갈 수 없는 것은?

① He _____ come home tomorrow.

② She _____ not listen to your advice.

③ We _____ go to the movies last weekend.

④ _____ they come to the meeting next week?

⑤ I _____ visit my aunt with my brother tonight.

09 다음 중 어법상 옳지 않은 것은?

① I just need a little water.

② Ann is going to buy a little toys.

③ There are a few people on the street.

④ He spends a lot of time with his family.

⑤ Many children use computers every day.

10 다음 우리말을 영어로 바르게 옮긴 것은?

나는 음악가가 되고 싶다.

① I want be a musician.

② I want being a musician.

③ I want to be a musician.

④ I want doing a musician.

⑤ I want to being a musician.

11 다음 빈칸에 들어갈 말로 알맞지 않은 것은?

Kelly _____ to visit a few theaters in Paris.

① planned　　② decided　　③ enjoyed

④ loved　　⑤ hoped

(12~13) 다음 글을 읽고, 물음에 답하시오.

Reporter Rosie: This morning a giant red ball rolled into Bordeaux. The people around it look very _____ⓐ_____. Let's talk to ____ⓑ____ of them.

Pierre(38, a cook): On my way to work, I saw a giant red ball! It looked like a huge beach ball. I thought, "What on earth is that?" I couldn't believe my eyes.

Nicole(14, a student): I love it! My friends and I punched it ____ⓒ____ times. Then we jumped into it and bounced off it. It won't be here forever. So come today.

12 윗글의 빈칸 ⓐ에 들어갈 말로 가장 알맞은 것은?

① sad and serious

② bored and tired

③ angry and upset

④ excited and surprised

⑤ surprised and worried

13 윗글의 빈칸 ⓑ와 ⓒ에 공통으로 들어갈 말로 알맞은 것은?

① a little　　② little　　③ a few

④ few　　⑤ much

(14~15) 다음 글을 읽고, 물음에 답하시오.

Reporter Rosie: The red ball is 4.57 meters tall and weighs 113 kilograms. ⓐ <u>It</u> is a perfect example of public art. Public art jumps out of the museum. ⓑ <u>It</u> goes into places like parks and streets. The creator of the red ball, Kurt, takes ⓒ <u>it</u> all over the world. He is here with us today. Can you tell us about ⓓ <u>it</u>?

14 윗글의 밑줄 친 ⓐ~ⓓ 중 가리키는 대상이 같은 것끼리 짝지어진 것은?

① ⓐ, ⓑ   ② ⓑ, ⓒ

③ ⓐ, ⓑ, ⓓ   ④ ⓐ, ⓒ, ⓓ

⑤ ⓐ, ⓑ, ⓒ, ⓓ

15 윗글을 읽고 답할 수 <u>없는</u> 질문은?

① How tall is the red ball?

② Who created the red ball?

③ Where does public art go?

④ Why did Kurt create the red ball?

⑤ What kind of art is the red ball?

(16~19) 다음 글을 읽고, 물음에 답하시오.

Rahul loved to sing. He sang ① <u>on the way</u> to school. He sang in the shower. He ② <u>even</u> sang in his sleep! When Rahul was in middle school, he acted in a school play. At that time, he ③ <u>fell in love</u> with acting, too. Rahul is now a(n) ⓐ . He's a great singer, but ⓑ <u>he has two left feet.</u>

Mina always played with her dolls. She changed their clothes every day. She ate and slept with her dolls. ④ <u>Luckily,</u> Mina found the perfect job. She is a ⓒ . She makes traditional dresses for dolls ⑤ <u>around</u> the world. Her favorite traditional dress is hanbok.

16 윗글의 밑줄 친 ①~⑤의 의미가 알맞지 <u>않은</u> 것은?

① 학교에 가는 길에   ② 여전히

③ ~와 사랑에 빠졌다   ④ 운 좋게도

⑤ 전 세계의

17 윗글의 흐름상 빈칸 ⓐ와 ⓒ에 들어갈 말이 바르게 짝지어진 것은?

① singer   – hanbok designer

② movie director   – fashion designer

③ movie director   – doll dress designer

④ actor in musicals – hanbok designer

⑤ actor in musicals – doll dress designer

18 윗글의 밑줄 친 ⓑ가 의미하는 것으로 알맞은 것은?

① he enjoys dancing

② he is good at dancing

③ he doesn't like dancing

④ he isn't good at dancing

⑤ he isn't interested in dancing

19 윗글에서 두 사람의 공통점으로 알맞은 것은?

① 관심 분야가 비슷하다.

② 음악에 뛰어난 재능이 있다.

③ 좋아했던 일을 직업으로 선택했다.

④ 장래 직업을 찾기 위해 노력하고 있다.

⑤ 자신에게 꼭 맞는 직업을 찾지 못했다.

(20~22) 다음 글을 읽고, 물음에 답하시오.

> Kevin wanted ①be a doctor. He also loved sports. Now, he works as a doctor for a baseball team. Kevin travels all over the country with his team. He takes care of the players when they ②got hurt. Kevin loves ③ help the players. He also loves ④to watching the games up close!
>
> What do you think? People spend about 30 percent of their ⑤life at their jobs. 그렇다면, 여러분은 인생의 이 30퍼센트를 어떻게 보낼 것인가요?

20 윗글의 밑줄 친 ①~⑤를 어법상 바르게 고친 것은?

① be → to being
② got → getting
③ help → helped
④ to watching → to watch
⑤ life → lifes

21 윗글의 밑줄 친 우리말과 같도록 빈칸에 알맞은 말을 쓰시오.

> So, how _____ you _____ this 30 percent of your life?

22 윗글의 내용과 일치하지 <u>않는</u> 것은?

① Kevin likes helping the players.
② Kevin wanted to become a doctor.
③ Kevin is a doctor for a baseball team.
④ People usually work for about 30 years.
⑤ Kevin looks after the players in his team.

23 다음 괄호 안의 단어들을 사용하여 대화를 완성하시오.

> A: (1) _____, Jiho?
>   (what, interested)
> B: I'm interested in cooking and teaching.
> A: Then, how about teaching at a cooking school?
> B: That's a great idea. (2) _____
>   _____, Kate?
>   (what, want, future)
> A: I want to be an animal doctor.

24 다음 표를 보고, 수진이가 이번 주말에 할 일을 will을 사용하여 쓰시오.

Saturday	going to the library
Sunday	helping my mother

(1) Sujin _____.
(2) Sujin _____.

25 다음 글에서 어법상 틀린 부분을 세 군데 찾아 바르게 고쳐 쓰시오.

> My name is Jina Kim. I'm 34 years old. I am a writer. I write stories about animals. I work at my house in Africa. I decided being a writer when I was in middle school. I liked to reading books. Now I loved my work and my life!

(1) _____ ➡ _____
(2) _____ ➡ _____
(3) _____ ➡ _____

01 다음 빈칸에 들어갈 말이 바르게 짝지어진 것은?

> • I met my teacher _____ my way to school.
> • I was very sick, so my mom took care _____ me.

① on – for
② on – of
③ to – of
④ to – for
⑤ at – with

02 다음 빈칸에 공통으로 들어갈 말로 알맞은 것은?

> • It was a _____ day for hiking.
> • The red ball is a _____ example of public art.

① real
② giant
③ traditional
④ different
⑤ perfect

03 다음 단어의 영어 뜻풀이가 알맞지 <u>않은</u> 것은?

① following: coming next
② huge: very small
③ plan: something you decided to do
④ act: to perform a part in a play or movie
⑤ reporter: a person who tells people the news on radio or television

04 자연스러운 대화가 되도록 (A)~(D)를 바르게 배열하시오.

> A: Do you want to see a movie with me this afternoon?
> (A) How about 3:30?
> (B) It starts at 4:00 p.m. What time should we meet?
> (C) Of course. What time does the movie start?
> (D) Sounds great!

[05~06] 다음 대화를 읽고, 물음에 답하시오.

> A: What do you want to be in the future, Jiho?
> B: I'm not sure yet, Kate.
> A: _____
> B: I'm interested in cooking and teaching.
> A: Then, how about teaching at a cooking school?
> B: That's a great idea. What do you want to be in the future, Kate?
> A: I want to be an animal doctor. I want to help sick animals.
> B: That sounds wonderful. Good luck to you!

05 위 대화의 빈칸에 들어갈 말로 알맞은 것은?

① What are you doing?
② What are you good at?
③ What are you interested in?
④ What would you like to be?
⑤ What is your favorite subject?

06 위 대화의 내용과 일치하는 것은?

① 지호는 요리사가 되고 싶어 한다.
② Kate는 아픈 동물들을 돕고 싶어 한다.
③ Kate는 지호에게 수의사가 될 것을 제안하고 있다.
④ 두 사람은 좋아하는 취미에 대해 이야기하고 있다.
⑤ 지호는 자신이 관심 있어 하는 것이 무엇인지 모른다.

07 다음 대화의 빈칸에 들어갈 말로 알맞은 것은?

> A: What do you want to be in the future?
> B: I want to be a movie director.
> A: Why do you want to be a movie director?
> B: _____

① I'm good at singing.
② I want to make robots.
③ I want to make action movies.
④ I want to be a famous musician.
⑤ I'm interested in playing the piano.

08 다음 문장을 부정문으로 바르게 바꿔 쓴 것은?

> I will make paper flowers.

① I not will make paper flowers.
② I will make not paper flowers.
③ I will not make paper flowers.
④ I will don't make paper flowers.
⑤ I will be not make paper flowers.

09 다음 문장의 빈칸에 a few가 들어갈 수 <u>없는</u> 것은?

① I asked _____ questions.
② They have _____ money.
③ He gave us _____ oranges.
④ There are _____ bottles on the table.
⑤ Will she bring _____ friends to the party?

10 다음 빈칸에 공통으로 들어갈 말을 쓰시오.

> • _____ does your class start?
> • _____ I have a problem, I always talk to my mom.

11 다음 중 어법상 옳지 <u>않은</u> 것은?

① He wants to have a nice house.
② Kevin likes to read comic books.
③ She loves watching baseball games.
④ My family is planning to moving to Seoul.
⑤ I decided to go to the movies with my sister.

[12~14] 다음 글을 읽고, 물음에 답하시오.

> Reporter Rosie: This morning a giant red ball rolled into Bordeaux. The people around it (A) look / look like very excited and surprised. Let's talk to (B) few / a few of them.
> Pierre(38, a cook): On my way to work, I saw a giant red ball! It (C) looked / looked like a huge beach ball. I thought, "What on earth is that?" I couldn't believe my eyes.
> Nicole(14, a student): I love it! My friends and I punched it a few times. Then we jumped into it and bounced off it. _____ So come today.

12 윗글의 (A)~(C)에서 어법상 알맞은 말이 바르게 짝지어진 것은?

	(A)	(B)	(C)
①	look	few	looked
②	look	a few	looked
③	look	a few	looked like
④	look like	few	looked
⑤	look like	a few	looked like

13 윗글의 빈칸에 들어갈 말로 알맞은 것은?

① It will be here forever.
② It will come here again.
③ It won't be here forever.
④ It will be here for a long time.
⑤ It won't travel all over the world.

14 윗글의 Nicole이 레드볼을 가지고 한 행동으로 알맞은 것을 모두 고르면?

① 공을 굴렸다.
② 공을 그저 바라봤다.
③ 주먹으로 공을 몇 번 쳤다.
④ 몇 시간 동안 공을 던졌다.
⑤ 공에 뛰어들어 튕겨 나왔다.

(15~17) 다음 글을 읽고, 물음에 답하시오.

Reporter Rosie: The creator of the red ball, Kurt, takes it all over the world. He is here with us today. Can you tell us about it?

Kurt: Sure. The red ball is for everyone. It brings joy to people. People play with it, and they become part of the art. People in different countries enjoy it differently. In Sydney, people played with the ball. In London, everyone just ____ⓐ____ at the ball and talked about it. People in Taipei followed it everywhere and ____ⓑ____ pictures of it.

Reporter Rosie: Interesting. Why is it red?

Kurt: Red is the color of energy and love!

15 윗글의 빈칸 ⓐ와 ⓑ에 들어갈 말이 바르게 짝지어진 것은?

① saw – took
② watched – did
③ watched – took
④ looked – did
⑤ looked – took

16 윗글의 내용과 일치하도록 빈칸에 알맞은 말을 본문에서 찾아 쓰시오.

Kurt _____ the red ball all over the world, and people become part of the _____. People in different countries enjoy the red ball _____.

17 윗글을 읽고 답할 수 없는 질문은?

① Who is the creator of the red ball?
② How does Kurt carry the red ball?
③ What do people do with the red ball?
④ What does the red ball bring to people?
⑤ How did people in Sydney enjoy the red ball?

(18~20) 다음 글을 읽고, 물음에 답하시오.

What do you love to do? Do you love to play the piano? Do you love to watch television? Well, those activities can ① become your future jobs. Let's ② read about the following people. They found the perfect jobs for them.

Rahul loved ③ singing. He sang on the way to school. He sang in the shower. He even sang in his sleep! ④ When Rahul was in middle school, he acted in a school play. ⓐ At that time, he fell in love with acting, ⑤ either. Rahul is now an actor in musicals. He's a great singer, but he has ____ⓑ____.

18 윗글의 밑줄 친 ①~⑤ 중 어법상 어색한 것은?

① ② ③ ④ ⑤

19 윗글의 밑줄 친 ⓐ가 가리키는 내용으로 알맞은 것은?

① 샤워 중에 노래했을 때

② 뮤지컬 배우가 되었을 때

③ 잠을 자는 중에 노래했을 때

④ 학교 가는 길에 노래했을 때

⑤ 중학생 때 학교 연극에서 연기했을 때

20 윗글의 문맥상 빈칸 ⓑ에 들어갈 말로 알맞은 것은?

① one left foot   ② one right foot

③ two left feet   ④ two left hands

⑤ two right hands

[21~22] 다음 글을 읽고, 물음에 답하시오.

> Kevin wanted to be a doctor. He also loved sports. Now, he works as a doctor for a baseball team. Kevin travels all over the country with his team. 그는 선수들이 다칠 때 그들을 돌본다. Kevin loves to help the players. He also loves to watch the games up close!

21 윗글의 밑줄 친 우리말을 주어진 단어들을 활용하여 영어로 쓰시오.

➡ _____

_____

(take, when, they, get)

22 윗글을 읽고 알 수 없는 것은?

① Kevin의 직업

② Kevin이 여행하는 곳

③ Kevin이 좋아했던 활동

④ Kevin이 속해 있는 야구팀

⑤ Kevin이 원했던 장래 희망

23 다음 문장을 주어진 지시에 맞게 바꿔 쓰시오.

> She will go to the gym after school.

(1) (부정문으로)

➡ _____

(2) (의문문으로)

➡ _____

24 다음 그림을 보고, 〈보기〉에서 알맞은 수량형용사를 골라 문장을 완성하시오.

(1)    (2)

보기

little	a little	much
a few	many	

(1) There are _____ in the basket.

(2) There are _____ in the jar.

25 다음 표를 보고, 의미상 자연스러운 두 문장을 골라 접속사 When을 사용하여 한 문장으로 쓰시오.

I feel tired.	I study hard.
I can't sleep.	I go to bed early.
I have a test.	I count sheep.

(1) _____

(2) _____

(3) _____

Money Doesn't Grow on Trees

Function

- 찾는 물건 말하기
  A: Can I help you?
  B: Yes, I'm looking for a cap for my brother.
- 가격 묻고 말하기
  A: How much is the talking refrigerator?
  B: It's $1,000.

Grammar

- 수여동사
  Julie's father **gave Mr. Leigh 40 dollars**.
- 조동사 **have to**
  You **have to** pay for the window.

New Words & Phrases   알고 있는 단어나 숙어에 ✔표 해 보세요.

- [ ] accidental 형 우연한, 돌발적인
- [ ] agree 통 동의하다
- [ ] backpack 명 배낭
- [ ] blanket 명 담요
- [ ] broken 형 깨진, 부러진
- [ ] candle 명 양초
- [ ] choice 명 선택 *cf.* choose 선택하다
- [ ] crash 명 (무엇이 부서질 때 나는) 요란한 소리
- [ ] earn 통 (돈을) 벌다
- [ ] expensive 형 비싼 (↔ cheap)
- [ ] hard 부 세게, 강력하게

- [ ] important 형 중요한
- [ ] latest 형 최신의, 최근의
- [ ] lesson 명 수업; 교훈
- [ ] mad 형 화가 난
- [ ] price 명 값, 가격
- [ ] refrigerator 명 냉장고
- [ ] reply 통 대답하다, 응답하다
- [ ] reward 명 보상
- [ ] seller 명 판매자, 파는 사람
- [ ] shopper 명 쇼핑객
- [ ] sign 명 표지, 표지판
- [ ] sneakers 명 운동화

- [ ] sweat 명 땀
- [ ] throw 통 던지다
- [ ] be proud of ~을 자랑스러워하다
- [ ] fitting room 탈의실
- [ ] in the end 마침내, 결국
- [ ] one by one 하나씩
- [ ] pay for (돈을) 지불하다
- [ ] play catch 캐치볼 놀이를 하다
- [ ] show up 나타나다
- [ ] take responsibility for ~에 책임을 지다
- [ ] work up a sweat 땀을 흘리며 일하다

정답 p. 25

1 다음 영어의 우리말 뜻을 쓰시오.

(1) hard _____
(2) reward _____
(3) broken _____
(4) refrigerator _____
(5) seller _____
(6) crash _____
(7) important _____
(8) price _____
(9) accidental _____
(10) sneakers _____

2 다음 우리말을 영어로 쓰시오.

(1) 동의하다 _____
(2) 최신의, 최근의 _____
(3) 담요 _____
(4) 수업; 교훈 _____
(5) 땀 _____
(6) 양초 _____
(7) 쇼핑객 _____
(8) 던지다 _____
(9) 선택 _____
(10) 표지, 표지판 _____

3 다음 영어 뜻풀이에 해당하는 단어를 쓰시오.

(1) _____ : having a high price
(2) _____ : to say, write, or do something as an answer
(3) _____ : to get money for work
(4) _____ : very angry or annoyed
(5) _____ : a bag that has straps for the shoulders

4 다음 빈칸에 알맞은 어구를 〈보기〉에서 골라 쓰시오.

> 보기
>
> pay for   one by one   show up   be proud of

(1) How much did you _____ the movie tickets?
(2) We should _____ our culture.
(3) The magician will _____ on the stage.
(4) The students came into the classroom _____.

5 다음 우리말과 같도록 빈칸에 알맞은 단어를 쓰시오.

(1) Mike는 깨진 창문을 고칠 것이다. ⇒ Mike will fix the _____ window.
(2) 탈의실은 저쪽에 있다. ⇒ There is a _____ _____ over there.
(3) 그는 두 시간 동안 땀을 흘리며 일했다. ⇒ He worked _____ _____ _____ for two hours.
(4) 우리는 방과 후에 캐치볼 놀이를 할 것이다. ⇒ We will _____ _____ after school.
(5) 너는 네 행동에 책임을 져야 한다. ⇒ You should _____ _____ _____ your actions.

A 찾는 물건 말하기

A: Can I help you?

B: Yes, I'm looking for a cap for my brother.

(1) 도움이 필요한지 묻기

'도와 드릴까요?'라는 뜻으로, 점원이 손님에게 도움이 필요한지 물을 때 Can I help you?라고 말한다.

- May I help you? 도와 드릴까요?
- How can I help you? 어떻게 도와 드릴까요?
- What can I do for you? 무엇을 도와 드릴까요?
- Do you need any help? 도움이 필요하세요?

(2) 찾는 물건 말하기

손님이 점원에게 찾고 있는 물건이 무엇인지 말할 때 '나는 ~을 찾고 있다.'라는 뜻으로 I'm looking for ~.의 표현을 사용한다.

- I'm looking for a bag for my sister. 저는 여동생을 위한 가방을 찾고 있어요.
- I'm trying to find a cap. 저는 모자를 찾고 있어요.
- I want to buy a pencil case. 저는 필통을 사고 싶어요.
- I'd like to buy a shirt. 저는 셔츠를 사고 싶어요.
- Do you have any shoes? 신발 있나요?

해석

A: 도와 드릴까요?

B: 네, 저는 남동생을 위한 모자를 찾고 있어요.

➕Plus

- 물건을 살 때 자주 사용하는 표현

Can I try it on?

(입어 볼 수 있나요?)

I'll take it.

(그것을 살게요.)

I'm just looking around.

(그냥 구경하는 중이에요.)

Can you show me another one?

(다른 것이 있나요?)

B 가격 묻고 말하기

A: How much is the talking refrigerator?

B: It's $1,000.

(1) 가격 묻기

'~은 얼마입니까?'라는 뜻으로, 물건의 가격을 물을 때 How much is〔are〕~?의 표현을 사용한다.

- How much is this doll? 이 인형은 얼마인가요?
- How much are these sneakers? 이 운동화는 얼마인가요?
- How much does it cost? 그것은 얼마인가요?
- What's the price of this cake? 이 케이크의 가격은 얼마인가요?

(2) 가격 말하기

물건의 가격을 말할 때 구체적인 금액을 넣어 It is ~. 또는 They are ~.로 말한다.

- It is 15 dollars. 15달러입니다.
  = It costs 15 dollars.
- They are 30 dollars. 30달러입니다.
  = They cost 30 dollars.

해석

A: 말하는 냉장고는 얼마인가요?

B: 1,000달러입니다.

➕Plus

- 금액과 관련된 표현

100: one hundred

1,000: one thousand

10,000: ten thousand

100,000: a hundred thousand

1,000,000: a million

Listening&Speaking

오른쪽 우리말 해석에 맞게 빈칸에 알맞은 말을 써 봅시다.

• Listen and Speak 1 ⓑ

교과서 p. 114

M: ¹._____ _____ help you?

G: Yes, I'm ²._____ _____ a pair of jeans.

M: Well…. ³._____ _____ this one?

G: I love it. Can I ⁴._____ it _____?

M: Of course. ⁵._____ your size?

G: I ⁶._____ _____ a size 28.

M: Here you are. The ⁷._____ _____ is right over there.

G: Thanks.

• Listen and Speak 2 ⓑ

교과서 p. 115

B: Jenny, ⁸._____ _____ this backpack. Isn't it pretty?

G: Well… I don't like the color.

B: Okay. How about this red one?

G: Oh, it looks lovely! ⁹._____ _____ _____ _____?

B: It's $60.

G: Hmm…. That's too ¹⁰._____.

B: You're right. Oh, look! It's 50% ¹¹._____. I didn't see the sign.

G: That's perfect! ¹²._____ _____ _____.

CHECK 위 대화의 내용과 일치하면 T, 일치하지 않으면 F에 체크하시오.

Listen and Speak 1 ⓑ

1. The girl is at a clothing store. (T / F)
2. The girl is looking for a pair of jeans. (T / F)
3. The girl isn't going to try on the pair of jeans. (T / F)

Listen and Speak 2 ⓑ

4. The red backpack is 50 dollars. (T / F)
5. Jenny is going to buy the red backpack. (T / F)

• **Listen and Speak 1 ⓑ**
남자: 도와 드릴까요?
소녀: 네, 저는 청바지를 찾고 있어요.
남자: 음…. 이건 어떠세요?
소녀: 아주 마음에 드네요. 입어 볼 수 있나요?
남자: 물론이죠. 사이즈가 어떻게 되나요?
소녀: 저는 보통 28사이즈를 입어요.
남자: 여기 있습니다. 탈의실은 바로 저쪽에 있어요.
소녀: 고맙습니다.

• **Listen and Speak 2 ⓑ**
소년: Jenny, 이 배낭 좀 봐. 예쁘지 않니?
소녀: 음… 나는 색이 마음에 들지 않아.
소년: 알겠어. 이 빨간 배낭은 어때?
소녀: 오, 예뻐 보여! 그건 얼마니?
소년: 60달러야.
소녀: 음…. 그건 너무 비싸네.
소년: 네 말이 맞아. 오, 봐! 50퍼센트 할인이 돼. 내가 표시를 보지 못했어.
소녀: 잘됐다! 그걸 사야겠어.

빈칸 채우기 정답
1. May I 2. looking for
3. How about 4. try, on
5. What's 6. usually wear
7. fitting room 8. look at
9. How much is it 10. expensive
11. off 12. I'll take it

CHECK 정답
1. T 2. T 3. F 4. F 5. T

• Real Life Talk > Watch a Video

교과서 p. 116

Woman: May I help you?

Jiho: Yes, please. 1._____ _____ _____ a T-shirt.

Woman: How about this one? It's the 2._____ _____.

Jiho: It 3._____ _____, but do you have 4._____

_____?

Woman: Of course. We have it in white, black, and red.

Jiho: I like the white one. 5._____ _____ is it?

Woman: It's 6._____ _____. It's only $20.

Jiho: Perfect! I'll 7._____ it.

Woman: Great 8._____. Thank you very much.

CHECK 위 대화의 내용과 일치하면 T, 일치하지 <u>않으면</u> F에 체크하시오.

1. Jiho wants to buy a T-shirt.   (T / F)
2. The woman recommends the latest style to Jiho.   (T / F)
3. There are two colors for the T-shirt.   (T / F)
4. Jiho doesn't like the white T-shirt.   (T / F)
5. Jiho will pay 20 dollars for the T-shirt.   (T / F)

해석

• Real Life Talk > Watch a Video

여자: 도와 드릴까요?

지호: 네. 저는 티셔츠를 찾고 있어
요.

여자: 이건 어떠세요? 최신 유행의
스타일이에요.

지호: 멋진데 다른 색이 있나요?

여자: 물론이죠. 흰색과 검은색, 빨간
색이 있어요.

지호: 흰색이 마음에 드네요. 얼마인
가요?

여자: 할인 판매 중이에요. 20달러
밖에 안 해요.

지호: 좋네요! 그걸 살게요.

여자: 탁월한 선택이에요. 정말 감사
합니다.

빈칸 채우기 정답

1. I'm looking for 2. latest style
3. looks great 4. another color
5. How much 6. on sale 7. take
8. choice

CHECK 정답

1. T 2. T 3. F 4. F 5. T

Listening&Speaking Test

01 다음 대화의 빈칸에 들어갈 말이 바르게 짝지어진 것은?

> A: _____ I help you?
> B: Yes, I'm looking for a tie for my dad.
> A: _____ about this one?
> B: It's perfect!

① Can – Why   ② Can – How   ③ What – How
④ What – Why   ⑤ How – What

Tip
상점에서 점원과 손님이 나누는 대화이다. 손님에게 도움이 필요한지 묻는 표현과 물건을 권하는 표현이 들어가야 한다.

(02~03) 다음 대화의 빈칸에 들어갈 말로 알맞은 것을 고르시오.

02

> A: Excuse me. _____
> B: It's 5 dollars.

① How about this pen?   ② Do you have any pens?
③ How big is this pen?   ④ How much are these pens?
⑤ How much is this pen?

Tip
It's 5 dollars.는 물건의 가격을 말하는 표현이다.

03

> A: Excuse me. Do you have any tomatoes?
> B: Sorry, _____.

① they are right over there   ② they are on sale now
③ we don't have any now   ④ we have many tomatoes
⑤ they are only 10 dollars

Tip
토마토가 있는지 묻는 말에 Sorry로 답하고 있다.

• on sale 할인 판매 중인

04 다음 대화의 빈칸에 들어갈 말로 알맞지 <u>않은</u> 것은?

> A: _____
> B: I'm looking for a jacket.

① May I help you?   ② Can you help me?
③ What can I do for you?   ④ How can I help you?
⑤ Do you need any help?

Tip
상점에서 점원이 손님에게 건네는 말이 들어가야 한다.

05 자연스러운 대화가 되도록 (A)~(D)를 바르게 배열하시오.

> (A) Good choice!
> (B) They are $15.
> (C) Great. I'll take them.
> (D) Excuse me. How much are these sneakers?

• sneakers 운동화

06 다음 대화의 밑줄 친 우리말을 주어진 표현을 활용하여 영어로 쓰시오.

> A: May I help you?
> B: Yes, <u>저는 청바지 한 벌을 찾고 있어요.</u>
> A: Well…. How about this one?
> B: I love it!

➡ _____ (look for, a pair of)

07 다음 두 문장의 의미가 같도록 할 때 빈칸에 들어갈 말로 알맞은 것은?

> How much is this candle?
> = How much does this candle _____?

① pay   ② sell   ③ choose   ④ buy   ⑤ cost

08 다음 대화의 빈칸에 들어갈 말로 알맞지 <u>않은</u> 것은?

> A: Can I help you?
> B: Yes, please. _____
> A: They are next to the children's books.

① I'm looking for comic books.   ② Where can I find comic books?
③ I want to buy comic books.   ④ I'd like to buy comic books.
⑤ What is the price of comic books?

(09~10) 다음 대화를 읽고, 물음에 답하시오.

> A: May I help you?
> B: Yes, please. I'm looking for a T-shirt.
> A: How about this one? It's the latest style.
> B: It looks great, but do you have another color?
> A: Of course. We have it in white, black, and red.
> B: I like the white one. How much is it?
> A: It's on sale. It's only $20.
> B: Perfect! _____

09 위 대화의 빈칸에 들어갈 말로 알맞은 것은?

① I'll look for it.   ② I'll take it.   ③ I won't buy it.
④ I don't want it.   ⑤ Here you are.

Level UP
10 위 대화의 내용과 일치하도록 다음 빈칸에 알맞은 말을 쓰시오.

The white T-shirt is _____ _____. It costs only

_____ _____.

1 다음 그림을 보고, 주어진 단어들을 사용하여 대화의 빈칸에 알맞은 말을 쓰시오.

A: Excuse me. I _____.
               (want, buy)
B: It is right over there.

2 다음 그림을 보고, 대화의 빈칸에 알맞은 말을 쓰시오.

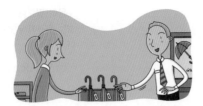

A: _____?
B: It was 10 dollars, but it's 50% off now.
    It's only _____.

3 다음 대화의 빈칸에 알맞은 말을 〈보기〉에서 골라 쓰시오.

> 보기
> • The fitting room is right over there.
> • What's your size?
> • I'm looking for a pair of jeans.
> • Can I try it on?

A: May I help you?
B: Yes, please. (1) _____
A: Well…. How about this one?
B: I love it. (2) _____
A: Of course. (3) _____
B: I usually wear a size 28.
A: Here you are. (4) _____
B: Thanks.

4 다음 글의 내용과 일치하도록 주어진 대화를 완성하시오.

> Jenny wants to buy a backpack. Andrew recommends a red backpack. Jenny likes it, but it is 60 dollars. Andrew sees the sale sign. The red backpack is 50% off. Jenny decides to buy it.

A: Jenny, look at this backpack. Isn't it pretty?
B: Yes, it looks lovely.
   (1) _____?
A: It's 60 dollars.
B: Hmm…. That's too expensive.
A: You're right. Oh, look! It's (2) _____
   _____. I didn't see the sign.
B: That's perfect! I'll (3) _____.

5 다음 그림을 보고, 대화를 완성하시오.

A: Excuse me. How much are these
   sneakers?
B: (1) _____
A: Great. (2) _____
B: Good choice! Thank you very much.

A 수여동사

Julie's father gave Mr. Leigh 40 dollars.
I want to show my friends this painting.
Please tell me a funny story.

해석

Julie의 아버지는 Leigh 씨에게 40달러를 주었다.
나는 친구들에게 이 그림을 보여 주고 싶다.
나에게 웃긴 이야기를 말해 주세요.

- 수여동사는 '~에게 …을 (해) 주다'라는 뜻으로 두 개의 목적어를 필요로 하는 동사이다. 수여동사에는 give, send, show, tell, write, make, buy 등이 있다. 이 동사들은 「주어+수여동사+간접목적어+직접목적어」의 4형식 문장의 형태로 쓴다.

- 수여동사가 있는 4형식 문장은 전치사를 사용하여 「주어+수여동사+직접목적어+전치사+간접목적어」의 3형식 문장으로 바꿔 쓸 수 있다.

to를 사용하는 동사	give, show, tell, send, write, bring, teach 등
for를 사용하는 동사	buy, make, cook, get 등
of를 사용하는 동사	ask, demand 등

I **gave** her a book. → I **gave** a book *to* her. 나는 그녀에게 책을 주었다.
He **bought** me some cookies. → He **bought** some cookies *for* me.
그는 나에게 쿠키를 조금 사 주었다.
Can I **ask** you a favor? → Can I **ask** a favor *of* you?
부탁 좀 해도 될까요?

+ Plus

- 간접목적어는 '~에게'에 해당하는 목적어로 주로 사람을 말하고, 직접목적어는 '~을'에 해당하는 목적어로 주로 사물을 말한다.
She sent me a postcard.
간접목적어 ┘   └ 직접목적어
(그녀는 나에게 엽서를 보냈다.)

B 조동사 have to

You have to pay for the window.
Susan has to take responsibility for her actions.
cf. We don't have to go to school tomorrow.

해석

너는 창문 값을 지불해야 한다.
Susan은 자신의 행동에 책임을 져야 한다.
cf. 우리는 내일 학교에 갈 필요가 없다.

- have to는 '~해야 한다'라는 뜻의 의무를 나타내는 조동사로 뒤에 동사원형이 온다. 주어가 3인칭 단수일 경우 has to로 쓴다. have to의 과거형은 had to, 미래형은 will have to이다.
You **have to** keep the rules. 너는 규칙을 지켜야 한다.
She **has to** finish her work tonight. 그녀는 오늘 밤 그녀의 일을 끝내야 한다.
I **had to** get up early this morning. 나는 오늘 아침에 일찍 일어나야 했다.

- have to의 부정형은 don't have to로 '~할 필요가 없다'라는 뜻이다. 의문문은 「Do(Does)+주어+have to+동사원형 ~?」의 형태로 쓴다.
I **don't have to** pay for the window. 나는 창문 값을 지불할 필요가 없다.
Do we **have to** bring our umbrellas? 우리가 우산을 가져와야 하나요?

+ Plus

- 조동사 must
must는 '~해야 한다'라는 의무의 뜻과 '~임에 틀림없다'라는 강한 추측의 뜻으로 쓰인다. must가 의무를 뜻할 때는 have to로 바꿔 쓸 수 있다.
You must be quiet in the library.
= You have to be quiet in the library.
(너는 도서관에서 조용히 해야 한다.)

Grammar Test

01 다음 괄호 안에서 어법상 알맞은 것을 고르시오.

(1) I (have to / has to) fix my computer.

(2) He (will have to / will has to) meet his teacher.

(3) They (doesn't have to / don't have to) read this book.

(4) She (had to / have to) help her brother.

(5) We (don't have to / have not to) know his name.

Tip

조동사 have to의 부정형은 don't have to, 과거형은 had to, 미래형은 will have to이다.

• fix 고치다

02 다음 빈칸에 들어갈 알맞은 전치사를 쓰시오.

(1) I will buy a bicycle _____ her.

(2) She can tell funny stories _____ the children.

(3) He cooked pasta _____ his family.

(4) They sent some pictures _____ their cousins.

Tip

수여동사에 따라 간접목적어 앞에 전치사 to, for, of 중 하나가 온다.

• funny 우스운, 재미있는
• cousin 사촌

03 다음 문장에서 어법상 틀린 부분을 찾아 바르게 고쳐 쓰시오.

(1) They have to saved money. _____ ➡ _____

(2) The students has to wear uniforms. _____ ➡ _____

(3) Does he have to walks to school? _____ ➡ _____

(4) She doesn't has to call me. _____ ➡ _____

• save (돈을) 모으다
• uniform 교복, 제복

04 다음 우리말과 같도록 괄호 안에 주어진 단어들을 바르게 배열하시오.

(1) 우리 엄마는 나에게 스웨터를 만들어 주셨다.

➡ My mother _____.

(a sweater, made, me)

(2) 나는 Julia에게 인형을 주었다.

➡ I _____.

(Julia, a doll, gave)

(3) Andy는 우리에게 그의 앨범을 보여 주었다.

➡ Andy _____.

(showed, his album, us, to)

Tip

4형식 문장은 「주어+수여동사+간접목적어+직접목적어」의 어순이다.

05 다음 문장을 지시에 맞게 바꿔 쓰시오.

(1) She has to write a diary in English.

(의문문으로) ➡ _____

(2) They have to bring their food.

(부정문으로) ➡ _____

(3) You have to clean your room.

(과거시제로) ➡ _____

• write a diary 일기를 쓰다
• bring 가져오다

06 다음 빈칸에 들어갈 말로 알맞지 <u>않은</u> 것은?

> Brian will _____ some flowers to me.

① bring   ② send   ③ give

④ show   ⑤ buy

Tip

3형식 문장에서 전치사 to와 함께 쓰이지 않는 수여동사를 찾는다.

07 다음 빈칸에 들어갈 말이 바르게 짝지어진 것은?

> • I _____ do my homework after school.
> • Does she _____ take the bus?

① has to – has to   ② has to – have to

③ have to – had to   ④ have to – has to

⑤ have to – have to

Tip

주어의 인칭과 수에 따른 조동사 have to의 형태에 유의한다.

08 다음 우리말을 영어로 바르게 옮긴 것은?

> 나는 Mary에게 모자를 주었다.

① I gave a cap Mary.   ② I gave Mary a cap.

③ I gave a cap for Mary.   ④ I gave Mary to a cap.

⑤ I gave a cap of Mary.

Tip

수여동사 give가 쓰인 4형식 또는 3형식 문장을 찾는다.

09 다음 두 문장의 의미가 같도록 할 때 빈칸에 알맞은 것은?

> Tom made his friend a chocolate cake.
> = Tom made a chocolate cake _____ his friend.

① to   ② of   ③ for   ④ with   ⑤ on

Tip

4형식 문장에서 3형식 문장으로 전환할 때 make와 함께 쓰이는 전치사를 확인한다.

10 다음 문장을 부정문으로 바르게 바꾼 것은?

> Eric has to go to the library this afternoon.

① Eric has to not go to the library this afternoon.

② Eric has not to go to the library this afternoon.

③ Eric don't have to go to the library this afternoon.

④ Eric doesn't has to go to the library this afternoon.

⑤ Eric doesn't have to go to the library this afternoon.

Tip

have to의 부정형은 「don't have to+동사원형」이며, 주어가 3인칭 단수일 때 don't 대신 doesn't로 쓴다.

• this afternoon 오늘 오후

11 다음 빈칸에 들어갈 말이 나머지와 <u>다른</u> 하나는?

① She told the good news _____ us.

② He showed his pictures _____ me.

③ Can you give this letter _____ him?

④ Jake sent an email _____ his brother.

⑤ I asked some questions _____ my classmate.

Tip

3형식 문장에 쓰인 수여동사를 보고 간접목적어 앞에 오는 전치사를 파악한다.

· question 질문

12 다음 중 어법상 옳은 것은?

① Do she have to take a rest?

② I has to answer the questions.

③ Do I have to finish this work?

④ We have to listening to our teachers.

⑤ She doesn't has to go to school tomorrow.

Tip

have to는 조동사이지만 주어의 인칭과 수에 일치시켜 부정문과 의문문을 만든다.

· take a rest 쉬다

Level UP
13 다음 중 어법상 옳지 <u>않은</u> 것은?

① I bought her a new coat.

② Mr. Lee taught English to us.

③ Jane gave me a birthday gift.

④ He will bring a cup of water to me.

⑤ She made some cookies the children.

Tip

4형식 문장은 「주어+수여동사+간접목적어+직접목적어」의 어순이고, 3형식 문장은 「주어+수여동사+직접목적어+전치사+간접목적어」의 어순이다.

14 다음 우리말과 같도록 빈칸에 알맞은 말을 쓰시오.

> Mike는 나에게 책을 한 권 사 줄 것이다.
> ⇒ Mike will _____ _____ _____ _____.
> ⇒ Mike will _____ _____ _____ for _____.

Tip

'~에게 …을 사 주다'라는 뜻의 수여동사를 써서 4형식 또는 3형식 문장을 완성한다.

15 다음 문장에서 어법상 틀린 부분을 바르게 고쳐 문장을 다시 쓰시오.

(1) I sent some flowers for my grandmother.

⇒ _____

(2) You have to being kind to your friends.

⇒ _____

Grammar 서술형 평가

1 다음 4형식 문장을 〈보기〉와 같이 3형식 문장으로 바꿔 쓰시오.

보기
> She gave me a cup of coffee.
> ➡ She gave a cup of coffee to me.

(1) Bora sent her family a postcard.

➡ _____

(2) She made her sister a sandwich.

➡ _____

(3) I showed my friends the new bicycle.

➡ _____

2 다음 우리말과 같도록 조동사 have to를 활용하여 주어진 글을 완성하시오.

> 내일은 토요일이다. Smith 씨는 일하기 위해 일찍 일어날 필요가 없다. 그는 가족과 함께 캠핑을 하러 가야 한다.

> Tomorrow is Saturday. Mr. Smith
> (1) _____ early for work. He (2) _____
> with his family.

3 다음 표를 보고, 민수가 오늘 해야 할 일을 예시와 같이 쓰시오.

Time	What to do
8:00 a.m.	going jogging
2:00 p.m.	playing soccer with my friends
5:00 p.m.	doing my homework

e.g. Minsu has to go jogging at 8:00 a.m.

(1) _____

(2) _____

4 다음 그림을 보고, 주어진 단어를 사용하여 그림을 설명하는 문장을 쓰시오.

(1)

Jane   Ben

➡ _____

(gave)

(2)

➡ _____

(sent)

5 다음 글에서 어법상 틀린 부분을 찾아 바르게 고쳐 쓰시오.

> Sumi had 10,000 won last week. Her parents gave the money for her. She spent 7,000 won because she had to buys a book. She saved 3,000 won.

(1) _____ ➡ _____

(2) _____ ➡ _____

An Accidental Lesson

One day after school, Julie and Mike ¹._____

_____. 캐치볼 놀이를 하고 있었다

Mike became ²._____ and said, "Throw it
지루한

³._____!" Julie agreed. She ⁴._____ the ball really
더 세게   던졌다

hard. The ball ⁵._____ Mike's head. CRASH!
~ 위로 날아갔다

The ball ⁶._____ Mr. Leigh's living room window!
깨뜨렸다

Mr. Leigh came out. Julie's father also ⁷._____ the
들었다

sound and came out. Julie and Mike said, "We're very sorry."

Julie's father ⁸._____ _____ _____ _____
Leigh 씨에게 40달러를 주었다

for the window. Mr. Leigh said, "That's okay. Kids will be

kids."

At home, Julie's father said, "I'm not ⁹._____
~에게 화가 난

you. But you still ¹⁰._____ _____ _____
지불해야 한다

_____ the window."

The next day, Julie told ¹¹._____
Mike에게 나쁜 소식을

_____. Mike asked, "How can we make 40 dollars?"

CHECK 윗글의 내용과 일치하면 T, 일치하지 않으면 F에 체크하시오.

1. Julie and Mike were playing catch before going to school. (T / F)
2. Mike threw the ball really hard. (T / F)
3. Julie and Mike broke Mr. Leigh's living room window. (T / F)
4. Julie's father paid for the broken window. (T / F)
5. Julie's father was mad at Julie. (T / F)

빈칸 채우기 정답
1. were playing catch 2. bored
3. harder 4. threw 5. flew over
6. broke 7. heard 8. gave Mr.
Leigh 40 dollars 9. mad at
10. have to pay for
11. Mike the bad news

CHECK 정답
1. F 2. F 3. T 4. T 5. F

Julie replied, "How about doing a car wash?" Mike agreed.

"Okay! I'll make the posters."

The day of the car wash came. At first, no one ¹._____
(나타났다)_____. But luckily, people came ²._____
(한 명씩)_____. Julie and Mike ³._____
(땀을 흘리며 일했다)
_____ _____. They washed every little corner of

each car. In the end, they washed 21 cars and ⁴._____ 42
(벌었다)

dollars!

Julie and Mike gave 40 dollars to Julie's father. He asked,

"What did you learn from all this?" Julie said, "We have to

⁵._____ (~에 책임을 지다) _____ our actions." Mike said,

"Money doesn't grow on trees." Julie's father smiled and gave

them the money back. "I'm very ⁶._____ (~을 자랑스러워하는) you

two. You learned an ⁷._____ (중요한 교훈), so here's your

⁸._____ (보상)," he said.

At first, Julie and Mike ⁹._____
(돈을) 쓰고 싶었다
the money on snacks. But they ¹⁰._____ put it
(~을 결정했다)

in the bank. Why? It's ¹¹._____ this won't be their last
(~ 때문에)

¹²._____ window!
(깨진)

Words&Phrases

- reply[rɪpláɪ] 대답하다, 응답하다
- show up 나타나다
- luckily[lʌ́kili] 운 좋게도, 다행히도
- one by one 하나씩
- in the end 마침내, 결국
- earn[ɜːrn] (돈을) 벌다
- be proud of ~을 자랑스러워하다
- reward[rɪwɔ́ːrd] 보상
- broken[bróʊkən] 깨진, 부러진

CHECK 윗글의 내용과 일치하면 T, 일치하지 않으면 F에 체크하시오.

1. Julie and Mike worked hard on the day of the car wash. (T / F)
2. Julie and Mike didn't earn any money. (T / F)
3. Julie's father felt very proud of Julie and Mike. (T / F)
4. Julie and Mike gave Julie's father 42 dollars. (T / F)
5. Julie and Mike spent the money on snacks. (T / F)

빈칸 채우기 정답
1. showed up 2. one by one
3. worked up a sweat
4. earned 5. take responsibility
for 6. proud of 7. important
lesson 8. reward 9. wanted to
spend 10. decided to
11. because 12. broken

CHECK 정답
1. T 2. F 3. T 4. F 5. F

Reading (Test)

(01~02) 다음 글을 읽고, 물음에 답하시오.

> One day after school, Julie and Mike were _____ⓐ_____ catch. Mike became bored and said, "Throw it harder!" Julie agreed. She _____ⓑ_____ the ball really hard. The ball flew over Mike's head. CRASH! The ball broke Mr. Leigh's living room window!

- hard 세게
- agree 동의하다

01 윗글의 빈칸 ⓐ와 ⓑ에 들어갈 말의 형태가 바르게 짝지어진 것은?

① play – throws
② played – throwing
③ played – threw
④ playing – throws
⑤ playing – threw

방과 후 어느 날 일어난 일에 관한 내용이므로 과거 시제가 쓰였다.

02 윗글을 읽고 알 수 <u>없는</u> 것은?

① 공을 던진 사람
② Leigh 씨 집의 위치
③ Julie와 Mike가 깨뜨린 것
④ Julie와 Mike가 하고 있던 놀이
⑤ Mike가 Julie에게 요청한 것

(03~05) 다음 글을 읽고, 물음에 답하시오.

> Mr. Leigh came out. Julie's father also heard the sound and came out. Julie and Mike said, "We're very sorry." ⓐ<u>Julie의 아버지는 Leigh 씨에게 40달러를 주었다</u> for the window. Mr. Leigh said, "That's okay. ⓑ<u>Kids will be kids.</u>"
>
> At home, Julie's father said, "I'm not mad at you. But you still have to pay for the window."

- mad 화가 난
- pay for (돈을) 지불하다

03 윗글의 밑줄 친 우리말 ⓐ를 영어로 바르게 옮긴 것은?

① Julie's father gave 40 dollars Mr. Leigh
② Julie's father gave 40 dollars for Mr. Leigh
③ Julie's father gave Mr. Leigh 40 dollars
④ Julie's father gave Mr. Leigh to 40 dollars
⑤ Julie's father gave Mr. Leigh of 40 dollars

수여동사 give가 쓰인 4형식 문장이나 3형식 문장을 고른다.

04 윗글의 밑줄 친 ⓑ의 의미로 알맞은 것은?

① 아이들이 다 그렇다.
② 아이들은 혼나야 한다.
③ 아이들을 이해할 수 없다.
④ 아이들이 어른보다 더 낫다.
⑤ 아이처럼 행동해서는 안 된다.

철없는 아이들의 행동을 이해해 줄 때 사용하는 표현이다.

05 윗글에 나타난 Julie와 Mike의 심정으로 알맞은 것은?

① mad
② bored
③ excited
④ happy
⑤ sorry

창문을 깨고 난 뒤 Julie와 Mike가 Leigh 씨에게 한 말에서 알 수 있다.

[06~09] 다음 글을 읽고, 물음에 답하시오.

> The next day, ⓐJulie told Mike the bad news. Mike asked, "How can we make 40 dollars?" Julie replied, "How about doing a car wash?" (①) Mike agreed. "Okay! I'll make the posters." (②)
>
> The day of the car wash came. (③) At first, no one showed up. (④) Julie and Mike worked up a sweat. (⑤) They washed every little corner of each car. ⓑ In the end, they washed 21 cars and earned 42 dollars!

06 윗글의 밑줄 친 ⓐ와 같은 의미가 되도록 빈칸에 알맞은 말을 쓰시오.

> = Julie told the bad news _____ Mike

07 윗글의 ①~⑤ 중 주어진 문장이 들어갈 알맞은 곳은?

> But luckily, people came one by one.

①   ②   ③   ④   ⑤

08 윗글의 밑줄 친 ⓑ와 바꿔 쓸 수 있는 것은?

① First   ② Second   ③ However
④ Finally   ⑤ Next

09 윗글의 내용과 일치하지 <u>않는</u> 것은?

① Mike agreed to do a car wash.
② Julie and Mike earned 40 dollars.
③ Mike heard the bad news from Julie.
④ Mike made the posters for the car wash.
⑤ Julie and Mike washed the cars really hard.

[10~12] 다음 글을 읽고, 물음에 답하시오.

> Julie and Mike gave 40 dollars to Julie's father. He asked, "What did you learn from all this?" Julie said, "We have to ____ⓐ____ responsibility for our actions." Mike said, "Money doesn't grow on trees." Julie's father smiled and gave ⓑ them the money back.

10 윗글의 빈칸 ⓐ에 들어갈 말의 형태로 알맞은 것은?

① took   ② taking   ③ take
④ taken   ⑤ takes

- reply 대답하다
- show up 나타나다
- work up a sweat 땀을 흘리며 일하다
- earn (돈을) 벌다

(Tip)
수여동사가 쓰인 4형식 문장을 3형식 문장으로 바꿀 때 간접목적어 앞에 전치사를 쓴다.

(Tip)
주어진 문장은 세차 날에 다행히도 사람들이 한 명씩 왔다는 내용이다.

(Tip)
in the end는 '마침내, 결국'이라는 뜻이다.

- learn 배우다
- action 행동

(Tip)
조동사 have to 뒤에 오는 동사의 형태에 유의한다.

11 윗글의 밑줄 친 ⓑ가 가리키는 것을 본문에서 찾아 쓰시오.

_____

12 윗글의 Julie와 Mike가 배운 교훈으로 알맞은 것을 <u>모두</u> 고르면?

① 돈을 많이 벌어야 한다.
② 돈은 저절로 생기지 않는다.
③ 자신의 행동에 책임을 져야 한다.
④ 행동하기 전에 먼저 생각해야 한다.
⑤ 자신의 행동에 대해 사과해야 한다.

Tip
Julie와 Mike가 각각 깨달은 바를 확인해 본다.

[13~15] 다음 글을 읽고, 물음에 답하시오.

> "ⓐ나는 너희 둘이 매우 자랑스럽구나. You learned an important lesson, ⓑ _____ here's your reward," he said.
> At first, Julie and Mike wanted to spend the money on snacks. ⓒ _____ they decided to put it in the bank. Why? ⓓIt's because this won't be their last broken window!

- important 중요한
- reward 보상
- broken 깨진, 부러진

13 윗글의 밑줄 친 우리말 ⓐ와 같도록 주어진 단어들을 바르게 배열하시오.

➡ _____

(very, of, you two, I'm, proud)

Tip
'~을 자랑스러워하다'는 be proud of로 쓴다.

14 윗글의 빈칸 ⓑ와 ⓒ에 들어갈 말이 바르게 짝지어진 것은?

① so – But   ② so – Therefore   ③ but – Therefore
④ but – However   ⑤ and – Also

Tip
빈칸 앞뒤 문장이 원인과 결과의 관계인지, 대조되는 내용인지 살펴본다.

15 윗글의 밑줄 친 ⓓ의 의미로 알맞은 것은?

① 그들은 절대 창문을 깬 적이 없다.
② 그들은 창문을 깨면 또 돈을 벌 것이다.
③ 그들은 다음에 또 창문을 깨뜨릴 수도 있다.
④ 그들은 더 이상 창문을 깨뜨리지 않을 것이다.
⑤ 이번에 깬 창문은 그들이 깬 마지막 창문이다.

Tip
이것이 그들이 깬 마지막 창문이 아닐 것이라는 말의 의미를 생각해 본다.

Reading

1 다음 글을 읽고, 주어진 표를 완성하시오.

> One day after school, Julie and Mike were playing catch. Mike became bored and said, "Throw it harder!" Julie agreed. She threw the ball really hard. The ball flew over Mike's head. CRASH! The ball broke Mr. Leigh's living room window!
>
> Mr. Leigh came out. Julie's father also heard the sound and came out. Julie and Mike said, "We're very sorry." Julie's father gave Mr. Leigh 40 dollars for the window.

When	(1) _____
What	(2) Julie and Mike _____.
	(3) The ball _____ _____.
	(4) Julie's father _____ _____.

(2~3) 다음 글을 읽고, 물음에 답하시오.

> At home, Julie's father said, "I'm not mad at you. But you still have to pay for the window."
>
> The next day, Julie told Mike the bad news. Mike asked, "How can we make 40 dollars?" Julie replied, "How about doing a car wash?" Mike agreed. "Okay! I'll make the posters."
>
> The day of the car wash came. At first, no one showed up. But luckily, people came one by one. Julie and Mike worked up a sweat. They washed every little corner of each car. In the end, they washed 21 cars and earned 42 dollars!

2 윗글을 읽고, 다음 질문에 완전한 문장으로 답하시오.

Q: What did Mike make for the car wash?

A: _____

3 윗글의 내용과 일치하도록 빈칸에 알맞은 말을 쓰시오.

> Julie and Mike had to (1) _____ _____, so they decided (2) _____ _____. They worked hard and (3) _____ 42 dollars.

(4~5) 다음 글을 읽고, 물음에 답하시오.

> Julie and Mike gave 40 dollars to Julie's father. He asked, "What did you learn from all this?" Julie said, "우리는 우리의 행동에 책임을 져야만 해요." Mike said, "Money doesn't grow on trees." Julie's father smiled and gave them the money back. "I'm very proud of you two. You learned an important lesson, so here's your reward," he said.
>
> At first, Julie and Mike wanted to spend the money on snacks. But they decided to put it in the bank. Why? It's because this won't be their last broken window!

4 윗글의 밑줄 친 우리말을 조동사 **have to**를 사용하여 영어로 쓰시오.

➡ _____

5 윗글을 읽고, Julie가 쓴 일기를 완성하시오.

> In the evening, we gave my father (1) _____. Surprisingly, he gave the money back (2) _____ as a reward. We decided (3) _____ the money in the (4) _____.

01 다음 두 단어의 관계가 나머지와 <u>다른</u> 하나는?

① sell – buy
② throw – catch
③ reply – answer
④ agree – disagree
⑤ expensive – cheap

02 다음 빈칸에 들어갈 말이 바르게 짝지어진 것은?

> • Mary didn't show _____ for the meeting yesterday.
> • The artist is proud _____ his work.

① off – of   ② off – for   ③ up – for
④ up – of   ⑤ up – to

03 다음 단어의 영어 뜻풀이가 알맞지 <u>않은</u> 것은?

① mad: very angry or annoyed
② broken: split or cracked into pieces
③ bored: feeling happy or interested
④ accidental: happening by luck or chance
⑤ important: having great meaning or value

04 다음 대화가 일어나는 장소로 알맞은 곳은?

> A: Can I help you?
> B: Yes, I'm looking for a jacket.
> A: How about this one? It's on sale now.
> B: Great. How much is it?
> A: It's only $30. We have some pretty skirts, too.

① shoe store   ② bookstore
③ restaurant   ④ supermarket
⑤ clothing shop

05 다음 대화의 밑줄 친 ①~⑤와 바꿔 쓸 수 <u>없는</u> 것은?

> A: ① May I help you?
> B: Yes, please. ② I'm looking for a pair of jeans.
> A: Well…. ③ How about this one?
> B: I love it. ④ Can I try it on?
> A: Of course. What's your size?
> B: I usually wear a size 28.
> A: ⑤ Here you are. The fitting room is right over there.

① Can I help you?
② I'm trying to find a pair of jeans.
③ How do you like this one?
④ Why don't you try it on?
⑤ Here it is.

06 다음 대화를 읽고 답할 수 <u>없는</u> 질문은?

> Woman: May I help you?
> Jiho: Yes, please. I'm looking for a T-shirt.
> Woman: How about this one? It's the latest style.
> Jiho: It looks great, but do you have another color?
> Woman: Of course. We have it in white, black, and red.
> Jiho: I like the white one. How much is it?
> Woman: It's on sale. It's only $20.
> Jiho: Perfect! I'll take it.

① What is on sale?
② How much will Jiho pay?
③ What does the woman do?
④ What color T-shirt will Jiho buy?
⑤ How long will the shop have a sale?

(07~08) 다음 대화를 읽고, 물음에 답하시오.

> A: Jenny, look at this backpack. Isn't it pretty?
> B: Well… I don't like the color.
> A: Okay. How about this red one?
> B: Oh, it looks lovely! How much is it?
> A: It's $60.
> B: Hmm…. _____
> A: You're right. Oh, look! It's 50% off. I didn't see the sign.
> B: That's perfect! I'll take it.

07 위 대화의 흐름상 빈칸에 들어갈 말로 알맞은 것은?

① That's great.
② That's too cheap.
③ That's enough.
④ That sounds wonderful.
⑤ That's too expensive.

08 위 대화의 내용과 일치하는 것은?

① They are talking in the library.
② Jenny won't buy the backpack.
③ Jenny doesn't like the red backpack.
④ The red backpack is 30 dollars now.
⑤ There are only red backpacks at the store.

09 다음 빈칸에 들어갈 말이 바르게 짝지어진 것은?

> • It's very cold outside. I _____ wear a coat.
> • Jack already watered the plants. You _____ water them.

① have to – have to
② have to – don't have to
③ have to – doesn't have to
④ don't have to – have to
⑤ don't have to – doesn't have to

10 다음 빈칸에 들어갈 말로 알맞지 않은 것은?

> She will _____ her friend a book.

① send   ② buy   ③ give
④ show   ⑤ see

11 다음 문장을 3형식으로 바르게 바꾼 것은?

> He cooked me a delicious lunch.

① He cooked a delicious lunch me.
② He cooked me to a delicious lunch.
③ He cooked a delicious lunch to me.
④ He cooked a delicious lunch of me.
⑤ He cooked a delicious lunch for me.

12 다음 중 어법상 틀린 것은?

① I had to wait almost an hour.
② He has to go to the post office.
③ What does she has to do now?
④ We don't have to worry about him.
⑤ Does she have to clean her room?

13 다음 우리말을 주어진 단어들을 활용하여 영어로 쓰시오.

(1) Mike는 그의 남동생에게 새 장난감을 사 줄 것이다.

➡ _____

(buy, a new toy)

(2) 나는 Jane에게 웃긴 이야기를 말해 주었다.

➡ _____

(tell, a funny story)

(14~17) 다음 글을 읽고, 물음에 답하시오.

One day after school, Julie and Mike were playing catch. Mike became bored and said, "Throw it harder!" Julie agreed. She threw the ball really ⓐ hard. The ball ⓑ flies / flew over Mike's head. CRASH! (①) The ball broke Mr. Leigh's living room window! (②)

Mr. Leigh came out. (③) Julie and Mike said, "We're very sorry." (④) Julie's father gave Mr. Leigh 40 dollars for the window. (⑤) Mr. Leigh said, "That's okay. Kids will ⓒ be / are kids."

At home, Julie's father said, "I'm not mad at you. But you still have to ⓓ pay / paying for the window."

14 윗글의 밑줄 친 ⓐ와 같은 의미로 쓰인 것은?

① It is a <u>hard</u> problem.
② He kicked the door <u>hard</u>.
③ People have to work <u>hard</u>.
④ He studied <u>hard</u> for the test.
⑤ There are <u>hard</u> candies on the table.

15 윗글의 ⓑ~ⓓ에서 어법상 알맞은 말이 바르게 짝지어진 것은?

	ⓑ	ⓒ	ⓓ
①	flies	– be	– pay
②	flies	– are	– paying
③	flew	– be	– paying
④	flew	– be	– pay
⑤	flew	– are	– pay

16 윗글의 ①~⑤ 중 주어진 문장이 들어갈 알맞은 곳은?

Julie's father also heard the sound and came out.

① ② ③ ④ ⑤

17 윗글을 읽고 답할 수 <u>없는</u> 질문은?

① What did Julie and Mike break?
② Was Julie's father mad at Julie?
③ What was Mr. Leigh doing in his living room?
④ What were Julie and Mike doing after school?
⑤ How much money did Julie's father give Mr. Leigh?

(18~21) 다음 글을 읽고, 물음에 답하시오.

The next day, ⓐ Julie는 Mike에게 나쁜 소식을 말해 주었다. Mike asked, "How can we make 40 dollars?" Julie replied, "How about doing a car wash?" Mike agreed. "Okay! I'll make the posters."

The day of the car wash came. _____ⓑ_____, no one showed up. But luckily, people came one by one. Julie and Mike ⓒ 땀을 흘리며 일했다. They washed every little corner of each car. _____ⓓ_____, they washed 21 cars and earned 42 dollars!

18 윗글의 밑줄 친 우리말 ⓐ를 영어로 바르게 옮긴 것을 <u>모두</u> 고르면?

① Julie tells Mike the bad news
② Julie tells the bad news to Mike
③ Julie told Mike the bad news
④ Julie told the bad news to Mike
⑤ Julie told the bad news for Mike

19 윗글의 빈칸 ⓑ와 ⓓ에 들어갈 말이 바르게 짝지어진 것은?

① At last – Finally
② At last – At first
③ First – However
④ In the end – At last
⑤ At first – In the end

20 윗글의 밑줄 친 우리말 ⓒ에 해당하는 영어 표현을 네 단어로 쓰시오.

_____

21 윗글의 내용과 일치하지 <u>않는</u> 것은?

① Mike는 포스터를 만들었다.
② 차 한 대당 세차 비는 2달러였다.
③ Julie와 Mike는 21대의 차를 닦았다.
④ 세차 날 사람들은 한꺼번에 몰려 왔다.
⑤ Julie는 Mike에게 세차를 하자고 제안했다.

[22~25] 다음 글을 읽고, 물음에 답하시오.

Julie and Mike gave 40 dollars ① <u>for</u> Julie's father. He asked, "What did you learn from all this?" Julie said, "We have to ② <u>taking</u> responsibility for our actions." Mike said, ⓐ <u>"Money doesn't grow on trees."</u> Julie's father smiled and gave them the money back. "I'm very proud of you two. You learned an important lesson, so here's your reward," he said.

At first, Julie and Mike wanted ③ <u>spending</u> the money on snacks. But they decided ④ <u>putting</u> it in the bank. Why? It's because this won't ⑤ <u>being</u> their last broken window!

22 윗글의 밑줄 친 ①~⑤를 어법상 <u>잘못</u> 고친 것은?

① for → to
② taking → take
③ spending → to spend
④ putting → to put
⑤ being → to be

23 윗글의 밑줄 친 ⓐ의 의미로 알맞은 것은?

① 돈은 쉽게 벌 수 있다.
② 돈은 나무에서 자란다.
③ 돈과 나무는 관련이 없다.
④ 돈은 저절로 생기지 않는다.
⑤ 나무가 자라는 데 돈이 들지 않는다.

24 윗글의 내용과 일치하도록 할 때 빈칸에 들어갈 말로 알맞은 것은?

> Julie's father felt very _____ of Julie and Mike.

① scared   ② bored
③ tired   ④ worried
⑤ proud

25 윗글의 내용으로 알 수 <u>없는</u> 것은?

① Julie가 배운 교훈
② Mike가 배운 교훈
③ Julie와 Mike가 깨뜨린 창문의 개수
④ Julie와 Mike가 돌려받은 돈의 사용처
⑤ Julie와 Mike가 Julie의 아버지께 드린 돈의 액수

서술형 평가 완전정복

정답 p. 33

1 다음 〈보기〉의 단어를 모두 활용하여 주어진 우리말을 영어로 쓰시오.

보기						
to	make	for	show	to	give	

(1) 그는 민수에게 이 그림을 보여 주었다.

  ➡ _____

(2) Kate는 나에게 필통을 만들어 주었다.

  ➡ _____

(3) 그녀는 그녀의 여동생에게 인형을 줄 것이다.

  ➡ _____

> **Tip**
> 수여동사와 전치사를 사용하여 3형식 문장으로 영작한다.

2 다음 대화를 읽고, 주어진 질문에 완전한 문장으로 답하시오.

> A: Jenny, look at these sneakers. Aren't they pretty?
> B: Well… I don't like the color.
> A: Okay. How about these white ones?
> B: Oh, they look lovely! How much are they?
> A: They're $50.
> B: Hmm…. That's too expensive.
> A: You're right. Oh, look! They're 50% off. I didn't see the sign.
> B: That's perfect! I'll take them.

(1) What color sneakers does Jenny want to buy?

  ➡ _____

(2) How much are the sneakers?

  ➡ _____

> **Tip**
> Jenny가 사고 싶어 하는 운동화의 색과 가격을 대화에서 찾아 쓴다.

3 다음 그림을 보고, Eric이 방과 후에 해야 할 일을 예시와 같이 쓰시오.

e.g. Eric has to do his science homework.

(1) _____

(2) _____

> **Tip**
> Eric이 방과 후에 해야 할 일을 조동사 has to를 사용하여 쓴다.

물건을 사고파는 대화 완성하기

1 다음 두 사람의 역할을 확인하고, 대화를 완성해 봅시다.

> **A** You are a seller at a bookstore. You recommend a book about animals. The book is on sale.

> **B** You are a shopper. You are looking for a book about animals.

A: Good morning. (1)_____
B: Yes, please. (2)_____
A: How about this book?
B: That's good. (3)_____
A: (4)_____ It's only 4 dollars.
B: Great! I'll take it.

두 사람의 역할에 따라 물건을 사고파는 대화를 완성한다.

평가 영역	점수
언어 사용: 적절한 어휘를 사용하고, 문법과 어순이 정확하다.	0 1 2 3
내용 이해: 학습한 내용을 정확히 이해하고 활용했다.	0 1 2 3
유창성: 말에 막힘이 없고 자연스럽다.	0 1 2 3
과제 완성도: 물건을 사고파는 대화를 완성했다.	0 1 2 3

물건의 가격 묻고 답하기

2 다음 그림을 보고, 물건의 가격을 묻고 답하는 대화를 해 봅시다.

┌─〈조건〉─────────────────────────────┐
│ 1. (1)의 대화에는 구매를 결정하는 표현으로 말할 것 │
│ 2. (2)의 대화에는 너무 비싸다는 표현으로 말할 것 │
└──────────────────────────────────┘

$ 20

(1)

$ 15

(2)

$ 30

e.g. A: How much is this basketball?
　　 B: It's 20 dollars.
　　 A: Great! I'll take it.

(1) A: _____
　　 B: _____
　　 A: _____

(2) A: _____
　　 B: _____
　　 A: _____

그림을 보고 물건의 가격을 묻고 답하는 문제이다. 예시를 참고하여 대화를 완성한다.

평가 영역	점수
언어 사용: 적절한 어휘를 사용하고, 문법과 어순이 정확하다.	0 1 2 3
내용 이해: 학습한 내용을 정확히 이해하고 활용했다.	0 1 2 3
유창성: 말에 막힘이 없고 자연스럽다.	0 1 2 3
과제 완성도: 물건의 가격을 묻고 답하는 대화를 모두 완성했다.	0 1 2 3

수행 평가 완전정복   쓰기

정답 p. 34

수여동사를 사용하여 일기 완성하기

1   **Tom의 생일에 가족들이 해 준 일을 보고, Tom의 일기를 완성해 봅시다.**

조건

1. 4형식 문장으로 쓸 것
2. 가족들이 해 준 일을 모두 쓸 것
3. 주어와 동사를 갖춘 완전한 문장으로 쓸 것

Who	What
his dad	buy a watch
his mom	make delicious food
his grandfather	give some books
his brother	write a birthday card

   Today was my birthday. I had a great time with my family. My dad bought me a watch. _____

_____

_____

I was really happy.

주말에 할 일 쓰기

2   **다음 표를 보고, 친구들이 이번 주말에 해야 할 일과 하지 않아도 될 일을 써 봅시다.**

조건

1. 조동사 have to를 활용할 것
2. 표에 주어진 정보를 모두 포함할 것
3. 주어와 동사를 갖춘 완전한 문장으로 쓸 것

이름	해야 할 일	하지 않아도 될 일
(1) Jane	가족과 함께 하이킹 가기	학교 가기
(2) 민주	여동생 돌보기	수학 공부하기
(3) Andy와 Mike	영어 숙제하기	학교 프로젝트 끝내기

(1) _____

_____

(2) _____

_____

(3) _____

_____

수여동사를 사용하여 Tom의 가족들이 해 준 일을 4형식 문장으로 쓴다.

평가 영역	점수
언어 사용: 문장의 단어, 문법, 어순이 정확하다.	0 1 2 3
내용 이해: 학습한 내용을 정확히 이해하고 활용했다.	0 1 2 3
과제 완성도: 제시한 조건을 모두 충족하여 작성하였다.	0 1 2 3

의무를 나타내는 조동사 have to와 부정형 don't have to를 활용하여 각 친구들이 주말에 할 일과 하지 않아도 될 일을 쓴다.

평가 영역	점수
언어 사용: 문장의 단어, 문법, 어순이 정확하다.	0 1 2 3
내용 이해: 학습한 내용을 정확히 이해하고 활용했다.	0 1 2 3
과제 완성도: 제시한 조건을 모두 충족하여 작성하였다.	0 1 2 3

The Way to Korea

Function
- 의견 말하기
  A: What do you think about the painting?
  B: I think it's colorful.
- 추가 정보 요청하기
  A: Can you tell me more about it?
  B: Children in Mexico play with it on their birthdays.

Grammar
- 동명사
  I enjoyed **eating** miyeokguk.
- 비교급 수식
  Samgyetang is **much tastier than** chicken soup.

New Words&Phrases   알고 있는 단어나 숙어에 ✔표 해 보세요.

- ☐ afraid 형 두려워하는, 겁내는
- ☐ bone 명 뼈
- ☐ boring 형 재미없는, 지루한
- ☐ candle 명 양초
- ☐ careful 형 조심하는
- ☐ carry 동 나르다
- ☐ climber 명 등산가, 산악인
- ☐ colorful 형 형형색색의
- ☐ culture 명 문화
- ☐ during 전 ~ 동안
- ☐ expect 동 기대하다, 예상하다

- ☐ ginseng 명 인삼
- ☐ mean 동 의미하다, 뜻하다
- ☐ piece 명 한 부분, 조각
- ☐ popular 형 인기 있는, 대중적인
- ☐ really 부 정말로
- ☐ recommend 동 추천하다
- ☐ review 명 리뷰, 논평
- ☐ rich 형 진한, 풍부한; 부유한
- ☐ seaweed 명 해초
- ☐ slippery 형 미끄러운, 미끈거리는
- ☐ someday 부 언젠가

- ☐ taste 명 맛 동 ~한 맛이 나다, 맛보다
- ☐ tradition 명 전통
- ☐ way 명 방법
- ☐ whole 형 전체의, 모든, 통째로 된
- ☐ a bowl of ~ 한 그릇
- ☐ above all 무엇보다도
- ☐ at first 처음에(는)
- ☐ be born 태어나다
- ☐ drop open (입이) 딱 벌어지다
- ☐ give thanks 감사드리다
- ☐ these days 요즘에는

Words Test

1 다음 영어의 우리말 뜻을 쓰시오.

(1) bone _____ (2) popular _____

(3) candle _____ (4) rich _____

(5) climber _____ (6) tradition _____

(7) slippery _____ (8) colorful _____

(9) ginseng _____ (10) above all _____

2 다음 우리말을 영어로 쓰시오.

(1) 방법 _____ (2) 전체의, 통째로 된 _____

(3) ~ 동안 _____ (4) 정말로 _____

(5) 의미하다, 뜻하다 _____ (6) 나르다 _____

(7) 언젠가 _____ (8) 한 부분, 조각 _____

(9) 맛; 맛보다 _____ (10) 해초 _____

3 다음 영어 뜻풀이에 해당하는 단어를 쓰시오.

(1) _____ : not interesting

(2) _____ : to say that someone or something is good

(3) _____ : a writing of someone's opinion about a book, play, etc.

(4) _____ : to think that something will happen or come

(5) _____ : a herb that is used as medicine

4 다음 빈칸에 알맞은 어구를 〈보기〉에서 골라 쓰시오.

보기			
be born	give thanks	these days	a bowl of

(1) _____ to your parents.

(2) I'm interested in cooking _____.

(3) Her child will _____ next month.

(4) Koreans eat _____ rice cake soup on seollal.

5 다음 우리말과 같도록 빈칸에 알맞은 단어를 쓰시오.

(1) 미끄러운 바닥을 조심해라. ➡ Be _____ of the slippery floor.

(2) 그는 한국 문화에 대해 배우고 싶어 한다. ➡ He wants to learn about Korean _____.

(3) 케이크 한 조각을 먹고 싶니? ➡ Do you want to eat a _____ of cake?

(4) 그는 벌레를 두려워한다. ➡ He is _____ of bugs.

(5) 정원에 형형색색의 꽃들이 있다. ➡ There are _____ flowers in the garden.

A 의견 말하기

A: What do you think about the painting?

B: I think it's colorful.

(1) 의견 묻기

'너는 ~에 대해 어떻게 생각하니?'라는 뜻으로 상대방의 의견을 물을 때 What do you think about(of) ~?의 표현을 사용한다.

- What do you think of the book? 너는 그 책에 대해 어떻게 생각하니?
- What is your opinion on the movie? 그 영화에 대한 네 의견은 무엇이니?
- How do you feel about the picture? 너는 그 그림을 어떻게 생각하니?
- How do you like the food? 그 음식은 어떠니?

(2) 의견 말하기

자신의 의견을 말할 때는 '나는 ~라고 생각해.'라는 뜻의 I think ~.로 표현한다.

- I think it is exciting. 나는 그것이 흥미롭다고 생각해.
- I don't think it is interesting. 나는 그것이 재미있다고 생각하지 않아.
- In my opinion, it is great. 내 의견으로는, 그것은 훌륭해.
- For me, it is delicious. 나에게는 그것이 맛있어.

해석

A: 너는 그 그림에 대해 어떻게 생각하니?

B: 색이 다채롭다고 생각해.

✚ Plus

- 과거의 일에 대한 상대방의 의견을 물을 때 What did you think about(of) ~?으로 묻고, 이에 대한 대답은 I thought ~.로 한다.

A: What did you think about the movie?

(너는 그 영화에 대해 어떻게 생각했니?)

B: I thought it was fun.

(나는 그것이 재미있다고 생각했어.)

 B 추가 정보 요청하기

A: Can you tell me more about it?

B: Children in Mexico play with it on their birthdays.

(1) 추가 정보 요청하기

'그것에 관해 좀 더 말해 줄래?'라는 뜻으로 상대방에게 추가적인 정보를 요청할 때 Can you tell me more about it?으로 말한다.

- Can you tell me more about the movie? 그 영화에 관해 좀 더 말해 줄래?
- I'd like to know more about it. 나는 그것에 관해 좀 더 알고 싶어.
- Please tell me more about it. 그것에 관해 좀 더 말해 주세요.
- Can you give me more information about it?

그것에 관해 좀 더 자세히 말해 줄래?

(2) 요청에 답하기

상대방의 요청에 승낙할 때는 Sure. / Of course. / OK. 등으로 말한 후 구체적인 내용을 덧붙인다.

A: Can you tell me more about the book? 그 책에 관해 좀 더 말해 줄래?

B: Sure. It's an interesting story about the space.

물론이야. 그것은 우주에 관한 재미있는 이야기야.

해석

A: 그것에 관해 좀 더 말해 줄래?

B: 멕시코의 아이들은 생일에 그것을 가지고 놀아.

✚ Plus

- Can you ~? 대신에 Could you ~?를 사용하면 좀 더 공손하게 요청하는 표현이 된다.

Could you tell me more about it?

(그것에 관해 좀 더 말씀해 주시겠습니까?)

오른쪽 우리말 해석에 맞게 빈칸에 알맞은 말을 써 봅시다.

• Listen and Speak 1 Ⓑ

교과서 p. 130

G: Hi. I'm Sophia ¹._____ Brazil. I'm a ²._____ _____

_____ K-pop. ³._____ _____ it's really great. I can sing

many Korean songs. I also learn ⁴._____ from them. I really hope

⁵._____ _____ K-pop stars ⁶._____ _____. See you

in Korea.

• Listen and Speak 2 Ⓑ

교과서 p. 131

B: Hey, Alice. I'm ⁷._____ a Korean class ⁸._____ _____.

G: That's wonderful, Brian. ⁹._____ _____ _____?

B: It's great. Time ¹⁰._____ in class.

G: Really? ¹¹._____ _____ _____ _____ more about the

class?

B: Sure. We watch ¹²._____ Korean dramas and shows every class.

G: ¹³._____ _____ a fun class!

해석

• Listen and Speak 1 Ⓑ

소녀: 안녕. 나는 브라질 출신의 Sophia야. 나는 K-pop의 열성 팬이야. 나는 K-pop이 정말 대단하다고 생각해. 나는 한국 노래를 많이 부를 수 있어. 나는 또한 그 노래들로 한국어를 배워. 나는 정말 K-pop 스타를 직접 만나 볼 수 있기를 바라. 한국에서 보자.

• Listen and Speak 2 Ⓑ

소년: 이봐, Alice. 나는 요즘 한국어 수업을 듣고 있어.

소녀: 멋지네, Brian. 수업은 어떠니?

소년: 좋아. 수업 중에 시간이 빨리 지나가.

소녀: 정말? 그 수업에 대해 좀 더 말해 주겠니?

소년: 물론이지. 우리는 매 수업마다 인기 있는 한국 드라마와 쇼를 봐.

소녀: 재미있는 수업 같구나!

CHECK 위 대화의 내용과 일치하면 T, 일치하지 않으면 F에 체크하시오.

Listen and Speak 1 Ⓑ

1. Sophia is a big fan of K-pop.   (T / F)

2. Sophia learns Korean from many Korean songs.   (T / F)

Listen and Speak 2 Ⓑ

3. Alice and Brian are taking a Korean class these days.   (T / F)

4. Alice wants to know more about the Korean class.   (T / F)

5. Brian watches Korean movies in his Korean class.   (T / F)

빈칸 채우기 정답

1. from 2. big fan of
3. I think 4. Korean
5. to meet 6. in person
7. taking 8. these days
9. How is it 10. flies
11. Can you tell me
12. popular 13. Sounds like

CHECK 정답

1. T 2. T 3. F 4. T 5. F

● Real Life Talk > Watch a Video

교과서 p. 132

Alex: 1._____ _____ _____ _____ during the holidays, Bora?

Bora: I 2._____ to a Korean culture festival in Haenam. I 3._____ Ganggangsullae there.

Alex: What's Ganggangsullae?

Bora: It's a 4._____ _____ Korean 5._____ dance.

Alex: Can you 6._____ _____ _____ about it?

Bora: Women sing and dance together in a 7._____ _____. I think it's very 8._____.

Alex: 9._____ interesting. 10._____ _____ _____ _____ it someday.

● Real Life Talk > Watch a Video

Alex: 보라야, 연휴 동안 무엇을 했니?
보라: 나는 해남에서 열린 한국 문화 축제에 갔어. 나는 그곳에서 강강술래를 봤어.
Alex: 강강술래가 뭐니?
보라: 한국 전통 무용의 한 종류야.
Alex: 그것에 대해 좀 더 말해 주겠니?
보라: 여성들이 함께 큰 원을 그린 채 노래를 부르고 춤을 춰. 나는 강강술래가 매우 아름답다고 생각해.
Alex: 재미있겠다. 나도 언젠가 보고 싶어.

CHECK 위 대화의 내용과 일치하면 T, 일치하지 <u>않으면</u> F에 체크하시오.

1. Bora went to a Korean culture festival in Haenam. (T / F)
2. Bora doesn't know about Ganggangsullae. (T / F)
3. Ganggangsullae is a kind of Korean traditional dance. (T / F)
4. Alex thinks Ganggangsullae is very beautiful. (T / F)
5. Alex wants to see Ganggangsullae someday. (T / F)

빈칸 채우기 정답

1. What did you do 2. went
3. saw 4. kind of
5. traditional 6. tell me more
7. big circle 8. beautiful
9. Sounds 10. I'd like to see

CHECK 정답

1. T 2. F 3. T 4. F 5. T

Listening&Speaking Test

01 다음 대화의 밑줄 친 부분의 의도로 알맞은 것은?

> A: <u>What do you think about this movie?</u>
> B: I think it's interesting.

① 제안하기   ② 의견 묻기   ③ 요청하기
④ 충고하기   ⑤ 관심 묻기

(Tip)
What do you think about ~?은 '너는 ~에 대해 어떻게 생각하니?'라는 뜻이다.

(02~03) 다음 대화의 빈칸에 들어갈 말로 알맞은 것을 고르시오.

02

> A: Can you tell me more about Jige?
> B: _____ It's a Korean traditional backpack.

① I think so.   ② I don't know.   ③ I don't think so.
④ You're right.   ⑤ Of course.

(Tip)
추가 정보를 요청하는 말에 승낙하는 표현이 들어가야 한다.

03

> A: I joined the World Food Club.
> B: World Food Club? _____
> A: Sure. We make food from different countries each week.

① What is World Food Club?
② Do you want to know about it?
③ Can you tell me more about it?
④ Which food do you make there?
⑤ What do you think about the club?

• different 다른
• each week 매주

04 다음 대화의 밑줄 친 부분과 바꿔 쓸 수 있는 것은?

> A: <u>What do you think about the book?</u>
> B: I think it's exciting.

① Why do you like the book?   ② Which book do you like?
③ Why did you read the book?   ④ What's your favorite book?
⑤ How do you feel about the book?

(Tip)
자신의 의견을 말할 때 사용하는 표현인 I think ~.가 대답으로 이어지고 있다.

05 자연스러운 대화가 되도록 (A)~(D)를 바르게 배열하시오.

> (A) Can you tell me more about it?
> (B) It's a kind of sport.
> (C) What's floorball?
> (D) It's like ice hockey on the floor in the gym.

(Tip)
각 질문에 대한 적절한 대답을 찾은 뒤 흐름에 맞게 배열한다.
• floor 바닥
• gym 체육관

06 다음 중 짝지어진 대화가 <u>어색한</u> 것은?

① A: What is hopscotch?
  B: It's a kind of game.
② A: What are you reading?
  B: I'm reading *Harry Potter*.
③ A: Do you want to see the movie *Mt. Everest* with me?
  B: Okay. Can you tell me more about it?
④ A: What do you think about the picture?
  B: Yes, it's very colorful.
⑤ A: I think *Charlie and the Chocolate Factory* is interesting.
  B: Really? I think it's boring.

Tip
의문사로 묻는 말에는 Yes나 No로 답할 수 없다.
· colorful 형형색색의
· boring 지루한

07 다음 질문에 대한 대답으로 알맞지 <u>않은</u> 것은?

> What do you think of the musical?

① For me, it's not that fun.
② I think it's very funny.
③ I don't think it's great.
④ In my opinion, it's interesting.
⑤ I agree with your opinion.

Tip
What do you think of ~?에 대한 답으로 I (don't) think ~. / In my opinion, ~. / For me, ~. 등의 표현을 사용한다.

(08~10) 다음 대화를 읽고, 물음에 답하시오.

A: Hey, Alice. I'm taking a Korean class these days.
B: That's wonderful, Brian. ① How is it?
A: ② It's boring. Time flies in class.
B: Really? ③ Can you tell me more about the class?
A: Sure. ④ We watch popular Korean dramas and shows every class.
B: ⑤ Sounds like a fun class!

· take a class 수업을 받다
· wonderful 훌륭한
· time flies 시간이 빨리 간다
· popular 인기 있는

08 위 대화의 밑줄 친 ①~⑤ 중 흐름상 어색한 것은?
① ② ③ ④ ⑤

Tip
Brian이 수업에 대해 어떻게 느끼는지 파악한다.

09 위 대화를 읽고 알 수 <u>없는</u> 것은?
① Brian이 듣는 수업
② Alice가 알고 싶어 하는 것
③ Brian이 수업 시간에 보는 것
④ Brian의 수업에 대한 Alice의 생각
⑤ Alice가 듣고 싶어 하는 수업

Tip
두 사람은 Brian의 한국어 수업에 관해 이야기하고 있다.

Level UP
10 위 대화의 내용과 일치하도록 주어진 질문에 완전한 문장으로 답하시오.

> What does Brian do in his Korean class?
> ➡ He _____.

1 다음 괄호 안의 단어들을 바르게 배열하여 대화를 완성하시오.

> A: What's a piñata?
> B: It's a kind of paper doll.
> A: _____?
>   (you, can, more, it, about, tell, me)
> B: Children in Mexico play with it on their birthdays.

2 다음 그림을 보고, 예시를 참고하여 대상에 관한 자신의 의견을 쓰시오.

e.g. I think *The Little Prince* is interesting.

➡ _____
_____

3 다음 글의 내용과 일치하도록 주어진 대화를 완성하시오.

> Hi. I'm Sophia from Brazil. I'm a big fan of K-pop. I think it's really great. I can sing many Korean songs.

⬇

> A: Hi, Sophia. Where are you from?
> B: (1) _____
> A: Do you like K-pop?
> B: Yes, I'm a big fan of K-pop.
> A: (2) _____?
> B: I think it's really great. I can sing many Korean songs.

4 다음 대화를 읽고, 주어진 질문에 완전한 문장으로 답하시오.

> A: What did you do during the holidays, Bora?
> B: I went to a Korean culture festival in Haenam. I saw Ganggangsullae there.
> A: What's Ganggangsullae?
> B: It's a kind of Korean traditional dance.
> A: Can you tell me more about it?
> B: Women sing and dance together in a big circle. I think it's very beautiful.
> A: Sounds interesting. I'd like to see it someday.

(1) What did Bora do at a Korean culture festival in Haenam?
➡ _____

(2) What is Bora's opinion on Ganggangsullae?
➡ _____

5 다음 표의 내용과 일치하도록 대화를 완성하시오.

	Opinions about the book
Kate	interesting
Jimmy	boring

> Jimmy: What are you reading, Kate?
> Kate: I'm reading *Charlotte's Web*.
> Jimmy: What do you think about it?
> Kate: (1) _____
> Jimmy: Really? (2) _____

A 동명사

I enjoyed eating miyeokguk.
John finished taking a shower.
The movie was so funny. People couldn't stop laughing.

해석

나는 미역국 먹는 것을 즐겼다.
John은 샤워하는 것을 마쳤다.
그 영화는 매우 웃겼다. 사람들은 웃는 것을 멈출 수가 없었다.

- 동명사는 「동사원형+-ing」의 형태로 '~하기, ~하는 것'이라는 뜻을 나타낸다. 동사의 성질을 가지면서 명사의 역할을 한다.

- 동명사는 문장에서 주어, 목적어, 보어의 역할을 하며 목적어로 사용될 때 '~하는 것을, ~하기를'로 해석한다.

주어	**Playing** soccer is fun. 축구를 하는 것은 재미있다.
보어	My dream is **meeting** a famous movie star. 나의 꿈은 유명한 영화배우를 만나는 것이다.
목적어	She *enjoys* **eating** sweets. 그녀는 사탕 먹는 것을 즐긴다. He *gave up* **writing** a letter in English. 그는 영어로 편지 쓰는 것을 포기했다.

- 동명사를 목적어로 취하는 동사에는 enjoy, finish, give up, stop, mind, practice, keep 등이 있다.

Plus

- to부정사를 목적어로 취하는 동사로는 want, expect, decide, hope, plan, agree 등이 있다.
  I want to play the guitar.
  (나는 기타를 연주하고 싶다.)

- 동명사와 to부정사 둘 다 목적어로 취하는 동사로는 love, like, begin, start 등이 있다.
  She started crying(to cry).
  (그녀는 울기 시작했다.)

- 동명사는 전치사의 목적어로도 쓰인다.
  He is good at cooking.
  (그는 요리를 잘한다.)

B 비교급 수식

The soup is hotter than the sun.
Health is more important than money.
Samgyetang is much tastier than chicken soup.

해석

그 수프는 태양보다 더 뜨겁다.
건강은 돈보다 더 중요하다.
삼계탕은 닭고기 수프보다 훨씬 더 맛있다.

- 두 가지 대상을 비교할 때 형용사나 부사의 비교급을 써서 '~보다 더 …한(하게)'이라는 뜻을 나타낸다. 비교급 문장은 「비교급+than」의 형태로 쓰며, than 뒤에는 비교하는 대상이 온다.

- 비교급을 강조할 때는 비교급 앞에 much, far, even, still, a lot 등의 부사를 써서 '훨씬'이라는 뜻을 나타낸다.
  The sun is **much bigger than** the earth. 태양은 지구보다 훨씬 더 크다.

- 비교급 만드는 방법

형태	규칙	예시
일반적인 형용사(부사)	형용사(부사)+-er	tall – taller, long – longer
-e로 끝나는 형용사(부사)	형용사(부사)+-r	large – larger
「자음+y」로 끝나는 형용사(부사)	y를 i로 바꾸고+-er	easy – easier, happy – happier
「단모음+단자음」으로 끝나는 형용사(부사)	마지막 자음을 한 번 더 쓰고+-er	big – bigger, hot – hotter
3음절 이상의 형용사(부사)	more+형용사(부사)	popular – more popular

Plus

- -ous, -ful, -ive, -ing로 끝나는 2음절 형용사는 앞에 more를 써서 비교급을 만든다.
  famous(유명한) – more famous (더 유명한)
  useful(유용한) – more useful(더 유용한)

- 비교급의 불규칙 변화
  good(좋은) – better(더 좋은)
  bad(나쁜) – worse(더 나쁜)
  little(적은) – less(더 적은)
  many/much(많은) – more(더 많은)

Grammar Test

01 다음 주어진 단어의 비교급을 쓰시오.

(1) old ⇒ _____
(2) happy ⇒ _____
(3) hot ⇒ _____
(4) expensive ⇒ _____
(5) good ⇒ _____
(6) small ⇒ _____

Tip
비교급의 규칙에 맞게 비교급의 형태를 쓰고, 불규칙 변화하는 단어에 유의한다.

02 다음 괄호 안에서 어법상 알맞은 것을 고르시오.

(1) I will finish (to read / reading) this book.
(2) My mother gave up (to go / going) on a trip.
(3) They enjoy (to watch / watching) musicals.
(4) We don't want (to play / playing) soccer after school.

Tip
동명사와 to부정사를 각각 목적어로 취하는 동사를 확인한다.

· give up 포기하다
· go on a trip 여행을 가다

03 다음 괄호 안에서 비교급의 형태로 올바른 것을 고르시오.

(1) I'm (younger / more young) than my sister.
(2) This question is (easyer / easier) than that question.
(3) My car is (biger / bigger) than yours.
(4) This book is (interestinger / more interesting) than that one.

Tip
대부분의 형용사의 비교급은 -er을 붙여 만들고, 3음절 이상의 형용사는 앞에 more를 붙여 만든다.

· question 질문, 문제

04 다음 문장에서 어법상 <u>틀린</u> 부분을 찾아 바르게 고쳐 쓰시오.

(1) Elephants are more heavy than rabbits. _____ ⇒ _____
(2) He enjoys to have dinner with his family.

_____ ⇒ _____

(3) Planes are very faster than trains. _____ ⇒ _____

· have dinner 저녁 식사를 하다

05 다음 우리말과 같도록 빈칸에 알맞은 말을 쓰시오.

(1) Tom은 밤에 먹는 것을 그만두어야 한다.
⇒ Tom has to stop _____ at night.
(2) Ted는 Mike보다 키가 더 크다.
⇒ Ted is _____ _____ Mike.
(3) 오늘은 어제보다 더 춥다.
⇒ Today is _____ _____ yesterday.

Tip
· stop+-ing: ~하는 것을 그만두다
· 비교급+than: ~보다 더 …한

06 다음 중 형용사의 비교급이 알맞지 <u>않은</u> 것은?

① many – more   ② high – higher   ③ bad – worse

④ thin – thiner   ⑤ famous – more famous

• thin 마른
• famous 유명한

[07~08] 다음 빈칸에 들어갈 말로 알맞은 것을 고르시오.

07

John finished _____ a walk with his friends.

① take   ② to take   ③ taking

④ took   ⑤ takes

Tip
동사 finish의 목적어로 쓸 수 있는 형태를 확인한다.

• take a walk 산책하다

08

Minsu is more _____ than Homin.

① tall   ② smart   ③ kind

④ popular   ⑤ busy

Tip
3음절 이상의 형용사의 비교급은 앞에 more를 붙여 만든다.

• popular 인기 있는

09 다음 빈칸에 들어갈 read의 형태가 나머지와 <u>다른</u> 것은?

① Mary gave up _____ this novel.

② Did you practice _____ poems?

③ I hope _____ books in my free time.

④ He enjoys _____ English newspapers.

⑤ I was very tired, so I stopped _____ the book.

Tip
각 문장의 동사가 어떤 형태의 목적어를 취하는지 파악한다.

10 다음 우리말을 영어로 바르게 옮긴 것은?

이 인형은 내 것보다 더 예쁘다.

① This doll is pretty than mine.

② This doll is prettier than mine.

③ This doll is prettyer than mine.

④ This doll is more pretty than mine.

⑤ This doll is more prettier than mine.

Tip
'~보다 더 …한'이라는 뜻의 비교급 문장이다. than 뒤에 비교 대상을 넣어 「형용사의 비교급+than」의 형태로 쓴다.

11 다음 빈칸에 들어갈 말로 알맞지 <u>않은</u> 것은?

> I think English is _____ easier than math.

① many   ② a lot   ③ even   ④ much   ⑤ far

Tip
'훨씬'이라는 뜻으로 비교급을 강조하는 부사가 들어가야 한다.

12 다음 그림을 묘사하는 문장으로 가장 알맞은 것은?

① The red ball is bigger than the blue ball.
② The red ball is heavier than the blue ball.
③ The red ball is smaller than the blue ball.
④ The blue ball isn't bigger than the red ball.
⑤ The blue ball is smaller than the red ball.

Tip
빨간 공과 파란 공의 크기를 바르게 비교한 문장을 찾는다.

Level UP
13 다음 중 어법상 옳지 <u>않은</u> 것은?

① They love singing songs.
② He stopped listening to music.
③ Would you mind to open the window?
④ Mina likes to take pictures in the park.
⑤ She started playing the piano last year.

Tip
love, like, start는 동명사와 to부정사를 모두 목적어로 취하는 동사이다.

· mind 꺼리다

[14~15] 다음 글을 읽고, 물음에 답하시오.

> Koreans enjoy _____ⓐ_____ kimchijeon on a rainy day. It looks like pizza, but ⓑ <u>그것은 피자보다 훨씬 더 맛있다.</u> Kimchijeon is hot because it has kimch in it. But you'll love it.

· look like ~처럼 보이다

14 윗글의 빈칸 ⓐ에 들어갈 말의 형태로 알맞은 것은?

① eat   ② to eat   ③ ate
④ to eating   ⑤ eating

Level UP
15 윗글의 밑줄 친 우리말 ⓑ를 괄호 안의 단어들을 활용하여 영어로 쓰시오.

➡ _____ (much, tasty)

Tip
형용사 tasty의 비교급과 비교급을 강조하는 부사를 활용하여 영작한다.

1 다음 우리말을 괄호 안의 단어들을 활용하여 영어로 쓰시오.

(1) Tony는 숙제하는 것을 마쳤다.

➡ _____

(finish, do his homework)

(2) 그는 낚시하러 가는 것을 즐긴다.

➡ _____

(enjoy, go fishing)

(3) 나는 가족과 함께 시간을 보내는 것을 좋아한다.

➡ _____

(like, spend time)

2 다음 우리말과 같도록 빈칸에 알맞은 말을 쓰시오.

> 건강에 좋은 음식을 먹고 싶은가요? 그러면 비빔밥을 먹어 보세요. 볶음밥처럼 보이지만, 그것은 볶음밥보다 훨씬 더 건강에 좋아요. 그것은 맛있어요. 당신은 먹는 것을 멈출 수 없을 거예요.

⬇

> Do you want (1)_____ healthy food? Then try bibimbap. It looks like fried rice, but it is (2)_____ than fried rice. It's delicious. You can't stop (3)_____ it.

3 다음 표를 보고, 예시와 같이 두 사람을 비교하는 문장을 쓰시오.

Name	Height	Weight
Sumin	160 cm	50 kg
Minsu	170 cm	60 kg

e.g. Minsu is taller than Sumin.

(1) _____

(2) _____

4 다음 그림을 보고, 괄호 안의 단어를 활용하여 비교급 문장을 완성하시오.

(1)

The yellow hat _____.

(expensive)

(2)

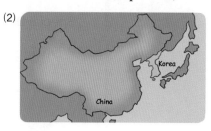

China _____.

(much, big)

5 다음 표를 보고, 〈보기〉에서 알맞은 단어를 골라 두 지역의 기온을 비교하는 문장을 완성하시오.

지역	여름 평균 기온(°C)	겨울 평균 기온(°C)
서울	24	-2
제주	27.3	7

보기

> hot　　high　　cold
> heavy　　big

(1) Jeju is _____

in summer.

(2) Seoul is _____

in winter.

Words&Phrases

- taste [teɪst] 맛; 맛보다
- mean [miːn] 의미하다
- during [dʊ́rɪŋ] ~ 동안
- review [rɪvjúː] 리뷰, 논평
- seaweed [síːwìːd] 해초
- rich [rɪtʃ] 진한, 풍부한
- slippery [slípəri] 미끄러운

Taste of Korea

Special Food for Special Days

Special Day: Seollal (New Year's Day)

How do Koreans become a year older? They have a special way. They eat tteokguk, a rice cake soup, on seollal.

1._____ tteokguk means 2._____ one year older.
(음식을) 먹는 것   (나이를) 먹는 것

Special Day: Chuseok

During chuseok, Koreans make and eat songpyeon. They

3._____ for the year with songpyeon.
감사를 드리다

4._____ pretty songpyeon means having a pretty child
만드는 것

someday.

Food Review / Review by Ted

This dish is miyeokguk. It's 5._____ _____
일종의

seaweed soup. I was 6._____ at first. But when I 7._____
두려워하는   먹어 보았다

the soup, it had a 8._____. The seaweed ran
진한 맛

around in my mouth. It was 9._____ than oil!
더 미끌미끌한

It was a new taste for me, but I 10._____ it.
먹는 것을 즐겼다

CHECK 윗글의 내용과 일치하면 T, 일치하지 <u>않으면</u> F에 체크하시오.

1. Koreans eat a rice cake soup on seollal.   (T / F)
2. Koreans make and eat songpyeon on New Year's Day.   (T / F)
3. Miyeokguk is a kind of seaweed soup.   (T / F)
4. Ted was afraid of eating miyeokguk at first.   (T / F)
5. Ted didn't enjoy eating miyeokguk because of its rich taste.   (T / F)

빈칸 채우기 정답

1. Eating 2. getting
3. give thanks 4. Making
5. a kind of 6. afraid 7. tried
8. rich taste 9. more slippery
10. enjoyed eating

CHECK 정답

1. T 2. F 3. T 4. T 5. F

1. _____, it went great with 2._____
무엇보다도   ~ 한 그릇
_____ _____ rice. Koreans eat miyeokguk on their

birthdays. This tradition 3._____ mothers.
~에서 비롯되다

After a child 4._____, the mother eats
태어나다

miyeokguk for her health. But how do Koreans put candles in it?

Review by Kelly

This chicken dish is samgyetang. But 5._____
기대하지 마라

_____ three chickens. "Sam" here means 6._____,
인삼

not the number three. When I saw the dish, my mouth

7._____. 8._____ a whole
(입이) 딱 벌어졌다   ~가 있었다

chicken in front of me! The chicken soup in my country has

little pieces of chicken in it. 9._____ _____ _____
~을 조심하다

the very hot samgyetang. It's 10._____ the sun!
~보다 더 뜨거운

The meat was very soft. It 11._____ the bone
~에서 떨어졌다

and flew into my mouth. Samgyetang is 12._____
훨씬 더 맛있는

_____ than chicken soup. Many Koreans enjoy eating

samgyetang on really hot days. It's like 13._____
이열치열

_____ _____ _____. No thanks. I 14._____
먹어 보는 것을 권하다

_____ it on a cold day.

Words&Phrases

• above all 무엇보다도
• a bowl of ~ 한 그릇
• candle [kǽndl] 양초
• expect [ɪkspékt] 기대하다
• ginseng [dʒínseŋ] 인삼
• whole [hoʊl] 전체의, 통째로 된
• piece [piːs] 한 부분, 조각
• bone [boʊn] 뼈
• recommend [rèkəménd] 추천하다

CHECK 윗글의 내용과 일치하면 T, 일치하지 않으면 F에 체크하시오.

1. Eating miyeokguk on birthdays is a Korean tradition. (T / F)
2. "Sam" in samgyetang means the number three. (T / F)
3. When Kelly saw samgyetang, she was surprised. (T / F)
4. Kelly thinks samgyetang is much tastier than chicken soup. (T / F)
5. Kelly recommends trying samgyetang on a hot day. (T / F)

빈칸 채우기 정답
1. Above all 2. a bowl of
3. comes from 4. is born
5. don't expect 6. ginseng
7. dropped open 8. There was
9. Be careful of 10. hotter than
11. fell off 12. much tastier
13. fighting fire with fire
14. recommend trying

CHECK 정답
1. T 2. F 3. T 4. T 5. F

Reading (Test)

(01~03) 다음 글을 읽고, 물음에 답하시오.

> **Special Day: Seollal (New Year's Day)**
>
> How do Koreans become a year ____ⓐ____? They have a special way. They eat tteokguk, a rice cake soup, on seollal. Eating tteokguk ⓑ<u>mean</u> getting one year ____ⓒ____.

- special 특별한
- way 방법
- mean 의미하다

01 윗글의 빈칸 ⓐ와 ⓒ에 공통으로 들어갈 말로 알맞은 것은?

① longer   ② older   ③ younger
④ shorter   ⑤ more

(Tip)
나이를 한 살 더 먹는다는 의미를 나타내는 형용사의 비교급을 찾는다.

02 윗글의 밑줄 친 ⓑ의 올바른 형태로 알맞은 것은?

① means   ② meaning   ③ to mean
④ meant   ⑤ do mean

(Tip)
주어 역할을 하는 동명사는 단수 취급한다.

03 윗글의 주제로 가장 알맞은 것은?

① 각국의 새해 음식
② 한국인들이 좋아하는 음식
③ 한국의 다양한 명절 음식
④ 한국인들이 설날에 먹는 특별한 음식
⑤ 한국인들이 설날을 즐기는 다양한 방법

(04~05) 다음 글을 읽고, 물음에 답하시오.

> **Special Day: Chuseok**
>
> During chuseok, Koreans make and eat songpyeon. They give thanks for the year with songpyeon. (A) To making / Making pretty songpyeon means (B) have / having a pretty child someday.

- give thanks 감사드리다
- someday 언젠가

04 윗글의 (A)와 (B)에서 어법상 알맞은 말을 골라 쓰시오.

(A) _____   (B) _____

(Tip)
문장에서 주어와 목적어 역할을 할 수 있는 형태를 고른다.

05 윗글을 읽고 답할 수 있는 질문은?

① What is songpyeon?
② When is chuseok in Korea?
③ How does songpyeon taste?
④ What do Koreans eat during chuseok?
⑤ How do Koreans make pretty songpyeon?

(06~08) 다음 글을 읽고, 물음에 답하시오.

Review by Ted

This dish is miyeokguk. (①) It's a kind of seaweed soup. (②) I was afraid at first. (③) The seaweed ran around in my mouth. It was 기름보다 더 미끌미끌한! (④) It was a new taste for me, but I enjoyed eating it. (⑤) Above all, it went great with a bowl of rice.

06 윗글의 ①~⑤ 중 주어진 문장이 들어갈 알맞은 곳은?

But when I tried the soup, it had a rich taste.

①　　②　　③　　④　　⑤

07 윗글의 밑줄 친 우리말을 영어로 바르게 옮긴 것은?

① slippery than oil
② very slippery than oil
③ more slippery than oil
④ much slippery than oil
⑤ more slipperier than oil

08 윗글의 내용과 일치하는 것은?

① 미역국은 해초 수프와 차이가 있다.
② 미역국은 밥 한 공기와 잘 어울렸다.
③ Ted는 미역국의 맛을 좋아하지 않았다.
④ Ted는 미역국을 전에 먹어 본 적이 있었다.
⑤ Ted는 미역의 진한 향 때문에 미역국을 먹지 못했다.

(09~10) 다음 글을 읽고, 물음에 답하시오.

Koreans eat miyeokguk on their birthdays. ⓐThis tradition comes from mothers. After a child is born, the mother eats miyeokguk for her health. But how do Koreans put candles in ⓑit?

09 윗글의 밑줄 친 ⓐ가 가리키는 내용으로 알맞은 것은?

① 건강을 위해 미역국을 먹는 것　② 생일에 미역국을 먹는 것
③ 한국인들이 미역국을 좋아하는 것　④ 생일에 미역국에 초를 꽂는 것
⑤ 아이가 태어난 후 미역국을 먹는 것

10 윗글의 밑줄 친 ⓑ가 가리키는 것을 본문에서 찾아 쓰시오.

(11~13) 다음 글을 읽고, 물음에 답하시오.

> **Review by Kelly**
>
> This chicken dish is samgyetang. But don't expect three chickens. "Sam" here means ginseng, not the number three. When I saw the dish, ⓐmy mouth dropped open. There was a _____ⓑ_____ chicken in front of me! The chicken soup in my country has little pieces of chicken in it.

- expect 기대하다, 예상하다
- ginseng 인삼
- piece 한 부분, 조각

11 윗글의 밑줄 친 ⓐ에서 알 수 있는 Kelly의 심정은?

① bored   ② scared   ③ worried
④ surprised   ⑤ angry

(Tip) 삼계탕을 보고 놀란 Kelly가 자신도 모르게 한 행동이다.

12 윗글의 빈칸 ⓑ에 들어갈 말로 가장 알맞은 것은?

① soft   ② small   ③ short
④ hard   ⑤ whole

(Tip) Kelly의 나라에서 먹는 닭고기 수프의 형태와 반대되는 말이 들어간다.

13 윗글을 읽고 알 수 있는 것은?

① 삼계탕 만드는 법   ② 삼계탕에 들어가는 재료
③ 닭고기 수프의 맛   ④ Kelly의 출신 국가
⑤ Kelly가 좋아하는 음식

(14~15) 다음 글을 읽고, 물음에 답하시오.

> Be careful of the very hot samgyetang. It's _____ⓐ_____ than the sun! The meat was very soft. It fell off the bone and flew into my mouth. Samgyetang is much _____ⓑ_____ than chicken soup. Many Koreans enjoy eating samgyetang on really hot days. It's like ©fighting fire with fire. No thanks. I recommend trying it on a cold day.

- bone 뼈
- recommend 추천하다

14 윗글의 빈칸 ⓐ와 ⓑ에 들어갈 말의 형태가 바르게 짝지어진 것은?

① hot   – tasty
② hotter   – tastier
③ hotter   – tastyer
④ more hot   – more tasty
⑤ more hotter – more tastier

(Tip) 「단모음+단자음」으로 끝나는 형용사와 「자음+y」로 끝나는 형용사를 비교급으로 만드는 규칙에 유의한다.

15 윗글의 밑줄 친 ©가 의미하는 것을 사자성어로 쓰시오.

_____

(Tip) '열은 열로써 다스린다'는 의미이다.

1 다음 글을 읽고, 주어진 표의 빈칸에 알맞은 말을 우리말로 쓰시오.

How do Koreans become a year older? They have a special way. They eat tteokguk, a rice cake soup, on seollal. Eating tteokguk means getting one year older.

During chuseok, Koreans make and eat songpyeon. They give thanks for the year with songpyeon. Making pretty songpyeon means having a pretty child someday.

	먹는 음식	음식을 먹는 의미
설날	(1)	(2)
추석	(3)	(4)

(2~3) 다음 글을 읽고, 물음에 답하시오.

This dish is miyeokguk. It's a kind of seaweed soup. I was afraid at first. But when I tried the soup, it had a rich taste. The seaweed ran around in my mouth. It was more slippery than oil! It was a new taste for me, but I enjoyed eating it. Above all, it went great with a bowl of rice. Koreans eat miyeokguk on their birthdays.

2 윗글의 내용과 일치하도록 다음 대화를 완성하시오.

A: I ate miyeokguk.
B: Miyeokguk? What is it?
A: (1) _____
B: How was it?
A: It (2) _____.
B: Did you like it?
A: Yes, I enjoyed (3) _____.

3 Q: When do Koreans eat miyeokguk?

A: _____

(4~5) 다음 글을 읽고, 물음에 답하시오.

This chicken dish is samgyetang. But don't expect three chickens. "Sam" here means ginseng, not the number three. When I saw the dish, my mouth dropped open. 내 앞에 닭 한 마리가 통째로 있었다! The chicken soup in my country has little pieces of chicken in it. Be careful of the very hot samgyetang. It's hotter than the sun! The meat was very soft. It fell off the bone and flew into my mouth. Samgyetang is much tastier than chicken soup. Many Koreans enjoy eating samgyetang on really hot days. It's like fighting fire with fire. No thanks. I recommend trying it on a cold day.

4 윗글의 밑줄 친 우리말과 같도록 주어진 단어들을 바르게 배열하시오.

➡ _____!

(was, me, in, there, chicken, a, front, whole, of)

5 윗글의 내용과 일치하도록 빈칸에 알맞은 말을 쓰시오.

Samgyetang is the chicken dish. "Sam" in samgyetang means (1) _____. Koreans enjoy samgyetang on really (2) _____. But the writer recommends trying it on (3) _____ _____.

01 다음 밑줄 친 단어와 바꿔 쓸 수 있는 것은?

> Those fruits are very <u>tasty</u> and good for health.

① rich   ② fresh
③ popular   ④ delicious
⑤ favorite

02 다음 빈칸에 공통으로 들어갈 말로 알맞은 것은?

> • Could you _____ some good movies?
> • I'd like to _____ this novel to her. She will like the story.

① watch   ② expect
③ decide   ④ mean
⑤ recommend

03 다음 밑줄 친 부분의 의미가 알맞지 <u>않은</u> 것은?

① <u>At first</u>, the movie was boring. (처음에는)
② I fell asleep <u>during</u> the concert. (~ 동안)
③ I'd like to <u>give thanks</u> to my team. (감사드리다)
④ Her son finished eating <u>a bowl of</u> rice. (~ 한 그릇)
⑤ <u>Above all</u>, I don't like the cold weather. (결과적으로)

04 다음 대화의 밑줄 친 부분과 바꿔 쓸 수 있는 것은?

> A: <u>What do you think about the musical?</u>
> B: I think it's very funny.

① Why did you watch the musical?
② What is your opinion on the musical?
③ What do you know about the musical?
④ How did you know about the musical?
⑤ What kind of musicals would you like to watch?

(05~07) 다음 대화를 읽고, 물음에 답하시오.

> Alex: What did you do during the holidays, Bora?
> Bora: I went to a Korean culture festival in Haenam. I saw Ganggangsullae there.
> Alex: What's Ganggangsullae?
> Bora: It's a kind of Korean traditional dance.
> Alex: ⓐ <u>나에게 그것에 관해 좀 더 말해 줄래?</u>
> Bora: Women sing and dance together in a big circle. I think it's very beautiful.
> Alex: _____ ⓑ _____ I'd like to see it someday.

05 위 대화의 밑줄 친 우리말 ⓐ를 주어진 단어들을 사용하여 영작하시오.

➡ _____?

(can, tell, about)

06 위 대화의 빈칸 ⓑ에 들어갈 말로 알맞은 것은?

① I'm not sure.
② I don't like it.
③ I think it's boring.
④ Sounds interesting.
⑤ I don't think it's a good idea.

07 위 대화를 읽고 답할 수 <u>없는</u> 질문은?

① What is Ganggangsullae?

② What did Bora see in Haenam?

③ What does Alex want to see?

④ What did Alex do during the holidays?

⑤ What does Bora think about Ganggangsullae?

08 다음 문장에 이어질 대화의 순서를 바르게 배열한 것은?

What are you reading?

(A) What do you think about it?
(B) I'm reading *Charlie and the Chocolate Factory*.
(C) Really? I think it's boring.
(D) I think it's very interesting.

① (B) − (A) − (C) − (D)
② (B) − (A) − (D) − (C)
③ (B) − (C) − (A) − (D)
④ (D) − (A) − (B) − (C)
⑤ (D) − (C) − (B) − (A)

09 다음 우리말을 영어로 바르게 옮긴 것은?

그는 만화 그리는 것을 즐긴다.

① He enjoys draw cartoons.
② He enjoys to draw cartoons.
③ He enjoys drawing cartoons.
④ He enjoyed to draw cartoons.
⑤ He enjoyed drawing cartoons.

10 다음 중 어법상 옳지 <u>않은</u> 것은?

① Getting up early is not easy.
② She likes talking to her father.
③ Mike wants eating Korean food.
④ It stopped raining in the morning.
⑤ His job is taking care of animals.

11 다음 문장과 의미가 같은 것은?

The cello is bigger than the violin.

① The cello is small.
② The cello and the violin are big.
③ The violin is bigger than the cello.
④ The violin is smaller than the cello.
⑤ The cello and the violin are the same size.

12 다음 중 어법상 옳은 것은?

① She is more kind than Kelly.
② Sam is more smarter than Tom.
③ That box is heavyer than your bag.
④ It tastes better than chicken soup.
⑤ Airplanes are more fast than ships.

13 다음 문장에서 어법상 <u>틀린</u> 부분을 찾아 바르게 고쳐 쓰시오.

(1) I stopped to worry about my final exam.

_____ ➡ _____

(2) He is very taller than his sister.

_____ ➡ _____

(3) Ted is famous than Lisa.

_____ ➡ _____

[14~17] 다음 글을 읽고, 물음에 답하시오.

> **Special Day: Seollal (New Year's Day)**
>
> How ① do Koreans become a year older? They ② have a special way. They ③ eat tteokguk, a rice cake soup, on seollal. Eating tteokguk means ⓐ getting one year older.
>
> **Special Day: Chuseok**
>
> During chuseok, Koreans make and ④ ate songpyeon. They ⑤ give thanks for the year with songpyeon. Making pretty songpyeon means having a pretty child someday.

14 윗글의 밑줄 친 ①~⑤ 중 어법상 옳지 <u>않은</u> 것은?

①   ②   ③   ④   ⑤

15 윗글의 밑줄 친 ⓐ와 쓰임이 <u>다른</u> 것은?

① Jane is good at singing.
② She enjoys watching TV.
③ My brother is coming now.
④ Walking is good for health.
⑤ My hobby is listening to music.

16 윗글의 제목으로 가장 적절한 것은?

① Koreans' Favorite Food
② Traditions in Many Countries
③ Popular Food in Korean Culture
④ Many Kinds of Korean Festivals
⑤ Special Food for Special Days in Korea

17 윗글의 내용과 일치하지 <u>않는</u> 것은?

① 한국인들은 설날에 떡국을 먹는다.
② 예쁜 아이를 낳으면 예쁜 송편을 만든다.
③ 한국인들은 추석에 송편을 만들어 먹는다.
④ 한국인들은 송편으로 그 해에 감사를 드린다.
⑤ 떡국을 먹는 것은 한 살을 더 먹는 것을 의미한다.

[18~21] 다음 글을 읽고, 물음에 답하시오.

> **Review by Ted**
>
> This dish is miyeokguk. It's a ⓐ kind of seaweed soup. I was afraid at first. But when I tried the soup, it had a rich taste. The seaweed ran around in my mouth. ⓑ 그것은 기름보다 더 미끌미끌했다! It was a new taste for me, but I enjoyed eating it. (①) Above all, it went great with a bowl of rice. (②) Koreans eat miyeokguk on their birthdays. (③) After a child is born, the mother eats miyeokguk for her health. (④) But how do Koreans put candles in it? (⑤)

18 윗글의 밑줄 친 ⓐ와 의미가 같은 것은?

① He is a kind man.
② She is nice and kind.
③ Why is she kind to you?
④ Be kind to your friends.
⑤ What kind of animal is it?

19 윗글의 밑줄 친 우리말 ⓑ를 주어진 단어들을 사용하여 영어로 쓰시오.

➡ _____ !

(slippery, oil)

20 윗글의 ①~⑤ 중 주어진 문장이 들어갈 알맞은 곳은?

> This tradition comes from mothers.

①   ②   ③   ④   ⑤

21 윗글을 읽고 답할 수 <u>없는</u> 질문은?

① What is miyeokguk?
② How did miyeokguk taste?
③ Did Ted enjoy eating miyeokguk?
④ How do Koreans put candles in miyeokguk?
⑤ What does the mother eat after a child is born?

[22~25] 다음 글을 읽고, 물음에 답하시오.

Review by Kelly

This chicken dish is ⓐ<u>samgyetang</u>. But don't expect three chickens. "Sam" here means ginseng, not the number three. When I saw ⓑ<u>the dish</u>, my mouth dropped open. ①<u>There were</u> a whole chicken in front of me! The chicken soup in my country has little pieces of chicken in ⓒ<u>it</u>. ②<u>Do careful of</u> the very hot samgyetang. ⓓ<u>It's</u> hotter than the sun! The meat was very soft. It fell off the bone and ③<u>fly into</u> my mouth. Samgyetang is ④<u>a lot of tastier</u> than chicken soup. Many Koreans enjoy ⑤<u>to eat</u> samgyetang on really hot days. It's like fighting fire with fire. No thanks. I recommend trying ⓔ<u>it</u> on a cold day.

22 윗글의 밑줄 친 ⓐ~ⓔ 중 가리키는 것이 나머지와 <u>다른</u> 하나는?

① ⓐ   ② ⓑ   ③ ⓒ   ④ ⓓ   ⑤ ⓔ

23 윗글의 밑줄 친 ①~⑤를 어법상 <u>잘못</u> 고친 것은?

① There were → There was
② Do careful of → Be careful of
③ fly into → flew into
④ a lot of tastier → more tastier
⑤ to eat → eating

24 윗글을 읽고 알 수 <u>없는</u> 것은?

① 삼계탕에서 '삼'의 의미
② Kelly가 느낀 삼계탕의 맛
③ 삼계탕이 건강에 좋은 이유
④ Kelly가 삼계탕을 보고 놀란 이유
⑤ 한국인들이 삼계탕을 즐겨 먹는 때

25 윗글의 내용과 일치하지 <u>않는</u> 것은?

① Koreans eat samgyetang on hot days.
② The meat of samgyetang was very soft.
③ Kelly likes eating samgyetang on a hot day.
④ Samgyetang is a chicken dish with ginseng.
⑤ "Sam" in samgyetang doesn't mean the number three.

서술형 평가 완전정복

정답 p. 43

1 다음 그림을 보고, 친구들이 즐겨 하는 활동을 주어진 단어를 활용하여 쓰시오.

(1)

(2)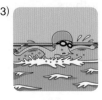

(3)

Mary   Jane   Tom

(1) Mary _____. (enjoy)

(2) Jane _____. (like)

(3) Tom _____. (love)

Tip
각각의 그림에 알맞은 표현을 주어진 동사 뒤에 써서 문장을 완성한다. 각 동사의 목적어 형태에 유의한다.

2 다음 주어진 정보를 보고, 대화를 완성하시오.

| Jige | a Korean traditional backpack |
| | People carried many different things on it. |

A: Which one do you want to introduce?

B: I want to introduce Jige.

A: What is Jige?

B: (1) _____

A: (2) _____ about it?

B: Sure. People carried many different things on it.

B: (3) _____ about it?

A: I think it's very interesting.

Tip
지게가 무엇인지 묻는 말에 답한 후 그것에 대한 추가 정보를 요청하는 표현을 사용하여 대화를 이어나간다. 지게에 대한 의견도 묻고 답한다.

3 다음 글의 밑줄 친 우리말을 주어진 단어를 활용하여 영어로 쓰시오.

What food do you enjoy on a rainy day? (1)한국인들은 김치전을 먹는 것을 즐긴다. It looks like pizza. But, (2)그것은 피자보다 더 맛있다. Kimchijeon is hot because it has kimch in it. But you'll love it. How about trying some kimchijeon on a rainy day?

(1) _____ (eat)

(2) _____ (delicious)

Tip
'～하는 것을 즐기다'라는 뜻의 「enjoy+동명사」와 「형용사의 비교급+than」 구문을 사용하여 영작한다.

의견 말하기

1 다음 그림을 보고, 예시와 같이 자신의 의견을 말해 봅시다.

 (1)  (2)  (3)

e.g. What do you think about this book?

⇒ I think it's very exciting.

(1) What do you think about this painting?

⇒ _____

(2) What's your opinion on this movie?

⇒ _____

(3) How do you feel about fast food?

⇒ _____

다양한 형용사를 활용하여 각 대상에 대한 자신의 의견을 말하는 문제이다.

평가 영역	점수
언어 사용: 적절한 어휘를 사용하고, 문법과 어순이 정확하다.	0 1 2 3
내용 이해: 학습한 내용을 정확히 이해하고 활용했다.	0 1 2 3
유창성: 말에 막힘이 없고 자연스럽다.	0 1 2 3
과제 완성도: 세 개의 대상에 대한 자신의 의견을 모두 말했다.	0 1 2 3

한국 문화 소개하기

2 다음 질문에 대한 답을 한 후 예시와 같이 한국 문화를 소개해 봅시다.

What do you want to introduce?	
What is it?	
Can you tell me more about it?	
What do you think about it?	

e.g. I want to introduce Hangeul. It's the Korean alphabet. King Sejong created it in 1443. We celebrate Hangeul Day on October 9th every year. I think it's great.

_____

_____

_____

_____

소개하고 싶은 한국 문화에 대한 구체적인 정보와 그것에 대한 자신의 의견을 말하는 문제이다. 예시를 참고하여 한국 문화를 소개한다.

평가 영역	점수
언어 사용: 적절한 어휘를 사용하고, 문법과 어순이 정확하다.	0 1 2 3
내용 이해: 학습한 내용을 정확히 이해하고 활용했다.	0 1 2 3
유창성: 말에 막힘이 없고 자연스럽다.	0 1 2 3
과제 완성도: 주어진 질문에 대한 답을 모두 포함하여 한국 문화를 소개했다.	0 1 2 3

두 가지 대상 비교하기

1 다음 그림을 보고, 예시와 같이 비교하는 문장을 써 봅시다.

┌─〈조건〉─────────────────────────────────┐
│ 1. 크기와 가격을 비교하는 문장을 각각 두 문장씩 쓸 것 │
│ 2. 형용사의 비교급을 사용할 것 │
│ 3. 주어와 동사를 갖춘 완전한 문장으로 쓸 것 │
└──┘

e.g. The watermelon is bigger than the lemon.

(1) _____

(2) _____

(3) _____

(4) _____

「형용사의 비교급+than」 형태의 비교급 구문을 활용하여 비교하는 문장을 완성한다.

평가 영역	점수
언어 사용: 문장의 단어, 문법, 어순이 정확하다.	0 1 2 3
내용 이해: 학습한 내용을 정확히 이해하고 활용했다.	0 1 2 3
과제 완성도: 제시한 조건을 모두 충족하여 작성하였다.	0 1 2 3

한국 음식 소개 글 쓰기

2 다음 표의 항목들을 모두 포함하여 한국 음식을 소개하는 글을 써 봅시다.

┌─〈조건〉─────────────────────────────────┐
│ 1. 주어진 항목을 모두 포함할 것 │
│ 2. 주어와 동사를 갖춘 완전한 문장으로 쓸 것 │
│ 3. 네 문장 이상 쓸 것 │
└──┘

음식의 이름	_____
음식의 모양	It looks like _____.
음식의 맛	It is _____ than _____.
음식의 재료	It has _____.
즐겨 먹는 때	Koreans usually enjoy _____.

┌──┐
│ Do you want to eat popular food in Korea? Then, try _____. │
│ _____ │
│ _____ │
│ _____ │
│ _____ │
└──┘

「형용사의 비교급+than」 형태의 비교급 구문과 「enjoy+동명사」 구문 등을 포함하여 한국 음식을 소개하는 글을 완성한다.

평가 영역	점수
언어 사용: 문장의 단어, 문법, 어순이 정확하다.	0 1 2 3
내용 이해: 학습한 내용을 정확히 이해하고 활용했다.	0 1 2 3
과제 완성도: 제시한 조건을 모두 충족하여 작성하였다.	0 1 2 3

Special Lesson 2
Charlotte's Web

New Words & Phrases
알고 있는 단어나 숙어에 ✔표 해 보세요.

- agree 동 동의하다
- already 부 이미, 벌써
- another 형 더, 또; 또 하나의
- anything 대 아무것도
- anyway 부 어쨌든, 하여간
- believe 동 믿다
- cool 형 멋진, 근사한; 시원한
- curly 형 똘똘 말린; 곱슬곱슬한
- decide 동 결정하다, 결심하다
- enough 형 충분한
- famous 형 유명한

- forget 동 잊다 (↔ remember)
- glasses 명 안경
- hairy 형 털이 많은, 털이 뒤덮인
- later 부 나중에
- ordinary 형 평범한, 보통의
- perfect 형 완벽한
- possible 형 가능한
- reason 명 이유, 까닭
- same 형 똑같은 (↔ different)
- scary 형 무서운, 겁나는
- silly 형 어리석은

- spider 명 거미
- spin 동 (거미가) 실을 내다, 거미집을 짓다
- surprised 형 놀란
- tail 명 꼬리
- town 명 마을, 도시
- web 명 거미줄
- come up with ~을 생각해 내다
- for sure 확실히, 틀림없이
- in danger 위험에 처해 있는
- prepare A for B B를 대비하여 A를 준비하다

● 교과서 내용을 생각하며 빈칸에 알맞은 말을 넣어 봅시다.

Charlotte's Web

SCENE 1

Wilbur was a little pig on Mr. Zuckerman's farm. He was bored and wanted a friend. But 1._____ _____
다른 모든 동물들
_____ were too busy. Then one day, he met a spider.

Wilbur: Hi, there. I'm Wilbur. 2._____
너의 이름은 무엇이니?
_____?

Charlotte: My name is Charlotte.

Wilbur: Charlotte. That's a great name.

Charlotte: Thank you. I 3._____.
동의하다

Wilbur: Your web 4._____ _____.
정말 멋지다

Charlotte: Thank you. Uhmmm. Your tail is…well…really

5._____.
똘똘 말린

Wilbur: Thanks! Do you 6._____
되기를 원하다
_____ my friend, Charlotte?

Charlotte: Sure. 7._____?
왜 안 되겠니?

Wilbur: Yay!

Words & Phrases

· web [web] 거미줄
· busy [bízi] 바쁜
· spider [spáidər] 거미
· agree [əgríː] 동의하다
· cool [kuːl] 멋진, 근시한
· curly [kə́ːrli] 똘똘 말린; 곱슬 곱슬한

CHECK 윗글의 내용과 일치하면 T, 일치하지 않으면 F에 체크하시오.

1. Wilbur was a pig and Charlotte was a spider.   (T / F)
2. Wilbur felt bored before he met Charlotte.   (T / F)
3. Charlotte didn't like her name.   (T / F)
4. Wilbur's tail was straight.   (T / F)
5. Wilbur and Charlotte became friends.   (T / F)

빈칸 채우기 정답
1. all the other animals
2. What's your name
3. agree 4. is really cool
5. curly 6. want to be
7. Why not

CHECK 정답
1. T 2. T 3. F 4. F 5. T

SCENE 2

Wilbur made a new friend. He was very happy. But the other animals didn't feel ¹._____ _____.

같은 방식으로

Templeton: Did he just ²._____ with that spider?

친구가 되다

Goose: ³._____. I can't believe

나는 그렇게 생각한다.
it.

Gander: He doesn't know ⁴._____. He's just a

아무것도
⁵._____ pig.

어리석은

Templeton: Hey, Wilbur. ⁶._____

아무도 ~을 좋아하지 않다
spiders.

Wilbur: Huh? I don't get it. Why?

Goose: She ⁷._____.

무서워 보이다

Gander: Yeah. ⁸._____ those ⁹._____

~을 보다   털이 많은
legs. Eeeewwwwww!

Wilbur: I think she's beautiful.

Templeton: I think you ¹⁰._____.

안경이 필요하다

Wilbur: I have ¹¹._____ eyes, thank you. She's beautiful

완벽한
and nice.

Words&Phrases

- same [seɪm] 똑같은
- anything [éniθɪŋ] 아무것도
- silly [síli] 어리석은
- scary [skéri] 무서운, 겁나는
- hairy [héri] 털이 많은
- perfect [pə́ːrfɪkt] 완벽한

CHECK 윗글의 내용과 일치하면 T, 일치하지 않으면 F에 체크하시오.

1. Wilbur was happy because he made a new friend. (T / F)
2. Gander said Wilbur was a silly pig. (T / F)
3. Everyone liked spiders. (T / F)
4. Gander didn't like Charlotte's hairy legs. (T / F)
5. Wilbur thought Templeton needed glasses. (T / F)

1. the same way
2. make friends 3. I think so
4. anything 5. silly
6. No one likes 7. looks scary
8. Look at 9. hairy
10. need glasses 11. perfect

CHECK 정답
1. T 2. T 3. F 4. T 5. F

Reading

● 교과서 내용을 생각하며 빈칸에 알맞은 말을 넣어 봅시다.

Sheep: Be nice to the pig. He doesn't have much time

1. _____ .
어쨌든

Wilbur: What do you 2. _____ ? I have a lot of time.
의미하다

Sheep: The farmers give you lots of food. 3. _____
이유가 있다

_____ _____ _____ for that.

Wilbur: 4. _____ they like me?
~ 때문에

Sheep: Silly pig. They 5. _____ _____ you for the
준비하고 있다

Christmas dinner.

Wilbur: Great! I love Christmas and I love dinner.

Templeton: You are the Christmas din....

Goose & Gander: (*to Templeton*) Shhh! That's 6. _____ .
충분한

7. _____ _____ _____ .
더 이상 말하지 마라.

SCENE 3

Wilbur later 8. _____ _____ the farmers' plan. He
알게 되었다

was very sad. He didn't want to be the Christmas dinner. So,

Charlotte 9. _____ _____ _____ Wilbur. All night,
돕기로 결정했다

she 10. _____ a web. In the morning, there were two words in
(거미집을) 지었다

her web. The people on the farm were very 11. _____ .
놀란

Words&Phrases

- anyway [éniweɪ] 어쨌든
- reason [ríːzn] 이유
- prepare [prɪpér] 준비하다
- enough [ɪnʌ́f] 충분한
- another [ənʌ́ðər] 더, 또; 또 하나의
- later [léɪtər] 나중에
- spin [spɪn] (거미가) 실을 내다, 거미집을 짓다

CHECK 윗글의 내용과 일치하면 T, 일치하지 않으면 F에 체크하시오.

1. The farmers liked Wilbur so they gave him lots of food. (T / F)
2. The farmers were preparing Wilbur for the Christmas dinner. (T / F)
3. Wilbur was very sad after he found out the farmers' plan. (T / F)
4. Wilbur didn't want to be the Christmas dinner. (T / F)
5. Charlotte spun a web for Wilbur all day. (T / F)

빈칸 채우기 정답

1. anyway 2. mean
3. There is a reason 4. Because
5. are preparing 6. enough
7. Not another word
8. found out 9. decided to help
10. spun 11. surprised

CHECK 정답

1. F 2. T 3. T 4. T 5. F

Lurvy: Am I seeing things?

Fern: I can't believe my eyes.

Mrs. Zuckerman: How can that 1._____?
                                            가능하다

Mr. Zuckerman: I have no idea.

Lurvy: What does "50ME PIG" mean anyway? There's only one

pig here.

Fern: It doesn't say that, Lurvy. It says, "SOME PIG."

Lurvy: Hey, you're right, Fern! Wilbur is some pig 2._____
                                                          확실히

_____.

Fern: I told you, Uncle! Wilbur is not an 3._____ pig. We
                                                    평범한

4._____ him.
        해쳐선 안 된다

Mr. Zuckerman: No. Wilbur is an ordinary pig. But the spider

is not an ordinary spider.

Mrs. Zuckerman: Well, one thing is for sure. This is not an

ordinary story.

5._____ around the whole town. Wilbur
        소문이 퍼졌다

became very famous. Now the Zuckermans could not eat Wilbur.

But soon people 6._____ about Wilbur. He was 7._____
                      잊었다   위험에 처해 있는

_____ again. Charlotte had to 8._____
                                              ~을 생각해 내다

_____ a new plan.

Words & Phrases

• possible [pάːsəbl] 가능한
• for sure 확실히, 틀림없이
• ordinary [ɔ́ːrdneri] 평범한
• famous [féiməs] 유명한
• forget [fərgét] 잊다
• in danger 위험에 처해 있는
• come up with ~을 생각해 내다

CHECK 윗글의 내용과 일치하면 T, 일치하지 <u>않으면</u> F에 체크하시오.

1. Lurvy thought Wilbur was some pig.   (T / F)
2. Fern said Wilbur was not an ordinary pig.   (T / F)
3. The Zuckermans couldn't eat Wilbur.   (T / F)
4. Wilbur became famous and wasn't in danger again.   (T / F)
5. Charlotte didn't have to come up with a new plan.   (T / F)

빈칸 채우기 정답
1. be possible
2. for sure
3. ordinary
4. shouldn't hurt
5. Word traveled
6. forgot 7. in danger
8. come up with

CHECK 정답
1. T 2. T 3. T 4. F 5. F

Reading (Test)

(01~03) 다음 글을 읽고, 물음에 답하시오.

> Wilbur: Hi, there. I'm Wilbur. What's your name?
> Charlotte: My name is Charlotte.
> Wilbur: Charlotte. That's a great name.
> Charlotte: Thank you. ⓐ I agree.
> Wilbur: Your web is really cool.
> Charlotte: Thank you. Uhmmm. Your tail is…well…really curly.
> Wilbur: Thanks! Do you want to be my friend, Charlotte?
> Charlotte: Sure. _____ ⓑ _____
> Wilbur: Yay!

- agree 동의하다
- cool 멋진
- curly 똘똘 말린

01 윗글의 종류로 알맞은 것은?

① novel   ② play   ③ diary   ④ letter   ⑤ poem

Tip
본문은 등장인물들의 대사로 이루어진 글이다.

02 윗글의 밑줄 친 ⓐ의 의미로 알맞은 것은?

① Charlotte likes Wilbur, too.
② Charlotte thinks her name is great.
③ Charlotte wants to be Wilbur's friend.
④ Charlotte thinks her web is really cool.
⑤ Wilbur thinks Charlotte has a great name.

Tip
앞에 나온 Wilbur의 말에 동의하는 말이다.

03 윗글의 빈칸 ⓑ에 들어갈 말로 알맞은 것은?

① Thank you.   ② Why not?   ③ I don't know.
④ I don't want to.   ⑤ I don't think so.

Tip
상대방의 제안에 승낙하는 표현을 찾는다.

(04~06) 다음 글을 읽고, 물음에 답하시오.

> Wilbur made a new friend. He was very happy. But the other animals didn't feel the same way.
>
> Templeton: Did he just make friends with that spider?
> Goose: I think so. I can't believe ⓐ it.
> Gander: He doesn't know anything. He's just a silly pig.
> Templeton: Hey, Wilbur. ⓑ 아무도 거미를 좋아하지 않아.
> Wilbur: Huh? I don't get it. Why?
> Goose: She looks _____ ⓒ _____.
> Gander: Yeah. Look at those hairy legs. Eeeewwwwww!
> Wilbur: I think she's beautiful.

- believe 믿다
- silly 어리석은
- hairy 털이 많은

124 Special Lesson 2

04 윗글의 밑줄 친 ⓐ가 가리키는 것으로 알맞은 것은?

① 거미의 다리가 텁수룩한 것
② Wilbur가 어리석은 돼지라는 것
③ Wilbur가 아무것도 모른다는 것
④ Wilbur가 거미와 친구가 되었다는 것
⑤ Wilbur가 새 친구를 사귀고 행복해하는 것

Tip
대명사 it은 앞에서 Templeton
이 한 말을 가리킨다.

05 윗글의 밑줄 친 우리말 ⓑ와 같도록 주어진 단어들을 바르게 배열하시오.

➡ _____

(spiders, likes, no, one)

06 윗글의 빈칸 ⓒ에 들어갈 말로 알맞은 것은?

① fat   ② cool   ③ scary   ④ beautiful   ⑤ clever

Tip
거미를 좋아하지 않는 이유를 말
하는 문장이다. 뒤에 이어지는
Gander의 대사를 살펴본다.

• anyway 어쨌든
• reason 이유
• prepare 준비하다
• enough 충분한
• another 더, 또; 또 하나의

(07~10) 다음 글을 읽고, 물음에 답하시오.

Sheep:	① Be nice to the pig. (A) He doesn't have much time anyway.
Wilbur:	What do you mean? I have ② a lot of time.
Sheep:	(B) The farmers give you lots of food. ③ There are a reason for (C) that.
Wilbur:	④ Because they like me?
Sheep:	Silly pig. They are ⑤ preparing you for the Christmas dinner.
Wilbur:	Great! I love Christmas and I love dinner.
Templeton:	You are the Christmas din....
Goose & Gander:	(to Templeton) Shhh! That's enough. Not another word.

07 윗글의 밑줄 친 ①~⑤ 중 어법상 옳지 <u>않은</u> 것은?

①   ②   ③   ④   ⑤

08 윗글에서 Sheep이 (A)와 같이 말한 이유로 알맞은 것은?

① Wilbur가 어리석은 돼지이므로
② 농부들이 Wilbur를 싫어하므로
③ Wilbur가 곧 크리스마스 만찬이 될 것이므로
④ Goose와 Gander가 더 이상 말할 시간이 없으므로
⑤ Templeton이 크리스마스 만찬을 준비하고 있으므로

Tip
Wilbur에게 시간이 많지 않은
이유를 Sheep의 대사에서 찾
을 수 있다.

09 윗글의 밑줄 친 (B)와 의미가 같도록 빈칸에 알맞은 말을 쓰시오.

➡ The farmers give lots of food _____.

10 윗글의 밑줄 친 (C)가 가리키는 것을 우리말로 쓰시오.

_____

Tip
수여동사 give가 쓰인 4형식 문
장은 전치사를 사용하여 3형식
문장으로 바꿔 쓸 수 있다.

[11~12] 다음 글을 읽고, 물음에 답하시오.

> Wilbur later found out the farmers' plan. (①) He was very sad. (②) He didn't want ⓐbe the Christmas dinner. (③) So, Charlotte decided ⓑhelp Wilbur. (④) In the morning, there were two words in her web. (⑤) The people on the farm were very surprised.

11 윗글의 ①~⑤ 중 주어진 문장이 들어갈 알맞은 곳은?

> All night, she spun a web.

①   ②   ③   ④   ⑤

12 윗글의 밑줄 친 ⓐ와 ⓑ를 어법상 알맞은 형태로 쓰시오.

ⓐ _____   ⓑ _____

[13~15] 다음 글을 읽고, 물음에 답하시오.

> **Lurvy:** What does "50ME PIG" mean anyway? There's only one pig here.
> **Fern:** It doesn't say that, Lurvy. It says, "ⓐSOME PIG."
> **Lurvy:** Hey, you're right, Fern! Wilbur is some pig for sure.
> **Fern:** I told you, Uncle! Wilbur is not an ordinary pig. We shouldn't hurt ⓑhim.
> **Mr. Zuckerman:** No. Wilbur is an ordinary pig. But the spider is not an ordinary spider.
> **Mrs. Zuckerman:** Well, one thing is for sure. This is not an ordinary story.

13 윗글의 밑줄 친 ⓐ의 의미로 알맞은 것은?

① 어떤   ② 약간   ③ 대단한
④ 평범한   ⑤ 작은

14 윗글의 밑줄 친 ⓑ가 가리키는 것은?

① Lurvy   ② Wilbur   ③ Fern
④ the spider   ⑤ Mr. Zuckerman

15 윗글의 내용과 일치하는 것은?

① Mr. Zuckerman was Lurvy's uncle.
② SOME PIG meant an ordinary pig.
③ Fern thought Wilbur was some pig.
④ Fern said they should not hurt the spider.
⑤ Lurvy thought Wilbur was an ordinary pig.

- decide 결심하다
- web 거미줄
- surprised 놀란

(Tip)
시간의 흐름상 주어진 문장이 들어갈 곳을 찾는다.
- spin (거미가) 실을 내다 (spun-spun)

(Tip)
동사 want, decide의 목적어로 어떤 형태가 오는지 생각한다.

- for sure 확실히, 틀림없이
- ordinary 평범한

(Tip)
앞 문장에서 him이 가리키는 대상을 찾는다.

(Tip)
Fern은 Wilbur가 평범한 돼지가 아니라고 했다.

(1~2) 다음 글을 읽고, 물음에 답하시오.

> Wilbur was a little pig on Mr. Zuckerman's farm. He was bored and wanted a friend. But all the other animals were too busy. Then one day, he met a spider.
>
> Wilbur: Hi, there. I'm Wilbur. What's your name?
> Charlotte: My name is Charlotte.
> Wilbur: Charlotte. That's a great name.
> Charlotte: Thank you. I agree.
> Wilbur: Your web is really cool.
> Charlotte: Thank you. Uhmmm. Your tail is…well…really curly.

1 윗글의 내용과 일치하도록 다음 표를 완성하시오.

Setting	Mr. Zuckerman's _____
Characters	Wilbur: a little pig Charlotte: _____

2 Q: How did Wilbur feel before he met Charlotte?

A: _____

(3~4) 다음 글을 읽고, 물음에 답하시오.

> Templeton: Did he just make friends with that spider?
> Goose: I think so. I can't believe it.
> Gander: 그는 아무것도 몰라. He's just a silly pig.
> Templeton: Hey, Wilbur. No one likes spiders.
> Wilbur: Huh? I don't get it. Why?
> Goose: She looks scary.
> Gander: Yeah. Look at those hairy legs. Eeeewwwwww!

3 윗글에서 동물들이 거미를 싫어하는 이유 두 가지를 찾아 우리말로 쓰시오.

① _____

② _____

4 윗글의 밑줄 친 우리말을 주어진 단어들을 사용하여 영작하시오.

➡ _____

(know, anything)

5 다음 글을 읽고 요약할 때 빈칸에 알맞은 말을 쓰시오.

> Wilbur later found out the farmers' plan. He was very sad. He didn't want to be the Christmas dinner. So, Charlotte decided to help Wilbur. All night, she spun a web. In the morning, there were two words in her web. The people on the farm were very surprised.
>
> Lurvy: What does "50ME PIG" mean anyway? There's only one pig here.
> Fern: It doesn't say that, Lurvy. It says, "SOME PIG."
> Lurvy: Hey, you're right, Fern! Wilbur is some pig for sure.
> Fern: I told you, Uncle! Wilbur is not an ordinary pig. We shouldn't hurt him.

⬇

> Wilbur didn't want to be the _____ _____. So, Charlotte decided _____ _____ him and spun two words, "_____ _____," in her web. The people on the farm were very _____.

01 다음 문장의 밑줄 친 단어와 바꿔 쓸 수 있는 것은?

> She writes stories about <u>ordinary</u> people.

① scary   ② special
③ popular   ④ common
⑤ famous

02 다음 중 밑줄 친 부분의 의미가 알맞지 <u>않은</u> 것은?

① I am <u>proud of</u> my family.
(~을 자랑스러워하다)

② She <u>came up with</u> a new idea.
(~을 기대했다)

③ They should <u>pay for</u> two tickets.
(지불하다)

④ The stars came out <u>one by one</u>.
(하나씩)

⑤ Many animals are <u>in danger</u> these days.
(위험에 처해 있는)

03 다음 빈칸에 들어갈 알맞은 말을 <보기>에서 골라 쓰시오.

> 보기
>
> silly   curly   whole   rich

(1) Give me the _____ cake, not a piece of it.

(2) When I was young, my hair was _____.

(3) This chocolate has a _____ taste.

(4) Don't ask _____ questions. People will laugh at you.

04 다음 대화의 빈칸에 들어갈 말로 알맞은 것은?

> A: _____
> B: I'm looking for a shirt.
> A: Shirts are right over there.
> B: Thanks.

① Can you help me?
② How can I help you?
③ How about trying it on?
④ What are you going to do?
⑤ Can you recommend a nice shirt?

(05~06) 다음 대화를 읽고, 물음에 답하시오.

> Alex: What did you do during the holidays, Bora?
> Bora: I went to a Korean culture festival in Haenam. I saw Ganggangsullae there.
> Alex: What's Ganggangsullae?
> Bora: It's a kind of Korean traditional dance.
> Alex: Can you tell me more about it?
> Bora: Women sing and dance together in a big circle. I think it's very beautiful.
> Alex: Sounds interesting. I'd like to see it someday.

05 위 대화의 내용과 일치하지 <u>않는</u> 것은?

① Bora went to Haenam.
② Alex wants to see Ganggangsullae.
③ Bora tells Alex about Ganggangsullae.
④ Alex didn't know about Ganggangsullae.
⑤ Bora will go to see Ganggangsullae with Alex someday.

06 위 대화를 읽고, 주어진 질문에 완전한 문장으로 답하시오.

> Q: Where did Bora go during the holidays?
> A: _____

07 다음 대화의 밑줄 친 ①~⑤ 중 흐름상 어색한 것은?

> Woman: May I help you?
> Jiho: ① Yes, please. I'm looking for a T-shirt.
> Woman: ② How about this one? It's the latest style.
> Jiho: It looks great, but do you have another color?
> Woman: ③ Of course. We have it in white, black, and red.
> Jiho: I like the white one. ④ How much is it?
> Woman: It's on sale. It's only $20.
> Jiho: ⑤ Hmm…. That's too expensive.
> Woman: Great choice. Thank you very much.

①   ②   ③   ④   ⑤

08 다음 중 문장 형식이 나머지와 다른 하나는?

① He sent me a postcard.
② She made her friend a cake.
③ I gave my mom some flowers.
④ My dad told me a funny story.
⑤ He wrote a letter to his parents.

09 다음 밑줄 친 비교급의 형태가 바르지 않은 것은?

① Russia is larger than Canada.
② The book is better than the movie.
③ Health is more important than money.
④ The new house is biger than the old one.
⑤ The lemon is more expensive than the apple.

10 다음 표의 내용과 일치하도록 문장을 완성하시오.

whom	what
her sister	a pen

➡ Somi will give _____.

11 다음 중 어법상 옳지 않은 것은?

① She loves taking pictures.
② She couldn't stop laughing.
③ She wants to buy a new bag.
④ He gave up riding his bicycle.
⑤ They finished to swim together.

[12~13] 다음 글을 읽고, 물음에 답하시오.

> One day after school, Julie and Mike were playing catch. (①) Mike became bored and said, "Throw it harder!" (②) Julie agreed. (③) She threw the ball really hard. (④) CRASH! The ball broke Mr. Leigh's living room window! (⑤)
>
> Mr. Leigh came out. Julie's father also heard the sound and came out. Julie and Mike said, "We're very sorry." Julie's father gave Mr. Leigh 40 dollars for the window. Mr. Leigh said, "That's okay. Kids will be kids."
>
> At home, Julie's father said, "I'm not mad at you. But you still have to _____ for the window."

12 윗글의 ①~⑤ 중 주어진 문장이 들어갈 알맞은 곳은?

> The ball flew over Mike's head.

①   ②   ③   ④   ⑤

13 윗글의 빈칸에 들어갈 말의 형태로 알맞은 것은?

① pay   ② paying   ③ paid
④ pays   ⑤ be paid

[14~16] 다음 글을 읽고, 물음에 답하시오.

The next day, Julie told Mike the bad news. Mike asked, "How can we make 40 dollars?" Julie replied, "How about doing a car wash?" Mike agreed. "Okay! I'll make the posters."

The day of the car wash came. At first, no one showed up. But _____ⓐ_____, people came one by one. Julie and Mike worked up a sweat. They washed every little corner of each car. _____ⓑ_____, they washed 21 cars and earned 42 dollars!

14 윗글의 빈칸 ⓐ와 ⓑ에 들어갈 말이 바르게 짝지어진 것은?

① sadly – Therefore　② sadly – In the end

③ luckily – Finally　④ luckily – However

⑤ finally – However

15 윗글의 내용과 일치하는 것은?

① Mike는 Julie에게 세차를 제안했다.

② Julie와 Mike는 42달러가 필요했다.

③ Julie와 Mike는 땀을 흘리며 일했다.

④ 세차 날 사람들이 한 명도 오지 않았다.

⑤ Julie와 Mike는 함께 포스터를 만들었다.

16 윗글의 내용과 일치하도록 다음 빈칸에 알맞은 말을 쓰시오.

> Each car wash was _____ dollars.
> Julie and Mike earned _____ dollars.

[17~19] 다음 글을 읽고, 물음에 답하시오.

This dish is miyeokguk. It's a kind of seaweed soup. I was afraid at first. But when I tried the soup, it had a rich taste. The seaweed ran around in my mouth. It was (A) slippery / more slippery than oil! It was a new taste for me, but I enjoyed (B) eating / to eat it. 무엇보다도, it went great with a bowl of rice. Koreans eat miyeokguk on their birthdays. This tradition comes from mothers. After a child is born, the mother (C) ate / eats miyeokguk for her health. But how do Koreans put candles in it?

17 윗글의 (A)~(C)에서 어법상 알맞은 말이 바르게 짝지어진 것은?

	(A)	(B)	(C)
①	slippery	– to eat	– ate
②	slippery	– eating	– eats
③	more slippery	– eating	– eats
④	more slippery	– eating	– ate
⑤	more slippery	– to eat	– eats

18 윗글의 밑줄 친 우리말에 해당하는 영어 표현으로 알맞은 것은?

① Later　　　　② Anyway

③ At last　　　④ For example

⑤ Above all

19 윗글의 미역국에 관한 내용과 일치하지 <u>않는</u> 것은?

① 해초 수프의 일종이다.

② 밥 한 공기와 잘 어울린다.

③ 한국인들이 생일에 먹는 음식이다.

④ 미끈거리기 때문에 싫어하는 사람이 많다.

⑤ 아이가 태어나면 어머니들이 건강을 위해 먹는다.

(20~22) 다음 글을 읽고, 물음에 답하시오.

Wilbur made a new friend. He was very happy. But the other animals didn't feel the same way.

Templeton: Did he just make friends with that spider?

Goose: I think so. I can't believe it.

Gander: He doesn't know anything. He's just a silly pig.

Templeton: Hey, Wilbur. No one likes spiders.

Wilbur: Huh? ⓐI don't get it. Why?

Goose: ⓑ그녀는 무서워 보여.

Gander: Yeah. Look at those hairy legs. Eeeewwwwww!

Wilbur: I think she's beautiful.

Templeton: I think you need glasses.

Wilbur: I have perfect eyes, thank you. She's beautiful and nice.

20 윗글의 밑줄 친 ⓐ와 바꿔 쓸 수 있는 표현은?

① I don't think so.
② I believe it is true.
③ I think you're right.
④ I can understand it.
⑤ I don't understand it.

21 윗글의 밑줄 친 우리말 ⓑ를 주어진 단어를 사용하여 영어로 쓰시오.

➡ _____

(scary)

22 윗글을 읽고 답할 수 없는 질문은?

① Why was Wilbur happy?
② Who did Wilbur make friends with?
③ Why didn't Templeton like Wilbur?
④ What did Gander think about Wilbur?
⑤ What did Wilbur think about the spider?

서술형 평가

23 다음 주어진 문장을 지시에 맞게 바꿔 쓰시오.

(1) He has to go to school tomorrow.
(부정문으로)

➡ _____

(2) I have to clean my room.
(의문문으로)

➡ _____

(3) I will show my friends this picture.
(3형식으로)

➡ _____

24 다음 그림을 보고, 주어진 단어를 활용하여 두 사람을 비교하는 문장을 완성하시오.

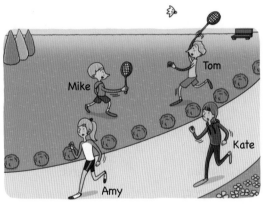

(1) _____ (fast)
(2) _____ (tall)

25 다음 글에서 어법상 틀린 부분을 찾아 바르게 고쳐 쓰시오.

Hi. I'm Sophia from Brazil. I'm a big fan of K-pop. I think it is really great. I enjoy sing many Korean songs. I also learn reading Korean from them.

(1) _____ ➡ _____
(2) _____ ➡ _____

01 다음 중 짝지어진 단어의 관계가 나머지와 <u>다른</u> 하나는?

① silly – stupid ② buy – take
③ mad – angry ④ curly – straight
⑤ surprised – amazed

02 다음 빈칸에 공통으로 들어갈 말로 알맞은 것은?

> • He hit the ball very _____.
> • We have to study _____ in class.

① late ② high
③ hard ④ close
⑤ fast

03 다음 영어 뜻풀이에 해당하는 단어로 알맞은 것은?

> to have the same opinion about something

① reply ② earn
③ mean ④ agree
⑤ expect

04 다음 대화의 빈칸에 들어갈 말로 알맞은 것은?

> A: Can I help you?
> B: _____
> A: How about this one?
> B: It looks great.

① No, thanks.
② I don't need any help.
③ I'm just looking around.
④ Where is the fitting room?
⑤ Yes, I'm looking for a cap.

(05~06) 다음 대화를 읽고, 물음에 답하시오.

> A: Hey, Alice. I'm taking a Korean class these days.
> B: That's wonderful, Brian. How is it?
> A: It's great. Time flies in class.
> B: Really? _____
> A: Sure. We watch popular Korean dramas and shows every class.
> B: Sounds like a fun class!

05 위 대화의 빈칸에 들어갈 말로 알맞은 것은?

① How do you like the class?
② What do you think of the class?
③ What kind of class are you taking?
④ Do you want to know about the class?
⑤ Can you tell me more about the class?

06 위 대화를 읽고 답할 수 <u>없는</u> 질문은?

① How does Brian feel about his class?
② What time does Brian's class start?
③ What class is Brian taking these days?
④ What does Brian do during the class?
⑤ What does Alice think about Brian's class?

07 다음 대화가 자연스럽도록 빈칸에 알맞은 말을 쓰시오.

> A: Excuse me. _____ these sneakers?
> B: They are 20 dollars.
> A: Great. I'll take them.

08 다음 빈칸에 **watching**이 들어갈 수 <u>없는</u> 것은?

① I enjoy _____ movies.

② John loves _____ musicals.

③ My mom finished _____ TV.

④ He likes _____ sports games.

⑤ My dad hopes _____ the show.

09 다음 문장을 의문문으로 바르게 바꾼 것은?

> She has to buy a new computer.

① Do she has to buy a new computer?

② Do she have to buy a new computer?

③ Does she has to buy a new computer?

④ Does she had to buy a new computer?

⑤ Does she have to buy a new computer?

10 다음 표의 내용과 일치하지 <u>않는</u> 것은?

	Sujin	Jinho
Age	13	16
Height	155 cm	170 cm
Weight	40 kg	60 kg

① Jinho is taller than Sujin.

② Jinho is heavier than Sujin.

③ Sujin is shorter than Jinho.

④ Sujin is heavier than Jinho.

⑤ Sujin is younger than Jinho.

11 다음 문장의 밑줄 친 부분과 바꿔 쓸 수 있는 것은?

> The car is <u>much</u> more expensive than the bicycle.

① too   ② very

③ even   ④ a lot of

⑤ many

[12~13] 다음 글을 읽고, 물음에 답하시오.

> <u>Julie와 Mike는 Julie의 아버지께 40달러를 드렸다.</u> He asked, "What did you learn from all this?" Julie said, "We have to (A) take / taking responsibility for our actions." Mike said, "Money doesn't grow on trees." Julie's father smiled and gave them the money back. "I'm very proud of you two. You learned an important lesson, so here's your reward," he said.
>
> At first, Julie and Mike wanted (B) spending / to spend the money on snacks. But they decided (C) putting / to put it in the bank. Why? It's because this won't be their last broken window!

12 윗글의 밑줄 친 우리말을 괄호 안의 단어를 활용하여 영어로 쓰시오.

➡ Julie and Mike _____

_____. (give, to)

13 윗글의 (A)~(C)에서 어법상 알맞은 말이 바르게 짝지어진 것은?

	(A)	(B)	(C)
①	taking	spending	to put
②	taking	to spend	putting
③	take	to spend	to put
④	take	to spend	putting
⑤	take	spending	to put

[14~16] 다음 글을 읽고, 물음에 답하시오.

Special Day: Seollal (New Year's Day)

How do Koreans become a year older? They have ⓐa special way. They eat tteokguk, a rice cake soup, ___ⓑ___ seollal. Eating tteokguk means getting one year older.

Special Day: Chuseok

___ⓒ___ chuseok, Koreans make and eat songpyeon. They give thanks for the year with songpyeon. Making pretty songpyeon means having a pretty child someday.

14 윗글의 밑줄 친 ⓐ에 해당하는 내용으로 알맞은 것은?

① 설날에 송편을 빚는다.
② 설날에 떡국을 먹는다.
③ 떡이 들어간 수프를 만든다.
④ 떡국으로 그 해에 감사를 드린다.
⑤ 새해 첫날에 떡국을 여러 그릇 먹는다.

15 윗글의 빈칸 ⓑ와 ⓒ에 알맞은 말이 바르게 짝지어진 것은?

① at – In
② in – To
③ in – During
④ on – To
⑤ on – During

16 윗글을 읽고 답할 수 <u>없는</u> 질문은?

① What is tteokguk?
② What is songpyeon made of?
③ What does eating tteokguk mean?
④ What do Koreans eat on New Year's Day?
⑤ What does making pretty songpyeon mean?

[17~19] 다음 글을 읽고, 물음에 답하시오.

This chicken dish is samgyetang. (①) "Sam" here means ginseng, not the number three. (②) When I saw the dish, my mouth dropped open. (③) There was a whole chicken in front of me! (④) The chicken soup in my country has little pieces of chicken in it. (⑤) Be careful of the very hot samgyetang. It's hotter than the sun! The meat was very soft. It fell off the bone and flew into my mouth. Samgyetang is much ⓐtasty than chicken soup. Many Koreans enjoy eating samgyetang on really hot days. It's like ⓑfighting fire with fire. No thanks. I recommend ⓒtry it on a cold day.

17 윗글의 ①~⑤ 중 다음 문장이 들어갈 알맞은 곳은?

But don't expect three chickens.

①   ②   ③   ④   ⑤

18 윗글의 밑줄 친 ⓐ와 ⓒ의 올바른 형태를 쓰시오.

ⓐ _____

ⓒ _____

19 윗글의 밑줄 친 ⓑ가 비유한 내용으로 알맞은 것은?

① 삼계탕이 태양보다 더 뜨거운 것
② 삼계탕이 추운 날에 더 맛있는 것
③ 한국인들이 추운 날에 삼계탕을 즐겨 먹는 것
④ 한국인들이 더운 날에 뜨거운 삼계탕을 먹는 것
⑤ 한국인들이 더운 날에 차가운 삼계탕을 먹는 것

[20~22] 다음 글을 읽고, 물음에 답하시오.

Wilbur later found out the farmers' plan. He was very ___ⓐ___. He didn't want to be the Christmas dinner. So, Charlotte decided to help Wilbur. All night, she spun a web. In the morning, there were two words in her web. The people on the farm were very ___ⓑ___.

Lurvy: Am I seeing things?

Fern: I can't believe my eyes.

Mrs. Zuckerman: How can that be possible?

Mr. Zuckerman: I have no idea.

Lurvy: What does "50ME PIG" mean anyway? There's only one pig here.

Fern: It doesn't say that, Lurvy. It says, "SOME PIG."

Lurvy: Hey, you're right, Fern! Wilbur is some pig for sure.

20 윗글의 문맥상 빈칸 ⓐ와 ⓑ에 알맞은 말이 바르게 짝지어진 것은?

① sad – bored   ② sad – surprised

③ glad – worried   ④ happy – sad

⑤ excited – surprised

21 윗글을 읽고 다음 빈칸에 알맞은 말을 쓰시오.

Q: What were the two words in Charlotte's web?

A: They were "_____ _____."

22 윗글의 내용과 일치하는 것은?

① Charlotte은 하루 종일 거미줄을 쳤다.

② Fern은 거미줄의 단어를 보고 놀라지 않았다.

③ Lurvy는 Wilbur가 평범한 돼지라고 생각했다.

④ Wilbur는 농부의 계획을 끝내 알지 못했다.

⑤ Lurvy는 거미줄에 써 있는 SOME PIG를 50ME PIG로 읽었다.

23 다음 우리말을 주어진 단어들을 활용하여 영어로 쓰시오.

(1) Mary는 그에게 아이스크림을 사 주었다.

➡ _____

(buy, an ice cream, for)

(2) 우리는 지구를 구해야 한다.

➡ _____

(have, save the earth)

24 다음 Mike에 대한 내용을 보고, 문장을 완성하시오.

(1) 즐겨 먹는 것	한국 음식
(2) 즐겨 하는 것	친구들과 축구 하기

(1) Mike enjoys _____.

(2) Mike enjoys _____.

25 다음 그림을 보고, 주어진 단어를 활용하여 비교하는 문장을 완성하시오.

There are two pencils on the desk. The blue pencil is (1)_____.(long) There are two balls under the desk. The basketball is (2)_____.(big)

01 다음 빈칸에 공통으로 들어갈 말로 알맞은 것은?

> • Jane loves the sweet _____ of this fruit.
> • I would like to _____ this chocolate cake.

① tasty   ② look
③ flavor   ④ taste
⑤ sound

02 다음 밑줄 친 단어의 쓰임이 알맞지 <u>않은</u> 것은?

① Be careful of <u>slippery</u> roads.
② I ate a <u>piece</u> of cake for lunch.
③ I don't like watching <u>scary</u> movies.
④ We can travel <u>everywhere</u> in the world.
⑤ He was <u>silly</u>, so he could solve the difficult problem.

03 다음 단어의 영어 뜻풀이가 알맞지 <u>않은</u> 것은?

① whole: complete and full
② earn: to pay money for things
③ seaweed: a kind of plant from the sea
④ differently: in a way that is not the same
⑤ creator: a person who makes something new

04 다음 중 짝지어진 대화가 어색한 것은?

① A: What are you interested in?
   B: I'm interested in cooking.
② A: What do you want to be in the future?
   B: I want to be a designer.
③ A: Can I try on these shoes?
   B: Of course. What's your size?
④ A: How much does this backpack cost?
   B: It's on sale. It's only $30.
⑤ A: What do you think of the book?
   B: Please tell me more about it.

(05~06) 다음 대화를 읽고, 물음에 답하시오.

> A: It's finally Friday, Mike.
> B: What are you going to do on the weekend, Somi?
> A: I'm going to go to the Blue Boys concert. I'm a big fan of rock music.
> B: That's great! Where is the concert?
> A: At Olympic Park. What about you? Do you have any plans for the weekend?
> B: Well, <u>I'm going to ride my bike with a friend.</u>

05 위 대화의 밑줄 친 부분과 바꿔 쓸 수 있는 것은?

① I can ride my bike with a friend
② I like to ride my bike with a friend
③ I should ride my bike with a friend
④ I would like to ride my bike with a friend
⑤ I'm planning to ride my bike with a friend

06 위 대화의 내용과 일치하지 <u>않는</u> 것은?

① 소미는 록 음악의 열혈 팬이다.
② Mike는 주말에 자전거를 탈 것이다.
③ 소미는 금요일에 콘서트에 갈 것이다.
④ 콘서트는 올림픽 공원에서 할 것이다.
⑤ 두 사람은 주말 계획에 대해 이야기하고 있다.

07 다음 대화의 밑줄 친 우리말을 영어로 쓰시오.

> A: What are you interested in, Kate?
> B: <u>나는 영화를 만드는 것에 관심이 있어.</u> It's exciting.

➡ _____

08 다음 빈칸에 들어갈 말이 바르게 짝지어진 것은?

> • Sumin decided _____ back before noon.
> • It stopped _____ this morning.

① be – to snow
② being – to snow
③ being – snowing
④ to be – to snow
⑤ to be – snowing

09 다음 문장의 밑줄 친 부분과 바꿔 쓸 수 있는 것은?

> There are a lot of birds in the tree.

① few
② a few
③ a little
④ many
⑤ much

10 다음 중 어법상 옳지 <u>않은</u> 것은?

① Jerry will work for a new company.
② We don't have to wear shoes here.
③ My mother made a sandwich to me.
④ My brother is much heavier than me.
⑤ Mary wanted to tell him the good news.

11 다음 우리말을 영어로 바르게 옮긴 것은?

> 그 수프는 태양보다 더 뜨겁다.

① The soup is hot than the sun.
② The soup is hoter than the sun.
③ The soup is hotter than the sun.
④ The soup is more hot than the sun.
⑤ The soup is more hotter than the sun.

12 다음 문장에서 어법상 <u>틀린</u> 부분을 찾아 바르게 고쳐 쓰시오.

> When she will come back, I will tell her the news.

_____ ➡ _____

[13~14] 다음 글을 읽고, 물음에 답하시오.

> **Reporter Rosie:** The red ball is 4.57 meters _____ ⓐ _____ and _____ ⓑ _____ 113 kilograms. It's a perfect example of public art. Public art jumps out of the museum. It goes into places like parks and streets. The creator of the red ball, Kurt, takes it all over the world. He is here with us today. Can you tell us about it?
>
> **Kurt:** Sure. The red ball is for everyone. It brings joy to people. People play with it, and they become part of the art. People in different countries enjoy it differently. In Sydney, people played with the ball. In London, everyone just looked at the ball and talked about it. People in Taipei followed it everywhere and took pictures of it.

13 윗글의 빈칸 ⓐ와 ⓑ에 들어갈 말이 바르게 짝지어진 것은?

① tall – weighs
② tall – weights
③ big – weighs
④ big – weights
⑤ long – weights

14 윗글의 내용과 일치하도록 빈칸에 알맞은 말을 본문에서 찾아 쓰시오.

> Public art is for _____.
> The red ball is a perfect example of public art. We can enjoy it in _____ ways.

[15~16] 다음 글을 읽고, 물음에 답하시오.

Kevin wanted to be a doctor. He also loved sports. Now, he works as a doctor for a baseball team. Kevin travels all over the country with his team. He takes care of the players <u>when</u> they get hurt. Kevin loves to help the players. He also loves to watch the games up close!

15 윗글의 밑줄 친 **when**과 의미가 같은 것은?

① When is your birthday?
② When do you eat breakfast?
③ I don't know when to go.
④ I want to know when he will arrive.
⑤ I liked playing sports when I was young.

16 윗글의 **Kevin**에 대한 내용과 일치하는 것은?

① 야구 선수가 되고 싶었다.
② 야구팀 코치로 일하고 있다.
③ 팀과 함께 전 세계를 여행한다.
④ 선수들을 돕는 것을 좋아한다.
⑤ 멀리서 경기를 보는 것을 좋아한다.

[17~18] 다음 글을 읽고, 물음에 답하시오.

At home, Julie's father said, "I'm not mad at you. But you still have to pay for the window."

The next day, Julie told Mike ⓐ<u>the bad news</u>. Mike asked, "How can we make 40 dollars?" Julie replied, "How about doing a car wash?" (①) Mike agreed. "Okay! I'll make the posters." (②)

The day of the car wash came. (③) But luckily, people came one by one. (④) Julie and Mike worked up a sweat. (⑤) They washed every little corner of each car. In the end, they washed 21 cars and earned 42 dollars!

17 윗글의 밑줄 친 ⓐ가 가리키는 내용으로 알맞은 것은?

① Julie와 Mike는 땀 흘려 일해야 한다.
② Mike는 세차를 위해 포스터를 만들어야 한다.
③ Julie의 아버지는 Julie에게 화가 나셨다.
④ Julie와 Mike는 창문 값으로 40달러를 지불해야 한다.
⑤ Julie와 Mike는 돈을 벌기 위해 세차를 해야 한다.

18 윗글의 ①~⑤ 중 주어진 문장이 들어갈 알맞은 곳은?

At first, no one showed up.

① ② ③ ④ ⑤

[19~20] 다음 글을 읽고, 물음에 답하시오.

This chicken dish is samgyetang. But don't expect three chickens. "Sam" here means ginseng, not the number three. When I (A) saw / heard the dish, my mouth dropped open. There was a whole chicken in front of me! The chicken soup in my country has little pieces of chicken in it. Be careful of the very (B) hot / cold samgyetang. It's hotter than the sun! The meat was very (C) hard / soft. It fell off the bone and flew into my mouth. Samgyetang is much tastier than chicken soup. Many Koreans enjoy eating samgyetang on really hot days. It's like fighting fire with fire. No thanks. I recommend trying it on a cold day.

19 윗글의 (A)~(C)에서 알맞은 말이 바르게 짝지어진 것은?

(A)　　(B)　　(C)
① saw – hot – hard
② saw – hot – soft
③ saw – cold – soft
④ heard – hot – hard
⑤ heard – cold – soft

20 윗글을 읽고 답할 수 없는 질문은?

① What kind of food is samgyetang?

② What does "sam" mean in samgyetang?

③ Why is samgyetang popular around the world?

④ When do many Koreans enjoy eating samgyetang?

⑤ Does the writer like to eat samgyetang in summer?

[21~22] 다음 글을 읽고, 물음에 답하시오.

> Sheep: (A) Be / Being nice to the pig. He doesn't have much time anyway.
>
> Wilbur: What do you mean? I have a lot of time.
>
> Sheep: The farmers give you (B) many / lots of food. There is a reason for that.
>
> Wilbur: Because they like me?
>
> Sheep: Silly pig. They are (C) preparing / prepared you for the Christmas dinner.
>
> Wilbur: Great! I love Christmas and I love dinner.
>
> Templeton: You are the Christmas din....
>
> Goose&Gander: (to Templeton) Shhh! That's enough. Not another word.

21 윗글의 (A)~(C)에서 어법상 옳은 것을 골라 쓰시오.

(A) _____ (B) _____

(C) _____

22 윗글의 내용과 일치하지 <u>않는</u> 것은?

① 농부들은 Wilbur를 좋아했다.

② Sheep은 Wilbur에게 어리석다고 말했다.

③ 농부들은 Wilbur에게 많은 음식을 주었다.

④ Wilbur에게는 시간이 많이 남아 있지 않았다.

⑤ Templeton은 Wilbur에게 진실을 말하려고 했다.

서술형 평가

23 다음 우리말과 같도록 주어진 단어들을 바르게 배열하시오.

(1) Mike는 좋은 계획을 생각해 낼 것이다.

➡ _____

(come, Mike, with, a, plan, up, good, will)

(2) 나는 그에게 이 그림을 보여 주고 싶다.

➡ _____

(want, this, to, show, him, I, painting)

24 다음 친구들의 취미를 보고, 주어진 단어를 활용하여 문장을 완성하시오.

Eric	바이올린 연주하기
John	친구들과 야구하기
Sally	음악 듣기

(1) Eric _____. (love)

(2) John _____. (like)

(3) Sally _____. (enjoy)

25 다음 글을 읽고, 주어진 질문에 완전한 문장으로 답하시오.

> Rahul loved to sing. He sang on the way to school. He sang in the shower. He even sang in his sleep! When Rahul was in middle school, he acted in a school play. At that time, he fell in love with acting, too. Rahul is now an actor in musicals. He's a great singer, but he has two left feet.

(1) What does Rahul do for a living?

➡ _____

(2) When did Rahul act in a school play?

➡ _____

01 다음을 듣고, this가 가리키는 것으로 가장 적절한 것을 고르시오.

02 대화를 듣고, 여자의 장래 희망을 고르시오.

03 다음을 듣고, 서울의 내일 날씨로 가장 적절한 것을 고르시오.

① rainy   ② warm   ③ sunny
④ snowy   ⑤ windy

04 대화를 듣고, 남자가 관심 있어 하는 것을 고르시오.

① 운동   ② 독서   ③ 요리
④ 그림 그리기   ⑤ 사진 촬영

05 대화를 듣고, 두 사람이 대화하고 있는 장소로 가장 적절한 곳을 고르시오.

① library   ② market   ③ stadium
④ classroom   ⑤ amusement park

06 다음을 듣고, 현장학습에 대해 언급되지 않은 것을 고르시오.

① 장소   ② 모이는 시간
③ 활동 시간   ④ 활동 주제
⑤ 준비물

07 대화를 듣고, 남자의 마지막 말에 담긴 의도를 고르시오.

① 기원   ② 위로   ③ 불평
④ 초대   ⑤ 감사

08 다음을 듣고, 그림의 상황에 어울리는 대화를 고르시오.

①   ②   ③   ④   ⑤

09 대화를 듣고, 남자의 마지막 말에 나타난 심정으로 가장 적절한 것을 고르시오.

① 기쁨   ② 긴장됨   ③ 미안함
④ 아쉬움   ⑤ 고마움

10 대화를 듣고, 이번 주 토요일에 두 사람이 할 일을 고르시오.

11 대화를 듣고, 남자가 할아버지를 방문하기로 한 요일을 고르시오.

① 화요일　　② 수요일　　③ 목요일
④ 금요일　　⑤ 토요일

12 대화를 듣고, 남자가 여자에게 전화한 이유를 고르시오.

① 사과하려고　　　② 파티에 초대하려고
③ 약속을 변경하려고　④ 고마움을 전하려고
⑤ 도움을 요청하려고

13 다음을 듣고, 두 사람의 대화가 <u>어색한</u> 것을 고르시오.

① 　　② 　　③ 　　④ 　　⑤

14 대화를 듣고, 두 사람의 관계로 가장 적절한 것을 고르시오.

① 학생 – 학생　　　② 아버지 – 딸
③ 교사 – 학부모　　④ 점원 – 손님
⑤ 의사 – 환자

15 다음을 듣고, 주어진 말이 응답으로 나올 수 있는 질문을 고르시오.

> I want to be an English teacher.

① 　　② 　　③ 　　④ 　　⑤

16 대화를 듣고, 두 사람이 만날 시각을 고르시오.

① 9:30　　② 10:00　　③ 10:30
④ 11:00　　⑤ 11:30

17 대화를 듣고, 남자가 지불해야 할 금액을 고르시오.

① $1　　② $2　　③ $3
④ $4　　⑤ $5

18 다음을 듣고, 민수에 관한 내용과 일치하지 <u>않는</u> 것을 고르시오.

① 장래 희망이 작가이다.
② 독서를 좋아한다.
③ 단편 소설 쓰는 것에 관심이 있다.
④ 꿈을 이루기 위해 책을 많이 읽는다.
⑤ 꿈을 이루기 위해 작가들을 많이 만난다.

[19~20] 대화를 듣고, 남자의 마지막 말에 이어질 여자의 응답으로 가장 적절한 것을 고르시오.

19 Woman: _____

① Have fun!
② OK, I will. Thanks.
③ I want to be a doctor.
④ Really? What's wrong?
⑤ I'm happy to hear that.

20 Woman: _____

① Sorry, I can't.
② I think so, too.
③ I don't agree with you.
④ This is going to be a great game!
⑤ I think they have better teamwork.

01 대화를 듣고, 부산의 날씨를 고르시오.

① ② ③

④ ⑤

02 대화를 듣고, 두 사람이 무엇에 관해 이야기하고 있는지 고르시오.

① 취미 ② 날씨
③ 장래 희망 ④ 주말 계획
⑤ 현장학습

03 다음을 듣고, 그림의 상황에 어울리는 대화를 고르시오.

① ② ③ ④ ⑤

04 대화를 듣고, 남자의 마지막 말에 담긴 의도를 고르시오.

① 감사 ② 사과 ③ 요청
④ 기원 ⑤ 위로

05 대화를 듣고, 두 사람이 무엇을 하고 있는지 고르시오.

① 약속 정하기 ② 여행 일정표 짜기
③ 안부 묻고 답하기 ④ 동아리 활동 계획하기
⑤ 장래 희망 묻고 답하기

06 대화를 듣고, 남자가 잠자리에 들게 될 시각을 고르시오.

① 10:00 ② 10:30 ③ 11:00
④ 11:30 ⑤ 12:00

07 대화를 듣고, 여자의 장래 희망으로 가장 적절한 것을 고르시오.

① 가수 ② 교사 ③ 작가
④ 무용수 ⑤ 뮤지컬 배우

08 대화를 듣고, 남자의 생일이 언제인지 고르시오.

NOVEMBER						11
SUN	MON	TUE	WED	THU	FRI	SAT
					1	2
3 ①	4	5 ②	6	7 ③	8	9 ④
10	11 ⑤	12	13	14	15	16
17	18	19	20	21	22	23
24	25	26	27	28	29	30

09 대화를 듣고, 여자가 가져갈 물건이 <u>아닌</u> 것을 고르시오.

① 재킷 ② 모자 ③ 티셔츠
④ 우산 ⑤ 선글라스

10 대화를 듣고, 대화가 끝난 후에 여자가 할 일로 가장 적절한 것을 고르시오.

① 빵 굽기 ② 제빵사 구역에 가기
③ 옷 만들기 ④ 옷 가게 가기
⑤ 패션 디자이너 구역에 가기

11 대화를 듣고, 두 사람의 관계로 가장 적절한 것을 고르시오.

① 의사 – 환자 ② 교사 – 학생
③ 점원 – 고객 ④ 아버지 – 딸
⑤ 친구 – 친구

12 대화를 듣고, 남자가 여자에게 전화를 건 목적으로 가장 적절한 것을 고르시오.

① 안부를 묻기 위해서
② 카메라를 빌리기 위해서
③ 여행을 같이 가기 위해서
④ 시험공부를 같이 하기 위해서
⑤ 짐을 다 쌌는지 물어보기 위해서

13 대화를 듣고, 두 사람이 주문할 것이 <u>아닌</u> 것을 고르시오.

① 주스 ② 햄버거
③ 감자튀김 ④ 샌드위치
⑤ 다이어트 콜라

14 대화를 듣고, 여자가 늦은 이유로 가장 적절한 것을 고르시오.

① 늦게 일어나서
② 시계가 고장 나서
③ 약속을 잊어버려서
④ 영화표를 찾느라 시간이 걸려서
⑤ 영화 시작 시간을 잘못 알고 있어서

15 대화를 듣고, 남자가 가려는 장소를 고르시오.

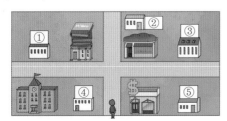

16 대화를 듣고, 여자가 남자에게 제안한 것으로 가장 적절한 것을 고르시오.

① 수상 스키 타기
② 전통 무용 배우기
③ 전통 음식 먹어 보기
④ 스쿠버 다이빙 배우기
⑤ 전통 의상 입고 사진 찍기

17 다음을 듣고, 남자가 하고자 하는 말을 고르시오.

① Dance freely.
② Exercise every day.
③ Listen to your friends.
④ Don't give up your dream.
⑤ Get up early every morning.

18 다음을 듣고, 주어진 상황에서 당신이 친구에게 할 말로 알맞은 것을 고르시오.

① Do you like reading books?
② Can you help me study for the exam?
③ Sure. I'll go to the library this afternoon.
④ I'm going to the library. Will you join me?
⑤ I'm sorry, but I have to study for the exam.

[19~20] 대화를 듣고, 여자의 마지막 말에 이어질 남자의 응답으로 가장 적절한 것을 고르시오.

19 Man: _____

① I don't like to go shopping.
② I'll be a great movie director.
③ I'm interested in making clothes.
④ He is my favorite fashion designer.
⑤ I'm going to watch a fashion show.

20 Man: _____

① That's a good idea.
② OK. Let's go there, then.
③ Do you like Italian food?
④ Why don't we go there next time?
⑤ What do you think about the restaurant?

01 다음을 듣고, 그림을 바르게 설명한 것을 고르시오.

①   ②   ③   ④   ⑤

02 대화를 듣고, 두 사람이 내일 할 운동으로 가장 적절한 것을 고르시오.

① 조깅   ② 탁구   ③ 테니스
④ 수영   ⑤ 배드민턴

03 다음을 듣고, 내일 날씨로 가장 적절한 것을 고르시오.

①    ②

③    ④

⑤

04 대화를 듣고, 두 사람이 만날 시각으로 가장 적절한 것을 고르시오.

① 2:30   ② 3:00   ③ 3:30
④ 4:00   ⑤ 4:30

05 대화를 듣고, 남자가 배우고 싶어 하는 것으로 가장 적절한 것을 고르시오.

① 외국어   ② 요리   ③ 노래
④ 춤   ⑤ 그림

06 대화를 듣고, 두 사람이 대화하고 있는 장소를 고르시오.

① 동물원   ② 학교   ③ 백화점
④ 음식점   ⑤ 동물 병원

07 대화를 듣고, 남자의 직업으로 가장 적절한 것을 고르시오.

① 교사   ② 사서   ③ 경찰
④ 경비원   ⑤ 서점 직원

08 다음을 듣고, 두 사람의 대화가 어색한 것을 고르시오.

①   ②   ③   ④   ⑤

09 대화를 듣고, 여자가 남자에게 부탁한 일을 고르시오.

① 등산 같이 가기
② 동생과 놀아 주기
③ 고양이 돌봐 주기
④ 등산복 빌려 주기
⑤ 등산 장소 추천해 주기

10 다음을 듣고, 주어진 말이 응답으로 나올 수 있는 질문을 고르시오.

> Let's meet in front of the theater.

①   ②   ③   ④   ⑤

11 대화를 듣고, 여자의 마지막 말에 담긴 의도를 고르시오.

① 축하   ② 기원   ③ 조언
④ 사과   ⑤ 비난

12 대화를 듣고, 여자가 지불할 금액으로 가장 적절한 것을 고르시오.

soup	$3.5
salad	$4
pasta	$7
steak	$12

① $7　　② $10.5　　③ $11
④ $14.5　　⑤ $15.5

13 대화를 듣고, 두 사람이 만나기로 약속한 장소를 고르시오.

① 집 앞　　② 교실　　③ 지하철역
④ 학교 앞　　⑤ 스케이트장 앞

14 대화를 듣고, 여자가 남자에게 챙기라고 조언한 것들이 모두 짝지어진 것을 고르시오.

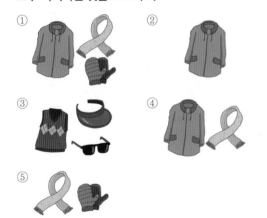

15 대화를 듣고, 여자가 남자에게 제안한 것으로 가장 적절한 것을 고르시오.

① 청소하기　　② 창문 열기
③ 난방기 켜기　　④ 함께 산책하기
⑤ 밖에 나갔다 오기

16 다음을 듣고, 남자에 대해 언급되지 <u>않은</u> 것을 고르시오.

① 이름　　② 나이
③ 사는 곳　　④ 학교 이름
⑤ 좋아하는 것

17 대화를 듣고, 남자가 기뻐하는 이유로 가장 적절한 것을 고르시오.

① 카메라를 선물 받아서
② 다음 주에 형이 돌아와서
③ 미국으로 여행을 가게 되어서
④ 이번 주가 자신의 생일이어서
⑤ 갖고 싶은 물건을 살 수 있게 되어서

18 대화를 듣고, 남자가 미국에 머무를 기간으로 가장 적절한 것을 고르시오.

① 7일　　② 9일　　③ 11일
④ 13일　　⑤ 15일

[19~20] 대화를 듣고, 남자의 마지막 말에 이어질 여자의 응답으로 가장 적절한 것을 고르시오.

19 Woman: _____

① Don't worry. You can do it.
② How about becoming a chef?
③ Why don't you join a sports club?
④ So, your favorite food is spaghetti.
⑤ I think you'll be a good soccer player.

20 Woman: _____

① I love travelling, too.
② That's a good hobby.
③ What do you collect?
④ Yes, I do. I collect coins.
⑤ I travelled around the world.

Better late than never.

Memo

Memo

MIDDLE SCHOOL ENGLISH
교과서 평가문제집
1-❷

정답 및 해설

동아출판

5 Art for All

Words Test

1 (1) 예술가 (2) 신이 난, 흥분한 (3) 거대한, 막대한
(4) 주먹으로 치다, 때리다 (5) 모든 곳(에), 어디나
(6) 그러고는; 그때 (7) 거대한 (8) ~처럼 들리다
(9) 완벽한; ~에 꼭 알맞은 (10) 주말

2 (1) bounce (2) concert (3) time (4) public
(5) finally (6) theater (7) museum (8) surprised
(9) plan (10) remember

3 (1) differently (2) jump (3) perfect (4) serious
(5) creator

4 (1) look like (2) all over the world
(3) on his way to (4) roll into

5 (1) stadium (2) reporter (3) Public art (4) real
(5) used paper

3 (1) 같지 않은 방법으로
(2) 공중으로 스스로를 밀어 올리다
(3) 오류나 결점이 없는
(4) 농담을 하거나 웃기지 않는
(5) 새로운 무언가를 만드는 사람

4 (1) 너는 영화배우처럼 보인다.
(2) 그는 전 세계를 여행하고 싶어 한다.
(3) 그는 그녀의 집으로 가는 길에 꽃을 조금 샀다.
(4) 커다란 빨간 공이 내일 올림픽 공원으로 굴러 들어
올 것이다.

Listening&Speaking Test

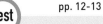

01 ④ 02 ② 03 ⑤ 04 ④ 05 What are you
going to do this weekend 06 ⑤ 07 ⑤ 08 (B)-
(A)-(C)-(D) 09 ② 10 are going to meet at 3:30

01 A: 나는 휴가 때 제주도에 갈 거야.
B: 거기에서 무엇을 할 거니?
A: 나는 하이킹을 하러 갈 거야.
→ A가 제주도에서 무엇을 할 것인지 말하고 있으므로 그곳에
서의 계획을 묻는 표현이 적절하다. '무엇'이라는 뜻의 의문사
what을 써서 What are you going to do ~?로 말한다.

02 A: 너는 몇 시에 만나고 싶니?
B: 12시는 어때?
A: 좋아. 그때 봐.
① 너는 어때? ③ 서점이 어때? ④ 저녁을 먹자.
⑤ 공원 앞에서 만나자.
→ 몇 시에 만날지 약속 시간을 묻는 말에 구체적인 시간을
제안하는 표현이 알맞다.

03 A: 너는 주말에 무슨 계획이 있니?
B: 나는 가족과 캠핑을 하러 갈 거야.
→ be going to는 '~할 것이다'라는 뜻으로 가까운 미래의
계획을 말할 때 사용하는 표현이다.

04 A: Jane, 함께 박물관에 가자.
B: 그래. 우리 몇 시에 만날까?
①, ③ 우리 언제 만날까? ② 너는 언제 만나고 싶니?
④ 너는 어디에서 만나고 싶니? ⑤ 너는 몇 시에 만
나고 싶니?
→ What time should we meet?은 약속 시간을 정할 때
사용하는 표현이다. ④는 약속 장소를 물어볼 때 사용하는 표
현이므로 바꿔 쓸 수 없다.

05 A: 너는 이번 주말에 무엇을 할 거니?
B: 나는 Blue Boys 콘서트에 갈 거야.
→ 의문사 what과 「be going to+동사원형」을 이용하여 이
번 주말에 무엇을 할 것인지 계획을 묻는 말을 완성한다.

06 A: 7시에 만나자.
B: _____
① 물론이야. ② 미안하지만 안 돼.
③ 그래. 그때 보자. ④ 좋아! ⑤ 재미있을 것 같아.
→ Let's ~.는 '~하자'라는 뜻으로 상대방에게 제안하는 표
현이다. ⑤는 제안에 승낙하거나 거절하는 표현으로 알맞지
않다.

07 A: 너의 이번 주 금요일 계획은 뭐니?
B: _____
① 나는 TV를 볼 거야.
② 나는 쇼핑을 하러 갈 계획이야.
③ 나는 조부모님을 방문하고 싶어.
④ 나는 내 친구들을 만날 계획이 있어.
⑤ 나는 남동생과 공원에 갔어.
→ 계획을 묻는 질문에 과거에 한 일을 언급하는 것은 적절하
지 않다.

08 (B) Jenny, 오늘 밤에 저녁 먹으러 나가자.
(A) 그래. 우리 몇 시에 만날까?
(C) 6시는 어때?
(D) 좋아! 그때 봐.

→ 오늘 밤에 할 일을 제안하고 승낙한 뒤에 만날 시간을 정하는 흐름이 자연스럽다.

[09-10]
A: Amy, 오늘 오후에 나와 영화 볼래? 나는 The Runners의 표가 있어.
B: 물론이지. 나는 액션 영화를 매우 좋아해. 영화는 몇 시에 시작하니?
A: 오후 4시에 시작해. 우리 몇 시에 만날까?
B: 3시 30분은 어때?
A: 좋아! 영화관 앞에서 만나자.
B: 좋아. 거기서 봐.

09 → 주어진 문장은 영화가 몇 시에 시작하는지 묻는 말이므로 오후 4시에 시작한다는 대답 앞에 오는 것이 자연스럽다.

10 그들은 몇 시에 만날 것인가?
→ 3시 30분에 만나자는 B의 제안에 A가 Sounds great! 이라고 긍정의 대답을 했으므로 두 사람이 만날 시간은 3시 30분임을 알 수 있다.

Listening&Speaking 서술형 평가
p. 14

1 am going to play basketball
2 is going to play the piano
3 (1) What time should we meet
    (2) Where do you want to meet
4 (1) He is going to do his homework.
    (2) He is going to watch TV at 2:00 p.m.
    (3) He is going to go hiking (with his dad).
5 (1) go see a movie with me tomorrow
    (2) How(What) about
    (3) meet in front of the movie theater

1 A: 민수야, 이번 주 일요일에 무엇을 할 거니?
   B: 나는 친구들과 농구를 할 거야.
   → 이번 주 일요일의 계획을 묻고 있으므로 「be going to+동사원형」을 사용하여 답한다. '농구를 하다'는 play basketball로 쓴다.

2 A: Mary는 방과 후에 무엇을 할 거니?
   B: 그녀는 방과 후에 피아노를 칠 거야.
   → Mary의 방과 후 계획을 묻는 말에 「be going to+동사원형」의 형태로 답한다. 주어인 She가 3인칭 단수이므로 be 동사는 is로 쓴다.

3 A: Blue Boys 콘서트에 가자.
   B: 그래. 우리 몇 시에 만날까?
   A: 6시는 어때?
   B: 좋아! 너는 어디에서 만나고 싶니?
   A: 버스 정류장에서 만나자.
   B: 그래. 거기서 봐.
   → 만날 시간과 장소를 정할 때 의문사 what time과 where를 사용하여 What time should we meet?, Where do you want to meet?으로 말할 수 있다.

4 (1) Mike는 오전 9시에 무엇을 할 것인가?
    → 그는 숙제를 할 것이다.
    (2) Mike는 몇 시에 TV를 볼 것인가?
    → 그는 오후 2시에 TV를 볼 것이다.
    (3) Mike는 오후 5시에 그의 아빠와 무엇을 할 것인가?
    → 그는 (아빠와) 하이킹을 하러 갈 것이다.
    → Mike의 일요일 계획표를 보고 「be going to+동사원형」을 사용하여 계획을 말하는 문장을 쓴다.

5 Nick: Jane, 내일 나와 영화 보러 가자.
   Jane: 물론이야. 너는 언제 만나고 싶니?
   Nick: 2시는 어때?
   Jane: 좋아.
   Nick: 극장 앞에서 만나자.
   Jane: 그래. 거기서 봐.
   → '~하자'라는 뜻으로 상대방에게 무언가를 제안할 때 「Let's+동사원형 ~.」으로 말한다. 구체적인 시간을 제안할 때는 '~는 어떠니?'라는 뜻의 How(What) about ~?으로 말한다.

Grammar Test
pp. 16-18

01 (1) will (2) many (3) will be (4) a few (5) help
02 (1) much (2) a little (3) a few (4) many   03 (1) arrives → arrive (2) many → much (3) a little → a few / some (4) not will → will not   04 (1) little (2) A few (3) a little   05 (1) She will not(won't) clean her room. (2) Will they bring a lot of tomatoes? (3) Mary will study English with her friend.   06 ②   07 ④   08 ③   09 ②   10 will be   11 finishes → finish   12 ④   13 ②   14 ③   15 Sally will get up early tomorrow morning.

01 (1) 우리는 새 집을 지을 것이다.
    (2) James는 친구가 많다.
    (3) 내일 아침에는 맑을 것이다.
    (4) 식탁 위에 바나나가 몇 개 있다.
    (5) 내가 네 숙제를 도와줄 것이다.

→ (1), (3), (5) 조동사 will은 미래의 일을 나타내며 뒤에는 항상 동사원형이 온다.

(2), (4) 셀 수 있는 명사 friends, bananas 앞에는 수량형용사 many와 a few가 쓰인다.

02 (1) 나는 차를 많이 마시지 않는다.
(2) 나는 수프에 소금을 조금 넣었다.
(3) 그는 쿠키를 조금 원한다.
(4) 그녀는 많은 책을 살 것이다.
→ (1) 셀 수 없는 명사 tea가 쓰였으므로 a lot of를 much로 바꿔 쓸 수 있다.

(2), (3) some 뒤에 셀 수 없는 명사(salt)가 오면 a little, 셀 수 있는 명사(cookies)가 오면 a few로 바꿔 쓸 수 있다.

(4) lots of는 셀 수 있는 명사와 셀 수 없는 명사를 모두 수식한다. books가 셀 수 있는 명사이므로 many로 바꿔 쓸 수 있다.

03 (1) 그 기차는 정오에 도착할 것이다.
(2) 너는 하루에 우유를 얼마나 마시니?
(3) 방 안에 의자가 몇 개 있다.
(4) 그는 내일 공원에 가지 않을 것이다.
→ (1) 조동사 will 뒤에는 동사원형이 온다.
(2) milk는 셀 수 없는 명사이므로 much로 쓴다.
(3) chairs는 셀 수 있는 명사이므로 a few나 some을 쓴다. some은 셀 수 있는 명사와 셀 수 없는 명사를 모두 수식할 수 있다.
(4) 조동사 will의 부정은 will 뒤에 not을 써서 「will not+동사원형」의 형태로 쓴다.

04 → (1) '거의 없는'의 뜻으로 셀 수 없는 명사(free time) 앞에 쓰이는 수량형용사는 little이다.
(2), (3) '조금 있는'의 뜻으로 셀 수 있는 명사(students) 앞에 쓰이는 수량형용사는 a few, 셀 수 없는 명사(juice) 앞에 쓰이는 수량형용사는 a little이다.

05 (1) 그녀는 방을 청소할 것이다.
(2) 그들은 토마토를 많이 가져올 것이다.
(3) Mary는 그녀의 친구와 영어를 공부한다.
→ (1), (2) 조동사 will의 부정문은 「주어+will not(won't)+동사원형 ~.」으로, 의문문은 「Will+주어+동사원형 ~?」으로 쓴다.
(3) 현재시제 문장을 미래시제로 바꿀 때는 조동사 will을 쓰고 그 뒤에 동사원형을 쓴다.

06 Jack은 주말에 삼촌의 농장을 방문할 것이다.
→ 이전에 계획된 미래의 일을 나타내는 be going to는 조동사 will과 바꿔 쓸 수 있다.

07 수진이는 _____ 콘서트에 갈 것이다.
→ will은 미래를 나타내는 부사(구)와 함께 쓰인다. ④ last

Sunday는 과거를 나타내는 부사구이므로 빈칸에 알맞지 않다.

08 • 그 호수에는 물이 거의 없다.
• 나는 그들에 관한 몇 가지 질문이 있다.
→ water는 셀 수 없는 명사이므로 앞에 a little과 little이 올 수 있고, questions는 셀 수 있는 명사이므로 a few, few, some이 올 수 있다.

09 그녀는 거기에서 많은 사진을 찍을 것이다.
→ 조동사 will의 의문문은 「Will+주어+동사원형 ~?」의 형태로 쓴다.

10 수호는 지금 11살이다. 그는 내년에 12살이 될 것이다.
→ 미래를 나타내는 부사구 next year(내년)가 있으므로 조동사 will을 쓰고 뒤에는 동사원형을 쓴다.

11 너는 언제 숙제를 끝마칠 거니?
→ 조동사 will이 있는 의문문이므로 동사원형 finish를 써야 한다.

12 수지야, 나와 함께 쇼핑하러 가자. 나는 몇 벌의 티셔츠가 필요해.
→ 쇼핑을 가자고 제안하고 있으므로 티셔츠 몇 벌이 필요함을 알 수 있다. 빈칸 뒤에 셀 수 있는 명사의 복수형인 T-shirts가 쓰였으므로 a few가 알맞다.

13 A: 너는 Eric의 생일 파티에 갈 거니?
B: 아니, 안 갈 거야. 나는 시험공부를 해야 해. 너는 어때?
A: 나는 거기 갈 거야. 나는 어제 그의 생일 선물을 샀어.
B: 그곳에서 좋은 시간 보내렴!
→ 조동사 will이 쓰인 의문문에 부정의 대답을 할 때 No, I won't.로 말한다.

14 ① 그녀는 몇 자루의 펜이 필요하다.
② Kate는 우유를 조금 마실 것이다.
③ 그 상점에는 옷이 많이 있다.
④ 그는 약간의 꽃을 사고 싶어 한다.
⑤ 많은 아이들이 해변에서 놀고 있다.
→ a little 뒤에는 셀 수 없는 명사, a few 뒤에는 셀 수 있는 명사가 온다. a lot of 뒤에는 셀 수 있는 명사와 셀 수 없는 명사가 모두 올 수 있다. much는 셀 수 없는 명사 앞에 쓰인다.
① a little → a few/some ② a few → a little
④ a little → a few/some ⑤ Much → Many

15 → '~할 것이다'라는 뜻의 조동사 will 뒤에 '일어나다'라는 뜻의 동사 get up을 써서 영작한다.

Grammar 서술형 평가

1 (1) Tom has a few(some) pencils.
   (2) Kate has many(a lot of/lots of) dolls.
   (3) Emma needs a little(some) water.

2 will be in the park, will come and see them, will not(won't) move

3 (1) a little → a few
   (2) will be not → will not be

4 a little, a few, a little, much

5 (1) will take a walk
   (2) will go fishing with his dad
   (3) will play badminton in the park

1 → (1) pencil이 셀 수 있는 명사이므로 수량형용사 a few나 some을 쓴다.
   (2) doll이 셀 수 있는 명사이므로 수량형용사 many를 쓴다. many 대신 a lot of나 lots of를 쓸 수도 있다.
   (3) water는 셀 수 없는 명사이므로 a little이나 some을 쓴다.

2 1,600마리의 판다가 공원에 있다. 많은 사람들이 와서 그것들을 본다. 한 예술가가 재활용 종이로 그것들을 만들었다. 그래서 그것들은 움직이지 않는다.
   → 조동사 will 뒤에는 동사원형이 와야 하므로 will 뒤에 각각 be, come and see를 써서 문장을 완성한다. 부정형은 「will not(won't)+동사원형」의 형태로 쓴다.

3 저는 레드볼을 정말 좋아해요! 친구들과 저는 그것을 주먹으로 몇 번 쳤어요. 그러고는 우리는 공에 뛰어들어 튕겨 나오기도 했어요. 이 공은 이곳에 영원히 있지는 않을 거예요. 그러니 오늘 오세요.
   → times는 '~ 번'이라는 뜻의 셀 수 있는 명사로 사용되었다. 따라서 a little을 a few로 고쳐 써야 한다. 조동사 will의 부정형은 will 뒤에 not을 쓴다.

4 아침에 나는 약간의 차와 빵을 먹었다. 점심으로 나는 약간의 우유와 쿠키 몇 개를 먹었다. 저녁에 나는 매우 배가 고팠다. 그래서 너무 많은 음식을 먹었다.
   → bread와 milk는 셀 수 없는 명사이므로 a little을, cookies는 셀 수 있는 명사의 복수형이므로 a few를 쓴다. food는 셀 수 없는 명사이므로 much를 쓴다.

5 → 내일의 계획을 말하고 있으므로 미래의 일을 나타내는 조동사 will을 사용하여 「주어+will+동사원형 ~.」의 형태로 쓴다. '산책하다'는 take a walk, '낚시하러 가다'는 go fishing, '배드민턴을 치다'는 play badminton으로 표현한다.

Reading Test

01 ④   02 a giant red ball   03 ③   04 ⑤   05 ②
06 ④   07 ③   08 ⑤   09 museum, parks, streets
10 ③   11 ⓐ different ⓑ differently   12 ⑤   13 ②
14 ①   15 will be here until this Sunday

[01-02]

Rosie 기자: 오늘 아침 거대한 빨간 공이 Bordeaux로 굴러 들어왔습니다. 공 주위의 사람들이 매우 신나고 놀라 보입니다. 그들 중 몇 명과 이야기해 보겠습니다.

01 → 마지막 문장에서 레드볼을 보고 놀란 사람들 중 몇 명과 이야기해 보겠다고 했으므로 주어진 글 다음에 인터뷰 내용이 나올 것이다.

02 → it은 앞 문장에 나온 '거대한 빨간 공'을 가리킨다.

[03-06]

Pierre(38살, 요리사): 직장으로 가는 길에, 저는 거대한 빨간 공을 봤어요! 그것은 거대한 물놀이 공처럼 보였어요. 저는 '도대체 저게 무엇일까?'라고 생각했어요. 저는 제 눈을 믿을 수 없었어요.
Nicole(14살, 학생): 저는 이 공이 정말 좋아요! 친구들과 저는 그것을 주먹으로 몇 번 쳤어요. 그러고는 우리는 공에 뛰어들어 튕겨 나오기도 했어요. 이 공은 이곳에 영원히 있지는 않을 거예요. 그러니 오늘 오세요.

03 → ⓐ on one's way to: ~로 가는 길에
   ⓑ look like: ~처럼 보이다

04 ① 나는 빵을 조금 샀다. ② 그는 돈이 약간 필요하다. ③ 나는 숙제가 조금 있다. ④ 이 일은 시간이 조금 걸릴 것이다. ⑤ 몇 명의 사람들이 야구를 하고 있다.
   → a few는 '조금 있는, 약간의'라는 뜻으로 셀 수 있는 명사의 복수형 앞에 쓰인다. bread, money, homework, time은 모두 셀 수 없는 명사이다.

05 → '그러니 오늘 오세요.'라는 내용이 이어지므로 공이 이곳에 영원히 있지 않을 것이라는 뜻이 되어야 한다. '~하지 않을 것이다'라는 뜻의 won't가 알맞다.

06 ① 걱정하는 ② 슬픈 ③ 지루한 ④ 놀란 ⑤ 화난
   → What on earth is that?과 I couldn't believe my eyes.는 매우 놀라운 장면을 봤을 때 사용하는 표현이다. 따라서 Pierre가 거대한 빨간 공을 보고 놀라워하고 있음을 알 수 있다.

[07-09]

Rosie 기자: 레드볼은 높이가 4.57미터이고 무게가 113킬로그램입니다. 그것은 공공 미술의 완벽한 예입니다. 공공 미술은 미술관에서 뛰쳐나옵니다. (미술관을 방문하는 것은 모든 사람들에게 기쁨을 가져다줍니다.) 그것은 공원과 거리 같은 곳으로 갑니다. 레드볼의 창작자인 Kurt는 레드볼을 세계 도처로 가지고 갑니다. 그가 오늘 우리와 함께 여기 있습니다.

07 → ③은 공공 미술로서의 레드볼에 관한 내용과 관계없는 문장이다.

08 ① 그것은 공공 미술이다.
② 그것의 높이는 4.57미터이다.
③ 그것의 창작자는 Kurt이다.
④ 그것의 무게는 113킬로그램이다.
⑤ 그것은 미술관 같은 곳으로 간다.
→ ⑤ 레드볼은 미술관에서 뛰쳐나와 공원과 거리와 같은 곳으로 간다고 언급되어 있다.

09 공공 미술은 미술관에 머무르지 않는다. 그것은 공원과 거리 같은 곳에 머무른다.
→ Public art jumps out of the museum.과 It goes into places like parks and streets.에서 빈칸에 들어갈 말을 알 수 있다.

[10-13]

Rosie 기자: 레드볼에 관해 우리에게 말씀해 주시겠어요?
Kurt: 물론입니다. 레드볼은 모두를 위한 것입니다. 레드볼은 사람들에게 기쁨을 가져다줍니다. 사람들은 레드볼과 함께 놀고 그 작품의 일부가 됩니다. 서로 다른 나라의 사람들은 레드볼을 다르게 즐깁니다. 시드니에서는, 사람들이 레드볼과 함께 놀았습니다. 런던에서는, 모두가 그저 레드볼을 바라보며 그것에 대해 이야기했습니다. 타이베이의 사람들은 레드볼을 어디든 따라다니며 사진을 찍었습니다.

10 ① 공공 미술은 무엇인가요?
② 제가 몇 사람과 이야기할 수 있을까요?
④ 레드볼과 함께 어디를 갔었나요?
⑤ 레드볼이 왜 사람들에게 기쁨을 가져다주나요?
→ 레드볼의 역할과 여러 나라 사람들이 그것을 어떻게 즐기는지를 설명하고 있으므로 Kurt에게 레드볼에 관한 설명을 요청하는 것이 알맞다.

11 → ⓐ 뒤에 있는 명사 countries를 수식하는 형용사 different가 알맞다.
ⓑ 동사 enjoy를 수식하는 부사 differently가 알맞다.

12 레드볼을 즐기는 다른 방식들이 있다.
→ 시드니, 런던, 타이베이의 사람들을 예로 들어, 서로 다른 나라의 사람들이 레드볼을 다르게 즐긴다는 것을 설명하고 있다.

13 → ② The red ball is for everyone.에서 레드볼은 모든 사람을 위한 것임을 알 수 있다.

[14-15]

Rosie 기자: 재미있군요. 그 공은 왜 빨간색인가요?
Kurt: 빨간색은 에너지와 사랑의 색이에요!
Rosie 기자: Kurt 씨, 감사합니다. 자, 이 거대한 공은 이번 주 일요일까지 이곳에 있을 겁니다. 그러니 밖으로 나와서 레드볼의 에너지와 사랑을 느껴 보십시오!

14 ② 그 공은 무슨 색인가요?
③ 사람들은 왜 빨간색을 좋아하지 않나요?
④ 당신이 가장 좋아하는 색은 무엇인가요?
⑤ 당신은 어디에서 레드볼을 볼 수 있나요?
→ 이어지는 대답에서 Kurt는 빨간색이 에너지와 사랑의 색이라고 말하고 있다. 따라서 레드볼이 왜 빨간색인지 묻는 질문이 알맞다.

15 → '~할 것이다, ~일 것이다'라는 뜻의 미래를 나타내는 조동사 will을 쓰고, will 뒤에는 동사원형 be를 쓴다. 전치사 until은 '~까지'라는 뜻을 나타낸다.

Reading 서술형 평가   p. 25

1 What on earth is that?
2 we jumped into it and bounced off it
3 Public art, parks, streets, public art
4 played, looked at, talked about, followed, took
5 (1) It brings joy to people.
   (2) Because red is the color of energy and love.

[1-2]

Pierre(38살, 요리사): 직장으로 가는 길에, 저는 거대한 빨간 공을 봤어요! 그것은 거대한 물놀이 공처럼 보였어요. 저는 '도대체 저게 무엇일까?'라고 생각했어요. 저는 제 눈을 믿을 수 없었어요.
Nicole(14살, 학생): 저는 이 공이 정말 좋아요! 친구들과 저는 그것을 주먹으로 몇 번 쳤어요. 그러고는 우리는 공에 뛰어들어 퉁겨 나오기도 했어요. 이 공은

이곳에 영원히 있지는 않을 거예요. 그러니 오늘 오세요.

1 → on earth는 의문문을 강조하여 '대체, 도대체'라는 뜻을 가진다. What on earth is ~?는 '도대체 ~이 무엇인가?'라는 의미이다.

2 → jump into: ~로 뛰어들다, bounce off: 튕겨 나가다

3 레드볼은 높이가 4.57미터이고 무게가 113킬로그램입니다. 그것은 공공 미술의 완벽한 예입니다. 공공 미술은 미술관에서 뛰쳐나옵니다. 그것은 공원과 거리 같은 곳으로 갑니다. 레드볼의 창작자인 Kurt는 레드볼을 세계 도처로 가지고 갑니다.
→ 공공 미술은 미술관에 머무르지 않는다. 그것은 공원과 거리 같은 공공장소에 있다. 레드볼은 공공 미술의 완벽한 예이다.
→ 레드볼은 공공 미술의 완벽한 예로, 공공 미술은 미술관에서 뛰쳐나와 공원과 거리와 같은 공공장소로 간다고 했다.

4 레드볼은 모두를 위한 것입니다. 레드볼은 사람들에게 기쁨을 가져다줍니다. 사람들은 레드볼과 함께 놀며 그 작품의 일부가 됩니다. 서로 다른 나라의 사람들은 레드볼을 다르게 즐깁니다. 시드니에서는, 사람들이 레드볼과 함께 놀았습니다. 런던에서는, 모두가 그저 레드볼을 바라보며 그것에 대해 이야기했습니다. 타이베이의 사람들은 레드볼을 어디든 따라다니며 사진을 찍었습니다.
→ 각 나라의 사람들이 레드볼을 어떻게 즐겼는지 본문에서 찾아 표를 완성한다.

5 Kurt: 레드볼은 모두를 위한 것입니다. 레드볼은 사람들에게 기쁨을 가져다줍니다. 사람들은 레드볼과 함께 놀고 그 작품의 일부가 됩니다.
Rosie 기자: 재미있군요. 레드볼은 왜 빨간색인가요?
Kurt: 빨간색은 에너지와 사랑의 색이에요!
Rosie 기자: Kurt 씨, 감사합니다. 자, 이 거대한 공은 이번 주 일요일까지 이곳에 있을 겁니다. 그러니 밖으로 나와서 레드볼의 에너지와 사랑을 느껴 보십시오!
(1) 레드볼은 사람들에게 무엇을 가져다주는가?
→ 그것은 사람들에게 기쁨을 가져다준다.
(2) Kurt는 왜 빨간색을 선택했는가?
→ 빨간색은 에너지와 사랑의 색이기 때문이다.
→ (1) It brings joy to people.에서 레드볼이 사람들에게 기쁨을 가져다준다는 것을 알 수 있다.
(2) Red is the color of energy and love!에서 Kurt가 빨간색을 고른 이유를 알 수 있다.

01 creator   02 ③   03 ③   04 ②   05 ④   06 ④   07 ⑤   08 ④   09 ③   10 ④   11 ②   12 ⑤   13 ②   14 ②   15 ④   16 Bordeaux   17 ④   18 ⑤   19 ⑤   20 ③   21 ⑤   22 ④   23 ④   24 everywhere   25 ⑤

01 보도하다 : (보도) 기자 = 창작하다 : 창작자
→ 행동과 그 행동을 하는 사람의 관계이다.

02 축구공이 골대 안으로 굴러 들어간다.
→ 주어진 그림은 축구공이 골대 안으로 들어가는 모습을 묘사하고 있으므로 rolls into가 알맞다.

03 ① 그 공은 벽을 맞고 튕겨 나갔다.
② 사람들은 탁자 주위에 앉았다.
③ 코알라는 곰처럼 보인다.
④ 우리는 공원에서 거대한 나무를 보았다.
⑤ 학교로 가는 길에 나는 거대한 공을 봤다.
→ ③ look like는 '~처럼 보이다'라는 뜻이다. '~을 보다'는 look at이다.

[04-05]
A: 드디어 금요일이야!
B: 소미야, 너는 주말에 무엇을 할 거니?
A: 나는 Blue Boys 콘서트에 갈 거야. 나는 록 음악의 열혈 팬이야.
B: 멋지다! 콘서트는 어디에서 하니?
A: 올림픽 공원에서. 너는 어때? 너는 주말에 어떤 계획이 있니?
B: 음, 나는 친구와 자전거를 탈 거야.

04 → ⓐ A가 주말 계획을 말하고 있으므로 무엇을 할 것인지 묻는 말이 들어가야 한다. '무엇'이라는 뜻의 의문사 what을 쓴다.
ⓑ A가 At Olympic Park.라고 장소를 말하고 있으므로 의문사 where를 쓴다.

05 ① 너의 주말 계획은 무엇이니?
②, ③ 너는 주말에 어떤 계획이 있니?
④ 너는 언제 주말 계획을 세웠니?
⑤ 너는 주말에 무엇을 할 계획이니?
→ 두 사람은 주말 계획을 이야기하고 있고, A가 B에게 What about you?(너는 어때?)로 물었으므로, ⓒ에는 주말 계획을 묻는 표현이 알맞다. ④는 언제 계획을 세웠는지 과거의 일을 묻는 표현이다.

Alex: 보라야, 너는 토요일에 무엇을 할 거니?

보라: 나는 대공원에 갈 거야. 1,600마리의 판다가 그곳에 있을 거야.

Alex: 1,600마리 판다라고? 정말이야?

보라: 오, 그것들은 진짜 판다는 아니야. 한 예술가가 재활용 종이로 그것들을 만들었어.

Alex: 재미있을 것 같아. 내가 너와 함께 가도 될까?

보라: 물론이지. 우리 몇 시에 만날까?

Alex: 3시 어때?

보라: 좋아. 공원 앞에서 보자.

06 → 주어진 문장은 약속 시간을 정할 때 사용하는 표현이다. 따라서 구체적인 시간을 제안하는 How about 3 o'clock? 앞에 들어가는 것이 자연스럽다.

07 ① Alex는 토요일에 보라를 만날 것이다.
② 한 예술가가 재활용 종이로 판다를 만들었다.
③ 보라와 Alex는 3시에 만날 것이다.
④ 보라는 토요일에 대공원에 갈 것이다.
⑤ 토요일에 진짜 판다가 대공원에 있을 것이다.
→ ⑤ 대공원의 판다는 진짜 판다가 아니라 재활용 종이로 만든 것이다.

08 ① A: 그곳에서 무엇을 할 거니?
B: 나는 많은 사진을 찍을 거야.
② A: 너의 이번 방학 계획은 무엇이니?
B: 나는 책을 많이 읽을 계획이야.
③ A: 역 앞에서 만나자.
B: 좋아. 거기에서 보자.
④ A: 너는 어디에서 만나고 싶니?
B: 영화가 시작하기 전에 만나자.
⑤ A: 우리 언제 만날까?
B: 6시는 어때?
→ ④ 어디에서 만날 것인지 장소를 묻는 말에 만날 시간을 제안하는 대답은 어색하다.

09 → 조동사 will의 부정문은 「주어+will not(won't)+동사원형 ~.」의 형태로 쓴다.

10 • 나는 해야 할 숙제가 많다. 나는 방과 후에 농구를 하지 않을 것이다.
• 지금 비가 오고 있다. 그러나 내일은 맑을 것이다.
→ 숙제가 많아 농구를 하지 않겠다는 내용이 알맞다. will의 부정형인 won't를 쓴다.
접속사 but이 쓰인 것으로 보아 지금은 비가 오고 있지만 내일은 맑을 것임을 알 수 있다. 긍정형 will을 쓴다.

11 Tom은 돈이 거의 없어서 꽃을 살 수 없다.
→ 빈칸 뒤의 명사 money는 셀 수 없는 명사이므로 a few, few, many는 들어갈 수 없다. 셀 수 없는 명사와 함께 쓰이는 little이 알맞다. much 또한 money를 수식할 수 있지만 내용상 적절하지 않다.

12 ① 오늘 오후에 비가 올 것이다.
② Kate는 내일 떠날 것이다.
③ 그는 이번 주말에 우리를 방문하지 않을 것이다.
④ 네 여동생은 도서관에 갈 거니?
⑤ Sue와 나는 방과 후에 쇼핑을 하러 갈 것이다.
→ ① rained → rain ② leaving → leave ③ to visit → visit ④ goes → go

13 ① 그녀는 여가 시간이 거의 없다.
② Mike는 친구가 몇 명 있다.
③ 나는 영어 노래를 많이 안다.
④ 그는 나에게 쿠키를 조금 만들어 주었다.
⑤ 이 수프에는 소금이 조금 들어 있다.
→ ② friends는 셀 수 있는 명사의 복수형이므로 a little 대신 a few를 써야 한다.

Rosie 기자: 오늘 아침 거대한 빨간 공이 Bordeaux로 굴러 들어왔습니다. 공 주위의 사람들이 매우 신나고 놀라 보입니다. 그들 중 몇 명과 이야기해 보겠습니다.

Pierre(38살, 요리사): 직장으로 가는 길에, 저는 거대한 빨간 공을 봤어요! 그것은 거대한 물놀이 공처럼 보였어요. 저는 '도대체 저게 무엇일까?'라고 생각했어요. 저는 제 눈을 믿을 수 없었어요.

Nicole(14살, 학생): 저는 이 공이 정말 좋아요! 친구들과 저는 그것을 주먹으로 몇 번 쳤어요. 그러고는 우리는 공에 뛰어들어 튕겨 나오기도 했어요. 이 공은 이곳에 영원히 있지는 않을 거예요. 그러니 오늘 오세요.

14 → ⓐ Let's ~.는 '~하자.'라는 뜻의 제안하는 표현으로 뒤에 동사원형이 온다.
ⓑ a few 뒤에는 셀 수 있는 명사의 복수형이 와야 한다.

15 → ④ punched는 '주먹으로 쳤다'라는 뜻이다.

16 → Rosie 기자의 말에 레드볼이 오늘 아침 보르도(Bordeaux)로 굴러 들어왔다고 언급되어 있다.

17 ① Pierre의 직업은 무엇인가?
② Nicole은 레드볼로 무엇을 했는가?
③ 레드볼은 Pierre에게 무엇처럼 보였는가?
④ 사람들은 얼마 동안 레드볼을 볼 수 있는가?
⑤ 레드볼은 언제 보르도에 굴러 들어왔는가?

→ ④ 레드볼이 보르도에 얼마 동안 있을지는 언급되지 않았다.

[18-21]

Rosie 기자: 레드볼은 높이가 4.57미터이고 무게가 113킬로그램입니다. 그것은 공공 미술의 완벽한 예입니다. 공공 미술은 미술관에서 뛰쳐나옵니다. 그것은 공원과 거리 같은 곳으로 갑니다. 레드볼의 창작자인 Kurt는 레드볼을 세계 도처로 가지고 갑니다. 그가 오늘 우리와 함께 여기 있습니다. 레드볼에 관해 우리에게 말씀해 주시겠어요?
Kurt: 물론입니다. 레드볼은 모두를 위한 것입니다. 레드볼은 사람들에게 기쁨을 가져다줍니다. 사람들은 레드볼과 함께 놀고 그 작품의 일부가 됩니다.

18 → ⓐ, ⓑ 공공 미술은 미술관 밖으로(out of) 나와서 공원과 거리와 같은 장소 안으로(into) 간다.
ⓒ 'B에게 A를 가져다주다'라는 표현은 bring A to B로 쓴다.

19 ① 너는 네 새 집이 마음에 드니?
② 그가 좋아하는 것과 싫어하는 것은 무엇이니?
③ 소녀는 그녀의 어머니와 비슷하다.
④ 나는 TV로 축구 경기 보는 것을 좋아한다.
⑤ 나는 채소와 생선 같은 건강에 좋은 음식을 먹는다.
→ 본문과 ⑤에 쓰인 like는 '~ 같은'이라는 뜻의 전치사로 구체적인 예를 들 때 사용한다.
①, ④ 좋아하다 ② 좋아하는 것들 ③ ~와 비슷한

20 → ③ 레드볼의 가격은 언급되지 않았다.

21 ① Kurt는 레드볼을 만들었다.
② 공공 미술은 모두를 위한 것이다.
③ Rosie는 Kurt를 인터뷰하고 있다.
④ 레드볼은 사람들에게 기쁨을 준다.
⑤ Kurt는 레드볼을 일부 국가로 가지고 간다.
→ ⑤ Kurt는 레드볼을 전 세계(all over the world)로 가지고 간다고 했다.

[22-25]

Kurt: 레드볼은 모두를 위한 것입니다. 레드볼은 사람들에게 기쁨을 가져다줍니다. 사람들은 레드볼과 함께 놀고 사람들은 그 작품의 일부가 됩니다. 서로 다른 나라의 사람들은 레드볼을 다르게 즐깁니다. 시드니에서는, 사람들이 레드볼과 함께 놀았습니다. 런던에서는, 모두가 그저 레드볼을 바라보며 그것에 대해 이야기했습니다. 타이베이의 사람들은 레드볼을 어디든 따라다니며 사진을 찍었습니다.

Rosie 기자: 재미있군요. 레드볼은 왜 빨간색인가요?
Kurt: 빨간색은 에너지와 사랑의 색이에요!
Rosie 기자: Kurt 씨, 감사합니다. 자, 이 거대한 공은 이번 주 일요일까지 이곳에 있을 겁니다. 그러니 밖으로 나와서 레드볼의 에너지와 사랑을 느껴 보십시오!

22 ① 고통 ② 희망 ③ 걱정 ④ 기쁨 ⑤ 두려움
→ joy는 '기쁨'이라는 뜻으로 happiness와 바꿔 쓸 수 있다. happiness는 '행복, 기쁨'의 뜻을 가진다.

23 → ④ 조동사 will 뒤에는 동사원형이 와야 하므로 is를 be로 써야 한다.

24 → '모든 장소에'를 뜻하는 단어는 everywhere이다.

25 → ⑤ 대화의 마지막에서 Rosie는 사람들에게 밖으로 나와 레드볼의 에너지와 사랑을 느껴 볼 것을 권하고 있다.

서술형 평가 완전정복

1 (1) is going to play soccer with his friends
(2) is going to play computer games
(3) is going to go to the library

2 (1) They are going to meet at 3 o'clock.
(2) They are going to meet in front of the park.

3 (1) punched it a few times
(2) it will not(won't) be here forever

1 → 미래의 계획을 나타내는 「be going to+동사원형」을 사용하여 문장을 완성한다.

2 A: 보라야, 너는 토요일에 무엇을 할 거니?
B: 나는 대공원에 갈 거야. 1,600마리의 판다가 그곳에 있을 거야.
A: 1,600마리 판다라고? 정말이야?
B: 오, 그것들은 진짜 판다는 아니야. 한 예술가가 재활용 종이로 그것들을 만들었어.
A: 재미있을 것 같아. 내가 너와 함께 가도 될까?
B: 물론이지. 우리 몇 시에 만날까?
A: 3시 어때?
B: 좋아. 공원 앞에서 보자.
(1) 그들은 몇 시에 만날 것인가?
→ 그들은 3시에 만날 것이다.

(2) 그들은 어디에서 만날 것인가?

→ 그들은 공원 앞에서 만날 것이다.

→ (1) A가 3시에 만날 것을 제안했고, B가 Great.으로 긍정의 답을 했으므로 두 사람은 3시에 만날 것이다.

(2) B의 마지막 말에서 두 사람은 공원 앞에서 만날 것임을 알수 있다.

3 A: 나는 거대한 빨간 공을 봤어! 나는 내 눈을 믿을 수 없었어.

B: 나도 그래. 내 친구들과 나는 그것을 주먹으로 몇 번 쳤고 사진을 찍었어.

A: 나는 그것이 공공 미술의 완벽한 예라고 들었어. 그것은 공원과 거리 같은 곳으로 가.

B: 아, 그것은 여기에 영원히 있지는 않을 거야. 나는 가족을 데려와서 그것과 함께 놀 거야.

→ (1) '주먹으로 치다'는 punch, '몇 번'은 수량형용사 a few를 사용해 a few times로 쓴다.

(2) 조동사 will의 부정형은 「will not(won't)+동사원형」으로 쓴다.

수행 평가 완전정복 〔말하기〕 p. 31

1 [예시 답] (1) She is going to read books in the library.

(2) She is going to clean her room.

(3) He is going to ride his bike.

2 [예시 답] (1) Let's play badminton in the park after school.

(2) What time should we meet? / What time do you want to meet?

(3) Where should we meet? / Where do you want to meet?

1 *e.g.* Mike는 이번 주말에 무엇을 할 것인가?

→ 그는 수영하러 갈 것이다.

→ 그림의 행동을 보고 각 친구들의 주말 계획을 말한다. 주어는 대명사로 쓰고, 동사는 「be going to+동사원형」의 형태로 쓴다.

[평가 점수 적용 예시]

평가 영역		점수
언어 사용	0	모든 문장에 틀린 단어, 문법, 어순이 있다.
	1	두 문장에 틀린 단어, 문법, 어순이 있다.
	2	한 문장에 틀린 단어, 문법, 어순이 있다.
	3	모든 문장의 단어, 문법, 어순이 정확하다.

내용 이해	0	그림과 일치하는 표현을 하나도 사용하지 못했다.
	1	1개의 문장에 그림과 일치하는 표현을 사용했다.
	2	2개의 문장에 그림과 일치하는 표현을 사용했다.
	3	모든 문장에 그림과 일치하는 표현을 사용했다.
유창성	0	말을 하지 못하고 하려는 의지가 없다.
	1	말 사이에 끊어짐이 많다.
	2	말 사이에 끊어짐이 약간 있다.
	3	말에 막힘이 없고 자연스럽다.
과제 완성도	0	모든 질문에 완전한 문장으로 답하지 못했다.
	1	1개의 질문에 완전한 문장으로 답했다.
	2	2개의 질문에 완전한 문장으로 답했다.
	3	모든 질문에 완전한 문장으로 답했다.

2 Tom: 안녕, Eric. 방과 후에 공원에서 배드민턴을 치자.

Eric: 좋아. 우리 몇 시에 만날까?

Tom: 5시는 어때?

Eric: 좋아! 어디서 만날까?

Tom: 공원 앞에서 만나자.

Eric: 그래. 거기서 보자.

→ 상대방에게 무언가를 함께 하자고 제안하는 표현인 「Let's+동사원형 ~.」을 사용한다. 만날 시간과 장소를 정할 때는 각각 의문사 what time과 where를 사용하여 묻는다.

[평가 점수 적용 예시]

평가 영역		점수
언어 사용	0	모든 문장에 틀린 단어, 문법, 어순이 있다.
	1	두 문장에 틀린 단어, 문법, 어순이 있다.
	2	한 문장에 틀린 단어, 문법, 어순이 있다.
	3	모든 문장의 단어, 문법, 어순이 정확하다.
내용 이해	0	제시된 표현을 하나도 사용하지 못했다.
	1	제시된 표현 중 1개만 사용했다.
	2	제시된 표현 중 2개만 사용했다.
	3	제시된 표현을 모두 사용하여 정확하게 말했다.
유창성	0	말을 하지 못하고 하려는 의지가 없다.
	1	말 사이에 끊어짐이 많다.
	2	말 사이에 끊어짐이 약간 있다.
	3	말에 막힘이 없고 자연스럽다.
과제 완성도	0	약속을 정하는 표현을 하나도 말하지 못했다.
	1	약속을 정하는 표현을 1개 말했다.
	2	약속을 정하는 표현을 2개 말했다.
	3	약속을 정하는 표현을 모두 말했다.

1 [예시 답] (1) I will always listen to my teacher.
(2) I will be nice to my classmates.
(3) I will not forget my homework.
(4) I will not use my smartphone in class.

2 (1) There are many books on the desk.
(2) There are a few balls under the desk.
(3) There is a little water in the glass.
(4) There is a lot of money on the chair.

1 *e.g.* 나는 친구들에게 친절할 것이다.
나는 학교에 지각하지 않을 것이다.
→ 미래에 할 일은 「will+동사원형」, 하지 않을 일은 will 뒤에 not을 써서 「will not+동사원형」의 형태로 쓴다.

[평가 점수 적용 예시]

평가 영역		점수
언어 사용	0	모든 문장에 틀린 단어, 문법, 어순이 있다.
	1	두세 문장에 틀린 단어, 문법, 어순이 있다.
	2	한 문장에 틀린 단어, 문법, 어순이 있다.
	3	모든 문장의 단어, 문법, 어순이 정확하다.
내용 이해	0	조동사 will의 긍정형과 부정형을 전혀 활용하지 못했다.
	1	1~2개의 문장에서 조동사 will의 긍정형과 부정형을 정확히 썼다.
	2	3개의 문장에서 조동사 will의 긍정형과 부정형을 정확히 썼다.
	3	모든 문장에서 조동사 will의 긍정형과 부정형을 정확히 썼다.
과제 완성도	0	제시된 조건을 하나도 충족하지 못했다.
	1	제시된 조건 중 1개를 충족했다.
	2	제시된 조건 중 2개를 충족했다.
	3	제시된 조건을 모두 충족했다.

2 *e.g.* 병에 주스가 조금 있다.
책상 위에 몇 자루의 연필이 있다.
(1) 책상 위에 많은 책이 있다.
(2) 책상 아래에 몇 개의 공이 있다.
(3) 유리컵에 물이 조금 있다.
(4) 의자 위에 많은 돈이 있다.
→ 그림을 보고 수나 양이 많은 물건 앞에는 many, a lot of를 쓰고, 수나 양이 적은 물건 앞에는 a few, a little을 쓴다. a few와 many는 셀 수 있는 명사 앞에, a little은 셀 수 없는 명사 앞에 쓴다. a lot of는 셀 수 있는 명사와 셀 수 없는 명사 앞에 모두 쓸 수 있다.

[평가 점수 적용 예시]

평가 영역		점수
언어 사용	0	모든 문장에 틀린 단어, 문법, 어순이 있다.
	1	두세 문장에 틀린 단어, 문법, 어순이 있다.
	2	한 문장에 틀린 단어, 문법, 어순이 있다.
	3	모든 문장의 단어, 문법, 어순이 정확하다.
내용 이해	0	정확한 수량형용사를 하나도 사용하지 못했다.
	1	1~2개의 문장에서 정확한 수량형용사를 사용했다.
	2	3개의 문장에서 정확한 수량형용사를 사용했다.
	3	모든 문장에서 정확한 수량형용사를 사용했다.
과제 완성도	0	제시된 조건을 하나도 충족하지 못했다.
	1	제시된 조건 중 1개를 충족했다.
	2	제시된 조건 중 2개를 충족했다.
	3	제시된 조건을 모두 충족했다.

6 Dream High, Fly High!

Words Test

1 (1) 시 (2) (시간을) 보내다 (3) 활동
(4) 아직(도), 여전히 (5) 음악가 (6) 전통적인
(7) 시인 (8) (스포츠 팀의) 코치 (9) 흥미를 돋우는
(10) 다음의, 다음에 나오는

2 (1) as (2) sure (3) luckily (4) leave (5) yet
(6) famous (7) actor (8) novelist (9) even
(10) practice

3 (1) solve (2) future (3) travel (4) act (5) play

4 (1) get hurt (2) up close (3) take care of
(4) grow up

5 (1) fell in love (2) traditional (3) movie director
(4) spend (5) interested in

3 (1) 문제에 대한 답을 찾다
(2) 현재의 시간 이후에 오는
(3) 한 장소에서 다른 장소로 가다
(4) 연극이나 영화에서 역할을 맡아 공연하다
(5) 무대 위에서 연기로 구현되는 이야기

4 (1) 너는 축구를 할 때 다쳤니?
(2) 나는 운이 좋아서 공연을 바로 가까이에서 볼 수
있었다.
(3) 그는 그의 남동생을 돌봐야 한다.
(4) 너는 자라서 무엇이 되고 싶니?

Listening&Speaking Test

01 ④ 02 ② 03 ② 04 ③ 05 (B)–(A)–(D)–(C)
06 I'm interested in 07 ④ 08 interested in taking
care of 09 ③ 10 wants to be a car designer

01 A: Andy, 너는 무엇에 관심이 있니?
B: 나는 농구를 하는 것에 관심이 있어.
→ What are you interested in?은 '너는 무엇에 관심이
있니?'라는 뜻으로 상대방이 관심 있어 하는 것이 무엇인지
묻는 표현이다.

02 A: 너는 수의사가 되고 싶니?
B: 응. 나는 아픈 동물들을 돕고 싶어.

① 더 이상은 아니야. ③ 아니, 그렇지 않아.
④ 나는 확실하지 않아. ⑤ 나는 잘 모르겠어.
→ 빈칸 뒤에 아픈 동물들을 돕고 싶다고 했으므로 Yes, I
do.로 긍정의 답을 하는 것이 알맞다.

03 A: 너는 무엇에 관심이 있니?
B: _____
① 나는 책을 읽는 것을 아주 좋아해.
② 나는 노래를 잘 못 불러.
③ 나는 그림 그리는 것과 요리하는 것을 좋아해.
④ 나는 테니스를 치는 것에 관심이 있어.
⑤ 나의 관심사는 수학과 과학이야.
→ 관심사를 묻는 말에 '나는 ~을 잘 못한다.'라는 뜻의 I'm
not good at ~.으로 답하는 것은 어색하다.

04 A: _____
B: 나는 선생님이 되고 싶어.
①, ② 너는 무엇이 되고 싶니?
③ 너의 직업은 무엇이니?
④ 너는 장래에 무엇이 되고 싶니?
⑤ 너는 자라서 무엇이 되고 싶니?
→ 선생님이 되고 싶다는 장래 희망을 말하고 있으므로 장래
희망을 묻는 말이 와야 한다. ③은 현재 직업이 무엇인지 묻
는 말로 알맞지 않다.

05 (B) 너는 장래에 무엇이 되고 싶니?
(A) 나는 영화감독이 되고 싶어.
(D) 너는 왜 영화감독이 되고 싶니?
(C) 나는 액션 영화를 만들고 싶어.
→ 장래 희망이 무엇인지 묻고 답한 후, 그 직업을 선택하게
된 이유를 묻고 답하는 흐름이 자연스럽다.

06 A: 저에게 책을 추천해 주실 수 있나요?
B: 물론이죠. 무엇에 관심이 있나요?
A: 저는 비행기에 관심이 있어요.
B: 그럼 Wright 형제에 관한 새로운 책을 읽어 봐요.
→ 무엇에 관심이 있는지 묻는 말에 I'm interested in ~.으
로 답한다. be interested in은 '~에 관심이 있다'라는 뜻이
다.

07 A: Jake, 너는 장래에 무엇이 되고 싶니?
B: 나는 음악가가 되고 싶어.
A: 너는 왜 음악가가 되고 싶니?
B: 나는 아름다운 노래들을 만들고 싶어.
① 시인 ② 기자, 리포터 ③ 피아니스트 ⑤ 과학자
→ 아름다운 노래를 만드는 사람은 musician(음악가)이다.

08 → '~에 관심이 있다'라는 뜻의 be interested in을 활용하
여 문장을 완성한다. 전치사 in 뒤에는 명사나 동명사의 형태
를 써야 하므로 take를 taking으로 쓴다.

[09-10]

A: Mike, 너는 장래에 무엇이 되고 싶니?
B: 나는 자동차 디자이너가 되고 싶어. 나는 자동차를 정말 좋아해. 너는 어때?
A: 나는 아직 확신이 없어. (나는 요리사가 되고 싶어.)
B: 음, 너는 무엇에 관심이 있니?
A: 나는 요리하는 것과 가르치는 것에 관심이 있어.
B: 그러면 요리 학교에서 가르치는 것은 어때?
A: 좋은 생각이야!

09 → 장래 희망을 묻는 말에 아직 확신이 없다고 답한 후, 뒤이어 '나는 요리사가 되고 싶어.'라고 말하는 것은 흐름상 어색하다.

10 Q: Mike는 무엇이 되고 싶어 하는가?
A: 그는 <u>자동차 디자이너가 되고 싶어 한다</u>.
→ I want to be a car designer.에서 Mike는 자동차 디자이너가 되고 싶어 한다는 것을 알 수 있다.

Listening&Speaking 서술형 평가

p. 40

1 He wants to be a baseball player.

2 She is interested in playing the violin.

3 (1) Do you still play the piano?
(2) Great! Do you want to be a pianist?
(3) Then what do you want to be?

4 (1) What do you want to be in the future?
(2) Why do you want to be a poet?

5 (1) interested in cooking and teaching
(2) want to be a fashion designer

1 A: Tom은 장래에 무엇이 되고 싶어 하니?
B: <u>그는 야구 선수가 되고 싶어 해.</u>
→ Tom의 장래 희망을 묻는 말이므로 주어는 He로, 동사는 3인칭 단수형인 wants로 쓴다.

2 A: 수진이는 무엇에 관심이 있니?
B: <u>그녀는 바이올린을 연주하는 것에 관심이 있어.</u>
→ be interested in을 사용하여 관심사를 말한다. play the violin은 '바이올린을 연주하다'라는 뜻의 표현이다.

3 A: 사진 속 귀여운 소년을 봐! 그는 피아노를 치고 있어.
B: 그건 나야. 그때 나는 여섯 살이었어.
A: <u>너는 여전히 피아노를 치니?</u>
B: 응, 나는 매일 연습해.
A: 멋지다! <u>너는 피아니스트가 되고 싶니?</u>

B: 더 이상은 아니야.
A: <u>그럼 너는 무엇이 되고 싶니?</u>
B: 나는 유명한 가수가 되고 싶어.
→ 각각의 응답에 어울리는 질문을 찾아 대화를 완성한다.

4 A: 너는 장래에 무엇이 되고 싶니?
B: 나는 시인이 되고 싶어.
A: <u>왜 시인이 되고 싶니?</u>
B: 나는 아름다운 시를 쓰고 싶어.
A: 그거 멋지다!
→ (1) 시인이 되고 싶다고 답하고 있으므로 장래 희망을 묻는 말이 알맞다.
(2) 시인이 되고 싶은 이유를 말하고 있으므로 의문사 why를 써서 그 이유를 묻는 말을 쓴다.

5 A: 너는 장래에 무엇이 되고 싶니, 지호야?
B: 아직 확신이 없어, Kate.
A: 음, 너는 무엇에 관심이 있니?
B: <u>나는 요리하는 것과 가르치는 것에 관심이 있어.</u>
A: 그러면 요리 학교에서 가르치는 것은 어때?
B: 좋은 생각이야. 너는 장래에 무엇이 되고 싶니, Kate?
A: <u>나는 패션 디자이너가 되고 싶어.</u> 나는 아름다운 옷을 만드는 것을 좋아해.
B: 그거 멋지다. 행운을 빌어!
→ 자신이 관심 있어 하는 것을 말할 때 I'm interested in ~.으로 쓴다. 자신의 장래 희망을 말할 때는 직업을 나타내는 명사를 넣어 I want to be a(n) ~.로 쓴다.

Grammar Test

pp. 42-44

01 (1) to be (2) to catch (3) to take (4) When (5) when   **02** (1) to read / reading (2) to buy (3) to work (4) to visit (5) to have   **03** (1) to going → to go (2) get → to get (3) To learning → To learn (4) will come → comes   **04** (1) We promised to meet tomorrow. (2) When he's happy, he listens to music. / He listens to music when he's happy. (3) I decided to read English books.   **05** (1) When I'm sick, I go to see a doctor. / I go to see a doctor when I'm sick. (2) When he was a student, he studied very hard. / He studied very hard when he was a student. (3) When it rains, I will not go hiking. / I will not go hiking when it rains.   **06** ②   **07** ⑤   **08** ④   **09** ③   **10** Kate wanted to wear the clothes.   **11** ⑤   **12** ②   **13** ⑤   **14** ②   **15** when I was 13 years old

01 (1) 너는 기자가 되고 싶니?
(2) 나는 큰 물고기를 잡기를 기대한다.
(3) 그녀는 산책하는 것을 아주 좋아한다.
(4) 네가 배가 고플 때, 이 간식을 먹어라.
(5) 그가 공부하고 있을 때 나는 조용히 해야 했다.
→ (1)~(3) want, expect, love는 to부정사를 목적어로 취하는 동사들이다. to부정사는 「to+동사원형」의 형태로 쓴다.
(4)~(5) '~할 때'라는 뜻의 시간을 나타내는 접속사 when이 알맞다.

02 (1) 그는 시를 읽는 것을 좋아한다.
(2) 내 남동생은 컴퓨터를 사고 싶어 한다.
(3) 그는 이 회사에서 일하기로 결심했다.
(4) 우리는 언젠가 호주를 방문하기를 바란다.
(5) 나는 애완동물을 키우기를 바란다.
→ like는 to부정사와 동명사를 둘 다 목적어로 취하는 동사이며, 나머지는 to부정사를 목적어로 취하는 동사들이다.

03 (1) 그는 캠핑을 갈 계획이다.
(2) 그녀는 좋은 성적을 받기를 바란다.
(3) 중국어를 배우는 것은 쉽지 않다.
(4) 그가 돌아오면, 나는 떠날 것이다.
→ (1), (2) plan, hope는 to부정사를 목적어로 취하는 동사들이다.
(3) to부정사는 「to+동사원형」의 형태로 쓴다.
(4) 접속사 when이 이끄는 시간 부사절에서는 의미상 미래일 경우에도 현재시제로 쓴다.

04 → (1), (3) 동사 promised와 decided 뒤에 「to+동사원형」 형태의 to부정사를 목적어로 써서 배열한다.
(2) 접속사 when이 이끄는 부사절을 주절 앞이나 뒤에 써서 배열한다.

05 (1) 나는 아프다. 나는 병원에 간다.
(2) 그는 학생이었다. 그는 열심히 공부했다.
(3) 비가 올 것이다. 나는 하이킹을 하러 가지 않을 것이다.
→ 접속사 when이 시간을 나타내는 절을 이끌어야 한다. 「When+주어+동사 ~, 주어+동사 ....」의 형태로 쓴다.

06 그녀는 엄마와 전국을 여행하는 것을 계획하고 있다.
→ 동사가 현재진행형인 is planning으로 쓰였고, plan은 to부정사를 목적어로 취하는 동사이다.

07 그녀는 자신이 가장 좋아하는 배낭을 사기를 바란다.
→ wish는 to부정사를 목적어로 취한다. to부정사는 「to+동사원형」의 형태로 쓴다.

08 • 그는 언제 돌아왔니?
• 중학생일 때, 그는 운동 동아리에 가입했다.
→ when이 의문사로 쓰일 때는 '언제', 시간을 나타내는 접속사로 쓰일 때는 '~할 때'의 뜻을 가진다.

09 → '~할 때'를 뜻하는 접속사 when 뒤에 「주어+동사」 형태인 I'm tired를 써서 부사절로 만들고, I go to bed early를 주절로 쓴다.

10 → 과거 동사 wanted 뒤에 목적어 역할을 하는 to부정사 to wear를 써서 문장을 완성한다.

11 ① 나는 방과 후에 책 읽는 것을 아주 좋아한다.
② 나는 여가 시간에 책 읽기를 원한다.
③ 그녀는 도서관에서 책 읽는 것을 기대한다.
④ 그는 집에서 책을 읽기로 결심했다.
⑤ Mike는 동물에 관한 책을 읽는 것을 즐긴다.
→ ⑤ enjoy는 동명사를 목적어로 취하는 동사이므로 reading이 들어가야 한다.

12 ① 내가 밖에 나갔을 때, 비가 오고 있었다.
② 너는 보통 언제 일을 하러 가니?
③ 그가 전화했을 때 나는 TV를 보고 있었다.
④ 엄마가 감기에 걸리셨을 때 나는 엄마를 위해 요리를 했다.
⑤ 슬플 때, 그는 가장 좋아하는 노래를 듣는다.
→ ②에 쓰인 when은 '언제'라는 뜻의 의문사이고, 나머지는 모두 '~할 때'라는 뜻의 접속사이다.

13 ① Sally는 Jane을 만나기를 기대했다.
② 나는 어렸을 때 수줍음이 많았다.
③ Mary는 경기에서 이기기를 바란다.
④ 집에 도착했을 때, 나는 손을 닦았다.
⑤ 내 일을 마치면, 네게 이메일을 보낼 것이다.
→ ⑤ 접속사 when이 이끄는 시간 부사절에서는 의미상 미래인 경우에도 현재시제로 쓴다. (will finish → finish)

[14-15]
나는 작가이다. 나는 13살이었을 때 작가가 되기로 결심했다. 나는 책 읽는 것을 좋아했다. 지금 나는 내 일과 삶을 사랑한다.

14 → decide는 to부정사를 목적어로 취하는 동사이고, like는 to부정사와 동명사를 모두 목적어로 취하는 동사이다.

15 → 시간을 나타내는 접속사 when을 사용하여 영작한다. when 뒤에는 「주어+동사」 형태의 절이 이어지며, 과거 시점을 말하고 있으므로 be동사는 was로 쓴다.

Grammar 서술형평가

1 (1) liked (2) When (3) decided

2 (1) When I was young, my family moved to Seoul. / My family moved to Seoul when I was young.
(2) When he is happy, he smiles a lot. / He smiles a lot when he is happy.

3 (1) wants to watch movies
(2) hopes to go shopping with her mom
(3) plans to play badminton with her friends

4 [예시 답] (1) he plays the guitar
(2) walks her dog (in the park)

5 (1) decided be → decided to be
(2) liked play → liked to play / liked playing

1 　나는 비행기에 관심이 있었다. 나는 Wright 형제에 관한 책을 읽는 것을 좋아했다. 내가 이 책을 읽었을 때, 나는 비행기 조종사가 되기로 결심했다. 이제 나는 전 세계를 비행한다. 나는 내 직업을 사랑한다.
→ (1) 빈칸 뒤에 목적어가 to read로 to부정사이고, 비행기에 관심이 있었다고 했으므로 Wright 형제에 관한 책을 읽는 것을 좋아했다는 의미가 알맞다.
(2) 부사절을 이끄는 접속사로 '~할 때'라는 뜻의 when이 들어가는 것이 알맞다.
(3) 빈칸 뒤에 to부정사 to be가 쓰였고, 비행기 조종사가 되기로 결심했다는 의미이므로 decided가 들어가는 것이 알맞다.

2 → 시간을 나타내는 접속사 when을 사용하여 문장을 완성한다. when이 이끄는 부사절은 주절의 앞이나 뒤에 위치할 수 있는데, 주절 앞에 올 경우 부사절 뒤에 콤마(,)를 쓴다.

3 (1) 지민이는 영화를 보고 싶어 한다.
(2) 지민이는 엄마와 쇼핑하러 가기를 바란다.
(3) 지민이는 친구들과 배드민턴을 칠 계획이다.
→ want, hope, plan은 to부정사를 목적어로 쓰는 동사들이다. 각 동사 뒤에 to watch, to go, to play의 형태로 써서 문장을 완성한다. Jimin은 3인칭 단수 주어이므로 동사에 -s를 붙여 쓴다.

4 (1) Tom은 여가 시간이 있을 때, 기타를 연주한다.
(2) 밖이 따뜻할 때, Kate는 (공원에서) 그녀의 개를 산책시킨다.
→ 그림의 내용과 일치하도록 시간 부사절 when절에 이어지는 주절을 완전한 문장의 형태로 쓴다.

5 　나는 김민수다. 나는 축구팀의 의사다. 나는 우리 팀의 선수들을 돌본다. 나는 중학생 때 팀 의사가 되

기로 결심했다. 나는 축구 하는 것을 좋아했지만, 잘하지는 못했다. 지금 나는 내 일과 삶을 사랑한다!
→ decide는 to부정사를 목적어로 취하는 동사이고, like는 to부정사와 동명사를 모두 목적어로 취하는 동사이다.

Reading Test

01 ①, ④　02 ③　03 ②　04 ③　05 ④　06 ③　07 ④
08 ①　09 ②　10 ④　11 Kevin wanted to be a doctor.　12 ⑤　13 ②　14 ⑤　15 ③

[01-03]
　당신은 무엇을 하는 것을 좋아하나요? 당신은 피아노를 치는 것을 아주 좋아하나요? 당신은 텔레비전을 보는 것을 아주 좋아하나요? 자, 그러한 활동들이 당신의 장래 직업이 될 수 있습니다. 다음 사람들에 관해 읽어 봅시다. 그들은 자신에게 꼭 맞는 직업을 찾았습니다.

01 → those activities는 앞에 나온 피아노를 치는 것과 텔레비전을 보는 것을 가리킨다.

02 → ⓑ '~하자.'라는 뜻의 「Let's+동사원형 ~.」의 형태로 쓴다. ⓒ 자신에게 꼭 맞는 직업을 찾았다는 의미가 되어야 하므로, 동사 find의 과거형 found가 알맞다.

03 → 자신이 좋아하는 활동이 장래 직업이 될 수 있다는 내용의 글이다.

[04-07]
　Rahul은 노래하는 것을 아주 좋아했어요. 그는 학교에 가는 길에 노래를 불렀어요. 그는 샤워 중에 노래했어요. 그는 심지어 잠을 자는 중에도 노래했어요! Rahul이 중학교에 다녔을 때, 그는 학교 연극에서 연기를 했어요. 그 당시에 그는 연기하는 것에도 푹 빠졌어요. Rahul은 현재 뮤지컬 배우입니다. 그는 훌륭한 가수이지만 춤은 잘 못 춰요.

04 → love는 to부정사와 동명사를 모두 목적어로 쓸 수 있는 동사이므로 「동사원형+-ing」 형태의 동명사로 바꿔 쓸 수 있다.

05 → 주어진 문장의 At that time은 Rahul이 중학교 때 학교 연극에서 연기를 했던 때를 가리키므로 ④에 들어가는 것이 알맞다.

06 → have two left feet은 춤을 추거나 운동을 하는 동작이 매우 어색하다는 것을 나타내는 표현이다.

07 → ④ Rahul은 현재 뮤지컬 배우라고 언급되어 있다.

[08-10]

　　미나는 항상 그녀의 인형을 가지고 놀았어요. 그녀는 매일 인형의 옷을 갈아입혔어요. 그녀는 인형과 함께 먹고 잠을 잤어요. 운 좋게도 미나는 꼭 맞는 직업을 찾았어요. 미나는 인형 옷 디자이너입니다. 그녀는 전 세계의 인형을 위한 <u>전통</u> 옷을 만듭니다. 그녀가 가장 좋아하는 <u>전통</u> 옷은 한복이에요.

08 → 과거의 일을 말하고 있으므로 동사의 과거형이 되어야 한다. eat의 과거형은 ate, sleep의 과거형은 slept이다.

09 ① 거대한 ③ 다른 ④ 완벽한 ⑤ 똑같은
→ 한복은 한국의 전통 의상이므로 빈칸에 알맞은 말은 traditional(전통적인)이다.

10 ① 그녀는 인형을 위한 옷을 만든다.
② 그녀는 인형을 가지고 노는 것을 좋아했다.
③ 그녀의 직업은 인형 옷 디자이너이다.
④ 그녀는 자신에게 꼭 맞는 직업을 찾지 못했다.
⑤ 그녀는 인형의 옷을 매일 갈아입혔다.
→ ④ 미나는 운 좋게도 자신에게 꼭 맞는 직업을 찾았다고 언급되어 있다.

[11-13]

　　Kevin은 의사가 되고 싶어 했어요. 그는 또한 운동도 아주 좋아했어요. 현재, 그는 한 야구팀의 의사로 일합니다. Kevin은 그의 팀과 함께 전국을 여행합니다. 그는 선수들이 다쳤을 때 그들을 돌봅니다. Kevin은 선수들을 돕는 것을 아주 좋아합니다. 그는 또한 가까이에서 경기를 지켜보는 것도 아주 좋아합니다!

11 → want는 to부정사를 목적어로 취하는 동사이므로 want 뒤에 to be를 쓰고, 시제가 과거이므로 want의 과거형인 wanted를 쓴다.

12 → 선수들이 다쳤을 때 그들을 돌본다는 의미가 되는 것이 자연스럽다. 따라서 '~할 때'를 뜻하는 접속사 when이 알맞다.

13 ① Kevin의 직업은 무엇인가?
② Kevin은 무엇을 잘하는가?
③ Kevin은 어디를 여행하는가?
④ Kevin은 무엇을 하기를 좋아하는가?
⑤ Kevin은 언제 선수들을 돌보는가?
→ ② Kevin이 무엇을 잘하는지는 본문에 언급되지 않았다.

[14-15]

　　어떤가요? 사람들은 자기 인생의 30퍼센트 정도를 그들의 일에 보냅니다. 그렇다면, 여러분은 인생의 이 30퍼센트를 어떻게 보낼 건가요?

14 ① 그는 해변에서 하루를 보낼 것이다.
② 나는 가족과 함께 많은 시간을 보낸다.
③ 너는 여가 시간을 어떻게 보내니?
④ 우리는 파리에서 주말을 보낼 계획이다.
⑤ 나는 내 돈을 새 책을 사는 데 쓸 것이다.
→ ⑤에 쓰인 spend는 '돈을 쓰다(소비하다)'라는 뜻으로 쓰였고, 본문과 ①~④의 spend는 '(시간을) 보내다'라는 뜻으로 쓰였다.

15 Jones 씨는 현재 60살이다. 그는 그의 일에 약 <u>20</u>년을 보냈다.
→ 본문에서 사람들은 자기 인생의 약 30퍼센트를 일을 하는 데 보낸다고 했다. Jones 씨는 현재 60살이므로 약 30퍼센트인 20년을 일을 하는 데 보냈음을 알 수 있다.

Reading 서술형 평가
p. 51

1 (1) Do you love to play the piano?
(2) They found the perfect jobs for them.
2 He acted in a school play.
3 He is (now) an actor in musicals.
4 (1) her dolls (2) dolls' clothes
(3) doll dress designer (4) traditional dresses
5 doctor, baseball team, travel, take care of

1　　당신은 무엇을 하는 것을 좋아하나요? 당신은 피아노 치는 것을 아주 좋아하나요? 당신은 텔레비전을 보는 것을 아주 좋아하나요? 자, 그러한 활동들이 당신의 장래 직업이 될 수 있습니다. 다음 사람들에 관해 읽어 봅시다. 그들은 자신에게 꼭 맞는 직업을 찾았습니다.
→ (1) 일반동사의 의문문으로 「Do+주어+동사원형 ~?」의 어순으로 쓴다.
(2) 주어는 they, 동사는 '찾았다'라는 뜻의 과거형 동사 found를 쓴다. '~에 꼭 맞는 직업'을 뜻하는 perfect jobs는 목적어 자리에 쓴다.

[2-3]

　　Rahul은 노래하는 것을 아주 좋아했어요. 그는 학교에 가는 길에 노래를 불렀어요. 그는 샤워 중에 노래했어요. 그는 심지어 잠을 자는 중에도 노래했어요! Rahul이 중학교에 다녔을 때, 그는 학교 연극에서 연기를 했어요. 그 당시에 그는 연기하는 것에도 푹 빠졌어요. Rahul은 현재 뮤지컬 배우입니다. 그는 훌륭한 가수이지만 춤은 잘 못 춰요.

2 Rahul은 중학교 때 무엇을 했는가?
→ 그는 학교 연극에서 연기를 했다.

3 Rahul은 지금 무슨 일을 하는가?
→ 그는 (현재) 뮤지컬 배우이다.

4 미나는 항상 그녀의 인형을 가지고 놀았어요. 그녀는 매일 인형의 옷을 갈아입혔어요. 그녀는 인형과 함께 먹고 잠을 잤어요. 운 좋게도 미나는 꼭 맞는 직업을 찾았어요. 미나는 인형 옷 디자이너입니다. 그녀는 전 세계의 인형을 위한 전통 옷을 만듭니다. 그녀가 가장 좋아하는 전통 옷은 한복이에요.
→ 글을 읽고 미나의 과거와 현재 모습에 관한 요약문을 완성한다.

5 Kevin은 의사가 되고 싶어 했어요. 그는 또한 운동도 아주 좋아했어요. 현재, 그는 한 야구팀의 의사로 일합니다. Kevin은 그의 팀과 함께 전국을 여행합니다. 그는 선수들이 다쳤을 때 그들을 돌봅니다. Kevin은 선수들을 돕는 것을 아주 좋아합니다. 그는 또한 가까이에서 경기를 지켜보는 것을 아주 좋아합니다!
→ Kevin은 야구팀의 의사가 되어 전국을 여행하고, 선수들이 다쳤을 때 그들을 돌본다고 했다.

단원 평가

pp. 52-55

01 ③ 02 ② 03 ⑤ 04 ③ 05 ③ 06 ③ 07 ④ 08 ④ 09 ② 10 ⑤ 11 ③ 12 ③ 13 wanted to be a novelist when I was a child 14 ② 15 What do you love to do? 16 ④ 17 ④ 18 ⑤ 19 ② 20 ④ 21 ③ 22 ⑤ 23 ② 24 ② 25 ⑤

01 ① 배우 ② 시인 ③ 직업 ④ 소설가 ⑤ 디자이너
→ 직업의 종류에 해당하는 단어들이다.

02 • 나는 운동장에서 공을 가지고 <u>노는</u> 것을 좋아한다.
• 그녀는 인기 있는 <u>연극</u>에서 연기를 했다.
→ play는 동사로 쓰이면 '놀다', 명사로 쓰이면 '연극'이라는 뜻을 가진다.

03 ① 아이들은 매우 빠르게 자란다.
② Kelly는 오페라와 사랑에 빠졌다.
③ 그는 나무에서 떨어졌지만 다치지 않았다.
④ 그녀는 여동생을 돌보았다.
⑤ Tom은 축구 경기를 가까이에서 봤다.
→ ⑤ up close는 '바로 가까이에서'라는 뜻이다.

[04-05]

수지: 사진 속 귀여운 소년을 봐! 그는 피아노를 치고 있어.
지훈: 그건 나야. 그때 나는 여섯 살이었어.
수지: 너는 여전히 피아노를 치니?
지훈: 응, 나는 매일 연습해.
수지: 멋지다! 너는 피아니스트가 되고 싶니?
지훈: 더 이상은 아니야.
수지: 그럼 너는 무엇이 되고 싶니?
지훈: 나는 유명한 가수가 되고 싶어.

04 ① 응, 그래. ② 나도 그렇게 생각해. ③ 더 이상은 아니야. ④ 물론이야. ⑤ 좋은 생각이야.
→ 피아니스트가 되고 싶은지 물었는데 뒤이어 장래 희망이 무엇인지 다시 묻고 있으므로 부정의 답이 와야 한다.

05 ① 수지는 지금 피아노를 연주하고 있다.
② 지훈이는 유명한 피아니스트가 되고 싶어 한다.
③ 사진 속 귀여운 소년은 지훈이다.
④ 지훈이는 더 이상 피아노를 연습하지 않는다.
⑤ 그들은 좋은 피아니스트가 되는 것에 대해 이야기하고 있다.
→ ③ 수지가 지훈이에게 사진 속 귀여운 소년을 보라고 말하자 지훈이는 그 소년이 자신이라고 말했다.

06 ① A: 너는 무엇에 관심이 있니?
B: 나는 운동하는 것에 관심이 있어.
② A: 너의 관심사는 무엇이니?
B: 내 관심사는 그림을 그리는 것과 아이들을 가르치는 거야.
③ A: 나는 뉴스를 보도하는 것에 관심이 있어.
B: 그러면, 작가가 되는 것이 어때?
④ A: 너는 왜 의사가 되고 싶니?
B: 나는 아픈 사람들을 돕고 싶어.
⑤ A: 너는 장래에 무엇이 되고 싶니?
B: 나는 수의사가 되고 싶어.
→ ③ 뉴스를 보도하는 것에 관심이 있다는 말에 작가(writer)가 될 것을 권유하는 것은 어색하다. 기자(reporter)가 될 것을 권유하는 것이 적절하다.

07 A: 너는 무엇이 되고 싶니?
B: 나는 영화감독이 되고 싶어.
① 너의 직업은 무엇이니?
② 너는 무엇을 가지고 있니?
③ 너는 뭐 하고 있니?
④ 너는 무엇이 되고 싶니?
⑤ 영화감독이 되는 것은 어때?
→ What do you want to be?는 장래 희망을 묻는 표현으로 What would you like to be?로 바꿔 쓸 수 있다.

08 너는 장래에 무엇이 되고 싶니, 지호야?
　(C) 난 아직 확신이 없어, Kate.
　(D) 음, 너는 무엇에 관심이 있니?
　(A) 나는 요리하는 것과 가르치는 것에 관심이 있어.
　(E) 그러면 요리 학교에서 가르치는 것은 어때?
　(B) 좋은 생각이야.
　→ 지호가 장래 희망을 아직 결정하지 못했다고 하자 그의 관심사를 묻고, 관심사와 연관된 직업을 권유하는 내용의 흐름이 자연스럽다.

09 ① 그녀는 일본에 가고 싶어 한다.
　② 그들은 책 읽는 것을 좋아하지 않는다.
　③ 사람들은 그 쇼를 관람하기를 기대했다.
　④ 그들은 함께 음악 듣기를 바란다.
　⑤ 나는 아침에 일찍 일어나기로 결심했다.
　→ ① going → go ③ watching → to watch
　④ listening → to listen ⑤ waking → to wake

10 나는 여가 시간에 자전거 타는 것을 _____.
　→ to부정사인 to ride를 목적어로 취하는 동사가 들어가는 것이 알맞다. enjoy는 동명사를 목적어로 취하는 동사이다.

11 ① 나는 잠을 잘 수 없을 때, 우유를 조금 마신다.
　② 내가 그곳에 도착했을 때, 매우 추웠다.
　③ 네가 집에 도착할 때 나는 여기를 떠날 것이다.
　④ 내가 집에 돌아왔을 때, 내 여동생은 자고 있었다.
　⑤ 네가 한국을 방문할 때 나는 너를 부산으로 데리고 갈 것이다.
　→ ③ '~할 때'라는 뜻의 접속사 when이 이끄는 시간 부사절에서는 현재시제가 미래를 대신하므로 when you get home이 되어야 한다.

12 나는 내 친구들과 축구 하기를 원한다.
　① 나는 산책하는 것을 아주 좋아한다.
　② 케이크를 만드는 것은 어렵다.
　③ 나에게 마실 것을 주세요.
　④ 그녀는 영화 보러 갈 계획이다.
　⑤ 내 소망은 가난한 사람들을 돕는 것이다.
　→ ③은 앞의 대명사(something)를 수식하는 to부정사의 형용사적 용법으로 쓰였고, 주어진 문장과 나머지는 주어, 목적어, 보어 역할을 하는 명사적 용법으로 쓰였다.

13 → '~할 때'라는 뜻의 접속사 when과 그 뒤에 「주어+동사」를 써서 시간 부사절을 완성한다. 주절에는 동사 wanted를 쓰고 목적어로 to be를 써서 문장을 완성한다.

[14-15]
　당신은 무엇을 하는 것을 좋아하나요? 당신은 피아노 치는 것을 아주 좋아하나요? 당신은 텔레비전을 보는 것을 아주 좋아하나요? 자, 그러한 활동들이 당신의 장래 직업이 될 수 있습니다. 다음 사람들에 관해 읽어 봅시다. 그들은 자신에게 꼭 맞는 직업을 찾았습니다.

14 ① 당신의 취미를 즐기는 방법
　② 당신에게 꼭 맞는 직업
　③ 당신의 일에 행복을 느껴라
　④ 세계에서 인기 있는 직업
　⑤ 흥미로운 활동들은 무엇인가?
　→ 자신이 좋아하는 일이 장래 직업이 될 수 있다고 하면서, 자신에게 꼭 맞는 직업을 찾은 사람들에 관해 읽어 보자고 했으므로 ②가 글의 제목으로 알맞다.

15 → 의문사 what을 문장 맨 앞에 써서 「What+do+주어+동사원형 ~?」의 어순으로 쓴다. 동사 love 뒤에는 to부정사 to do를 쓴다.

[16-18]
　Rahul은 노래하는 것을 아주 좋아했어요. 그는 학교에 가는 길에 노래를 불렀어요. 그는 샤워 중에 노래했어요. 그는 심지어 잠을 자는 중에도 노래했어요! Rahul이 중학교에 다녔을 때, 그는 학교 연극에서 연기를 했어요. 그 당시에 그는 연기하는 것에도 푹 빠졌어요. (그는 운동을 잘했어요.) Rahul은 현재 뮤지컬 배우입니다. 그는 훌륭한 가수이지만 춤은 잘 못 춰요.

16 → 노래 부르고 연기하는 것을 좋아해 뮤지컬 배우가 되었다는 내용의 글이므로, 운동을 잘했다는 뜻의 ④는 흐름상 어색하다.

17 → ⓐ Rahul이 학교 연극에서 연기를 했던 시기를 나타내는 문장이므로 시간을 나타내는 접속사 When이 알맞다.
　ⓑ 노래를 잘한다는 내용 뒤에 춤을 잘 못 춘다는 내용이 이어지므로 역접의 접속사 but이 알맞다.

18 ① Rahul은 훌륭한 무용수인가?
　② Rahul은 노래하는 것에 관심이 있었는가?
　③ Rahul의 직업은 무엇인가?
　④ Rahul은 언제 연기하는 것에 푹 빠졌는가?
　⑤ Rahul은 언제 뮤지컬 배우가 되었는가?
　→ ⑤ Rahul이 언제 뮤지컬 배우가 되었는지는 언급되지 않았다.

[19-21]
　미나는 항상 그녀의 인형을 가지고 놀았어요. 그녀는 매일 인형의 옷을 갈아입혔어요. 그녀는 인형과 함께 먹고 잠을 잤어요. <u>운 좋게도 미나는 꼭 맞는 직업</u>

을 찾았어요. 미나는 인형 옷 디자이너입니다. 그녀는 전 세계의 인형을 위한 전통 옷을 만듭니다. 그녀가 가장 좋아하는 전통 옷은 한복이에요.

19 ① 슬프게도 ② 운 좋게도 ③ 아직도
④ 보통, 대개 ⑤ 불행히도
→ 인형을 매우 좋아하는 미나가 다행히 그녀에게 맞는 직업을 찾았다는 내용이므로 빈칸에 Luckily가 들어가는 것이 알맞다.

20 미나가 가장 좋아하는 활동이 그녀의 직업이 되었다.
① 인기 있는 ② 어려운 ③ 유명한 ⑤ 건강한
→ 미나는 인형과 함께 먹고 잠을 잘 정도로 인형을 가지고 노는 것을 좋아했고, 결국에 인형 옷 디자이너가 되었다. 따라서 그녀가 가장 좋아하는 활동이 직업이 되었음을 알 수 있다.

21 → ③ 네 번째 문장에 미나는 그녀에게 꼭 맞는 직업을 찾았다고 언급되어 있다.

[22-25]
　　Kevin은 의사가 되고 싶어 했어요. 그는 또한 운동도 아주 좋아했어요. 현재, 그는 한 야구팀의 의사로 일합니다. Kevin은 그의 팀과 함께 전국을 여행합니다. 그는 선수들이 다쳤을 때 그들을 돌봅니다. Kevin은 선수들을 돕는 것을 아주 좋아합니다. 그는 또한 가까이에서 경기를 지켜보는 것을 아주 좋아합니다!
　　어떤가요? 사람들은 자기 인생의 30퍼센트 정도를 그들의 일에 보냅니다. 그렇다면, 여러분은 인생의 이 30퍼센트를 어떻게 보낼 건가요?

22 → ⓐ want는 to부정사를 목적어로 취한다.
ⓑ, ⓒ love는 to부정사와 동명사를 둘 다 목적어로 취할 수 있다. to부정사는 「to+동사원형」의 형태로 쓴다.

23 → '~할 때'라는 뜻의 접속사 when 뒤에 주어 they, 동사 get hurt를 이어서 쓴다.

24 ① 이 책은 동물에 관한 것이다.
② 그녀는 대략 10시에 도착했다.
③ 네 계획에 대해 이야기하자.
④ 그들은 한국 문화에 관해 알고 있다.
⑤ 나는 학교에서 슬로푸드에 관해 배웠다.
→ (B)와 ②에 쓰인 about은 숫자 앞에 쓰여 '약, ~ 정도'라는 뜻으로 사용되었다. 나머지는 '~에 관하여'라는 뜻이다.

25 → ⑤ Kevin이 선수들과 경기하는 것을 좋아한다는 내용은 언급되지 않았다.

1 (1) is interested in writing poems. She wants to be a poet.
(2) is interested in playing basketball. He wants to be a basketball player.

2 [예시 답] (1) likes to read(reading) books in the library
(2) loves to watch(watching) movies in the theater

3 the perfect jobs, an actor in musicals, a doll dress designer

1 *e.g.* 지수는 요리하는 것과 노래하는 것에 관심이 있다. 그녀는 요리사가 되고 싶어 한다.
(1) Jenny는 시를 쓰는 것에 관심이 있다. 그녀는 시인이 되고 싶어 한다.
(2) 민수는 농구 하는 것에 관심이 있다. 그는 농구 선수가 되고 싶어 한다.
→ 관심사는 be interested in을, 장래 희망은 want to be의 표현을 사용하여 문장을 쓴다. be interested in에서 전치사 in 뒤에는 명사나 동명사의 형태로 써야 한다.

2 (1) Mary는 도서관에서 책 읽는 것을 좋아한다.
(2) Mary는 극장에서 영화 보는 것을 아주 좋아한다.
→ 동사 like와 love 뒤에 to부정사나 동명사를 목적어로 써서 Mary가 좋아하는 일을 쓴다.

3 다음 사람들에 관해 읽어 봅시다. 그들은 자신에게 꼭 맞는 직업을 찾았습니다.
　　Rahul은 노래하는 것을 아주 좋아했습니다. Rahul이 중학교에 다녔을 때, 그는 학교 연극에서 연기를 했습니다. 그 당시에 그는 연기하는 것에도 푹 빠졌습니다. Rahul은 현재 뮤지컬 배우입니다.
　　미나는 항상 그녀의 인형을 가지고 놀았습니다. 그녀는 매일 인형의 옷을 갈아입혔습니다. 그녀는 인형과 함께 먹고 잠을 잤습니다. 운 좋게도 미나는 꼭 맞는 직업을 찾았습니다. 미나는 인형 옷 디자이너입니다.
→ 몇몇 사람들은 자신들에게 꼭 맞는 직업을 찾았다. Rahul은 노래하는 것을 좋아했고, 연기에 푹 빠졌다. 그는 현재 뮤지컬 배우이다. 미나는 인형을 가지고 노는 것을 좋아했고, 인형 옷 디자이너로 일한다.
→ 자신이 관심 있어 하고 좋아하는 분야에 따라 본인에게 꼭 맞는 직업을 찾은 사람들의 이야기로 Rahul은 뮤지컬 배우가 되었고, 미나는 인형 옷 디자이너가 되었다.

1 [예시 답] (1) She is interested in playing the piano.

(2) She is interested in drawing pictures.

(3) She is interested in making clothes.

(4) He is interested in singing songs.

2 [예시 답] (1) Sara wants to be an animal doctor. She wants to take care of sick animals.

(2) Jack wants to be a writer. He likes to write 〔writing〕 stories.

(3) I want to be a teacher. I like to teach〔teaching〕 children.

1 *e.g.* 민수는 무엇에 관심이 있니?

→ 그는 사진 찍는 것에 관심이 있어.

→ be interested in의 표현을 사용하여 친구들이 관심 있어 하는 활동을 말한다. 전치사 in 뒤에는 명사나 동명사가 오는 것에 유의한다.

[평가 점수 적용 예시]

평가 영역		점수
언어 사용	0	모든 문장에 틀린 단어, 문법, 어순이 있다.
	1	두세 문장에 틀린 단어, 문법, 어순이 있다.
	2	한 문장에 틀린 단어, 문법, 어순이 있다.
	3	모든 문장의 단어, 문법, 어순이 정확하다.
내용 이해	0	그림과 일치하는 표현을 하나도 사용하지 못했다.
	1	1~2개 문장에 그림과 일치하는 표현을 사용했다.
	2	3개 문장에 그림과 일치하는 표현을 사용했다.
	3	모든 문장에 그림과 일치하는 표현을 사용했다.
유창성	0	말을 하지 못하고 하려는 의지가 없다.
	1	말 사이에 끊어짐이 많다.
	2	말 사이에 끊어짐이 약간 있다.
	3	말에 막힘이 없고 자연스럽다.
과제 완성도	0	모든 사람의 관심사를 말하지 못했다.
	1	한 두 사람의 관심사를 말했다.
	2	세 사람의 관심사를 말했다.
	3	모든 사람의 관심사를 말했다.

2 *e.g.* Jane은 가수가 되고 싶어 한다. 그녀는 노래하고 춤추는 것을 좋아한다.

→ to부정사를 목적어로 쓰는 want를 사용하여 장래 희망을 말하고, to부정사나 동명사를 목적어로 쓰는 like 또는 love를 사용하여 그 이유에 대해 말한다.

[평가 점수 적용 예시]

평가 영역		점수
언어 사용	0	모든 문장에 틀린 단어, 문법, 어순이 있다.
	1	두 문장에 틀린 단어, 문법, 어순이 있다.
	2	한 문장에 틀린 단어, 문법, 어순이 있다.
	3	모든 문장의 단어, 문법, 어순이 정확하다.
내용 이해	0	표의 내용과 말이 하나도 일치하지 않았다.
	1	표의 내용과 말이 한 항목 일치했다.
	2	표의 내용과 말이 두 항목 일치했다.
	3	표의 내용과 말이 모두 일치했다.
유창성	0	말을 하지 못하고 하려는 의지가 없다.
	1	말 사이에 끊어짐이 많다.
	2	말 사이에 끊어짐이 약간 있다.
	3	말에 막힘이 없고 자연스럽다.
과제 완성도	0	모든 사람의 장래 희망과 그 이유를 말하지 못했다.
	1	한 사람의 장래 희망과 그 이유를 말했다.
	2	두 사람의 장래 희망과 그 이유를 말했다.
	3	모든 사람의 장래 희망과 그 이유를 말했다.

1 [예시 답] Emma wants to take a walk in the park on Tuesday. She plans to play tennis with her friends on Thursday. She expects to go shopping with Kate on Friday. She hopes to visit her grandmother on Saturday.

2 [예시 답] (1) I listen to music

(2) I eat some food

(3) we usually go to the movies

(4) I take a rest at home

(5) I want to be a scientist

1 → want, plan, expect, hope는 to부정사를 목적어로 쓰는 동사들이다. 주어진 동사 뒤에 to부정사를 목적어로 사용하여 Emma의 이번 주 계획에 대한 글을 완성한다.

[평가 점수 적용 예시]

평가 영역		점수
언어 사용	0	모든 문장에 틀린 단어, 문법, 어순이 있다.
	1	두세 문장에 틀린 단어, 문법, 어순이 있다.
	2	한 문장에 틀린 단어, 문법, 어순이 있다.
	3	모든 문장의 단어, 문법, 어순이 정확하다.

내용 이해	0	모든 문장에서 to부정사를 전혀 활용하지 못했다.
	1	1~2개의 문장에서 to부정사를 정확하게 활용했다.
	2	3개의 문장에서 to부정사를 정확하게 활용했다.
	3	모든 문장에서 to부정사를 정확하게 활용했다.
과제 완성도	0	제시된 조건을 하나도 충족하지 못했다.
	1	제시된 조건 중 1개를 충족했다.
	2	제시된 조건 중 2개를 충족했다.
	3	제시된 조건을 모두 충족했다.

2 *e.g.* 나는 슬플 때, 단것을 먹는다.
→ when이 이끄는 부사절의 내용을 보고, 각 상황에서 자신이 하는 행동을 「주어+동사」 형태의 절로 쓴다.
[평가 점수 적용 예시]

평가 영역		점수
언어 사용	0	모든 문장에 틀린 단어, 문법, 어순이 있다.
	1	두세 문장에 틀린 단어, 문법, 어순이 있다.
	2	한 문장에 틀린 단어, 문법, 어순이 있다.
	3	모든 문장의 단어, 문법, 어순이 정확하다.
내용 이해	0	모든 문장에서 when절의 내용에 맞는 행동을 완성하지 못했다.
	1	1~2개의 문장에서 when절의 내용에 맞는 행동을 완성하여 썼다.
	2	3~4개의 문장에서 when절의 내용에 맞는 행동을 완성하여 썼다.
	3	모든 문장에서 when절의 내용에 맞는 행동을 완성하여 썼다.
과제 완성도	0	제시된 조건을 하나도 충족하지 못했다.
	1	제시된 조건 중 1개를 충족했다.
	2	제시된 조건 중 2개를 충족했다.
	3	제시된 조건을 모두 충족했다.

중간고사 1회

01 ⑤ 02 ④ 03 ③ 04 ⑤ 05 ⑤ 06 What, going to do 07 ⑤ 08 ③ 09 ② 10 ③ 11 ③ 12 ④ 13 ③ 14 ④ 15 ④ 16 ② 17 ⑤ 18 ④ 19 ③ 20 ④ 21 will, spend 22 ④ 23 (1) What are you interested in (2) What do you want to be in the future 24 (1) will go to the library this Saturday (2) will help her mother this Sunday 25 (1) being → to be (2) to reading → to read / reading (3) loved → love

01 ① 노래하다 – 가수 ② 가르치다 – 교사
③ 창작하다 – 창작자 ④ 쓰다 – 작가
⑤ 시 – 시인
→ ⑤는 '시–시인'의 뜻으로 '명사–명사'의 관계이고, 나머지는 '동사–명사'의 관계이다.

02 ① 중국은 거대한 나라이다.
② 공공장소에서는 조용히 하세요.
③ 다음 질문에 답하세요.
④ 이 책의 무게가 얼마나 되나요?
⑤ 모든 사람은 다르게 생각하고 느낀다.
→ ④ '무게가 ~이다'라는 뜻의 동사 weigh가 되어야 한다. weight는 명사로 '무게'라는 뜻이다.

03 ① 여행하다 ② 연기하다 ③ 연습하다
④ 뛰다, 튀기다 ⑤ (시간을) 보내다
→ '더 잘하기 위해서 무엇인가를 계속해서 하다'는 practice (연습하다)의 영어 뜻풀이다.

04 A: Jenny, 오늘 밤에 저녁 먹으러 나가자.
B: 그래. <u>우리 몇 시에 만날까?</u>
A: 6시는 어때?
B: 좋아! 그때 봐.
① 몇 시니? ② 언제 만났니? ③ 어디서 만날까?
④ 너는 무엇을 할 거니?
→ 빈칸 뒤에 만날 시간을 제안하는 대답이 이어지고 있으므로 몇 시에 만날지를 묻는 ⑤가 알맞다.

05 A: Andy, 너는 무엇에 관심이 있니?
B: _____
① 나는 잘 모르겠어.
② 나는 영화 보는 것을 좋아해.
③ 나는 그림 그리는 것에 관심이 있어.
④ 나는 노래 부르는 것에 관심이 있어.
⑤ 나는 음악을 듣고 싶어.
→ 관심 있어 하는 것이 무엇인지 묻는 말에 하고 싶은 것을 말하는 것은 알맞지 않다.

20 정답 및 해설

06 → '너는 무엇을 할 거니?'라는 뜻으로 미래의 계획을 물을 때 What are you going to do?의 표현을 쓴다.

07 Sue: 사진 속 귀여운 소년을 봐! 그는 피아노를 치고 있어.
Tom: 그건 나야. 그때 나는 여섯 살이었어.
Sue: 너는 여전히 피아노를 치니?
Tom: 응, 나는 매일 연습해.
Sue: 멋지다! 너는 피아니스트가 되고 싶니?
Tom: 더 이상은 아니야.
Sue: 그럼 너는 무엇이 되고 싶니?
Tom: 나는 유명한 가수가 되고 싶어.
→ ⑤ 대화의 마지막에서 Tom은 유명한 가수가 되고 싶다고 했다.

08 ① 그는 내일 집에 올 것이다.
② 그녀는 네 조언을 듣지 않을 것이다.
④ 그들은 다음 주 회의에 올까?
⑤ 나는 오늘 밤 남동생과 함께 숙모를 방문할 것이다.
→ ③ 과거를 나타내는 부사구 last weekend가 있으므로 미래를 나타내는 will을 쓸 수 없다.

09 ① 나는 단지 약간의 물이 필요하다.
② Ann은 장난감 몇 개를 살 것이다.
③ 거리에 몇 명의 사람들이 있다.
④ 그는 가족과 함께 많은 시간을 보낸다.
⑤ 많은 아이들이 매일 컴퓨터를 사용한다.
→ ② a little은 셀 수 없는 명사를 수식한다. toys는 셀 수 있는 명사의 복수형이므로 a few를 써야 한다.

10 → '~하고 싶어 하다'라는 뜻으로 「want to+동사원형」의 형태로 쓴다.

11 Kelly는 파리에 있는 몇 개의 극장을 방문하는 것을 ＿＿＿＿＿＿.
① 계획했다 ② 결정했다 ③ 즐겼다
④ 아주 좋아했다 ⑤ 바랐다
→ enjoy는 동명사를 목적어로 취하는 동사이므로 빈칸에 들어갈 수 없다.

[12-13]
Rosie 기자: 오늘 아침 거대한 빨간 공이 Bordeaux로 굴러 들어왔습니다. 공 주위의 사람들이 매우 신나고 놀라 보입니다. 그들 중 몇 명과 이야기해 보겠습니다.
Pierre(38살, 요리사): 직장으로 가는 길에, 저는 거대한 빨간 공을 봤어요! 그것은 거대한 물놀이 공처럼 보였어요. 저는 '도대체 저게 무엇일까?'라고 생각했어요. 저는 제 눈을 믿을 수 없었어요.

Nicole(14살, 학생): 저는 이 공이 정말 좋아요! 친구들과 저는 그것을 주먹으로 몇 번 쳤어요. 그러고는 우리는 공에 뛰어들어 튕겨 나오기도 했어요. 이 공은 이곳에 영원히 있지는 않을 거예요. 그러니 오늘 오세요.

12 ① 슬프고 진지한 ② 지루하고 피곤한
③ 화나고 속상한 ⑤ 놀라고 걱정스러운
→ 자신의 눈을 믿을 수 없었고, 공과 함께 놀았다는 사람들의 반응으로 보아 매우 신나고 놀라 보인다는 표현이 알맞다.

13 → ⓑ '그들 중 몇 명'은 a few of them으로 표현한다.
ⓒ times가 셀 수 있는 명사의 복수형이므로 a few가 알맞다.

[14-15]
Rosie 기자: 레드볼은 높이가 4.57미터이고 무게가 113킬로그램입니다. 그것은 공공 미술의 완벽한 예입니다. 공공 미술은 미술관에서 뛰쳐나옵니다. 그것은 공원과 거리 같은 곳으로 갑니다. 레드볼의 창작자인 Kurt는 레드볼을 세계 도처로 가지고 갑니다. 그가 오늘 우리와 함께 여기 있습니다. 레드볼에 관해 우리에게 말씀해 주시겠어요?

14 → ⓐ, ⓒ, ⓓ는 the red ball을, ⓑ는 public art를 가리킨다.

15 ① 레드볼의 높이는 얼마인가?
② 누가 레드볼을 만들었는가?
③ 공공 미술은 어디로 가는가?
④ Kurt는 왜 레드볼을 만들었는가?
⑤ 레드볼은 어떤 종류의 예술인가?
→ ④ 레드볼의 창작자인 Kurt가 왜 레드볼을 만들었는지 그 이유에 대해서는 언급되지 않았다.

[16-19]
Rahul은 노래하는 것을 아주 좋아했어요. 그는 학교에 가는 길에 노래를 불렀어요. 그는 샤워 중에 노래했어요. 그는 심지어 잠을 자는 중에도 노래했어요! Rahul이 중학교에 다녔을 때, 그는 학교 연극에서 연기를 했어요. 그 당시에 그는 연기하는 것에도 푹 빠졌어요. Rahul은 현재 뮤지컬 배우입니다. 그는 훌륭한 가수이지만 춤은 잘 못 춰요.
미나는 항상 그녀의 인형을 가지고 놀았어요. 그녀는 매일 인형의 옷을 갈아입혔어요. 그녀는 인형과 함께 먹고 잠을 잤어요. 운 좋게도 미나는 꼭 맞는 직업을 찾았어요. 미나는 인형 옷 디자이너입니다. 그녀는 전 세계의 인형을 위한 전통 옷을 만듭니다. 그녀가 가장 좋아하는 전통 옷은 한복이에요.

16 → ② 이 문장에서 even은 '심지어'라는 뜻으로 쓰였다.

17 → ⓐ 노래하는 것과 연기하는 것을 좋아했던 Rahul이 갖게 된 직업으로 '뮤지컬 배우(actor in musicals)'가 알맞다.
ⓒ 항상 인형의 옷을 갈아입히며 놀았던 미나가 찾은 직업으로 '인형 옷 디자이너(doll dress designer)'가 알맞다.

18 ① 그는 춤추는 것을 즐긴다
② 그는 춤을 잘 춘다
③ 그는 춤추는 것을 좋아하지 않는다
④ 그는 춤을 잘 못 춘다
⑤ 그는 춤추는 것에 관심이 없다
→ have two left feet은 '춤을 추거나 운동을 하는 모습이 매우 어색하다'라는 뜻이다.

19 → Rahul과 미나는 둘 다 자신이 좋아했던 일과 관련된 직업을 찾았다.

[20-22]

　　Kevin은 의사가 되고 싶어 했어요. 그는 또한 운동도 아주 좋아했어요. 현재, 그는 한 야구팀의 의사로 일합니다. Kevin은 그의 팀과 함께 전국을 여행합니다. 그는 선수들이 다쳤을 때 그들을 돌봅니다. Kevin은 선수들을 돕는 것을 아주 좋아합니다. 그는 또한 가까이에서 경기를 지켜보는 것을 아주 좋아합니다!
　　어떤가요? 사람들은 자기 인생의 30퍼센트 정도를 그들의 일에 보냅니다. 그렇다면, 여러분은 인생의 이 30퍼센트를 어떻게 보낼 건가요?

20 → ① want는 to부정사를 목적어로 쓰는 동사이다. (be → to be)
② 주절과 when 부사절의 시제를 일치시켜 현재시제로 쓴다. (got → get)
③ love는 to부정사와 동명사를 모두 목적어로 쓰는 동사이다. (help → to help / helping)
⑤ 명사 life의 복수형은 lives이다. (life → lives)

21 → '~할 것이다'라는 뜻의 조동사 will과 의문사 how가 있는 의문문으로 「의문사+will+주어+동사원형 ~?」의 어순으로 쓴다. '(시간을) 보내다'는 뜻의 단어는 spend이다.

22 ① Kevin은 선수들을 돕는 것을 좋아한다.
② Kevin은 의사가 되고 싶어 했다.
③ Kevin은 한 야구팀의 의사이다.
④ 사람들은 보통 30년 동안 일을 한다.
⑤ Kevin은 그의 팀의 선수들을 돌본다.
→ ④ 사람들은 30년 동안이 아니라 자기 인생의 약 30퍼센트를 일을 하면서 보낸다고 했다.

23 A: 너는 무엇에 관심이 있니, 지호야?
B: 나는 요리하는 것과 가르치는 것에 관심이 있어.
A: 그럼, 요리 학교에서 가르치는 것은 어때?
B: 좋은 생각이야. 너는 장래에 무엇이 되고 싶니, Kate?
A: 나는 수의사가 되고 싶어.
→ ⑴ 지호가 자신의 관심사를 말하고 있으므로 무엇에 관심이 있는지 묻는 말이 와야 한다. '너는 무엇에 관심이 있니?'라는 뜻으로 What are you interested in?의 표현을 쓴다.
⑵ Kate가 장래 희망을 말하고 있으므로 What do you want to be in the future?로 장래 희망을 묻는다.

24 ⑴ 수진이는 이번 토요일에 도서관에 갈 것이다.
⑵ 수진이는 이번 일요일에 그녀의 엄마를 도와 드릴 것이다.
→ 조동사 will 뒤에 동사원형을 써서 수진이가 이번 주말에 할 일을 쓴다.

25 　　제 이름은 김지나입니다. 저는 34살이에요. 저는 작가입니다. 저는 동물에 관한 이야기를 써요. 저는 아프리카에 있는 집에서 일해요. 저는 중학교에 다녔을 때 작가가 되기로 결심했어요. 저는 책 읽는 것을 좋아했어요. 지금 저는 제 일과 삶이 매우 좋아요!
→ ⑴ decide는 to부정사를 목적어로 쓰는 동사이다.
⑵ like는 to부정사와 동명사를 모두 목적어로 취할 수 있으므로 「to+동사원형」 형태의 to부정사나 「동사원형+ing」 형태의 동명사로 써야 한다.
⑶ 현재를 나타내는 시간 부사 now가 있으므로 현재시제로 써야 한다.

중간고사 2회

01 ② 02 ⑤ 03 ③ 04 (C)-(B)-(A)-(D) 05 ③
06 ② 07 ③ 08 ③ 09 ② 10 When 11 ④
12 ③ 13 ③ 14 ③, ⑤ 15 ⑤ 16 takes, art,
differently 17 ② 18 ⑤ 19 ⑤ 20 ③ 21 He
takes care of the players when they get hurt.
22 ④ 23 (1) She will not(won't) go to the gym
after school. (2) Will she go to the gym after
school? 24 (1) many apples (2) a few candies 25
(1) When I feel tired, I go to bed early. (2) When I
can't sleep, I count sheep. (3) When I have a test,
I study hard.

01 • 나는 학교 가는 길에 선생님을 만났다.
• 나는 매우 아파서 엄마가 돌봐 주셨다.
→ on one's way to: ~로 가는 길(도중)에
take care of: ~을 돌보다

02 • 하이킹 하기에 꼭 알맞은 날이었다.
• 레드볼은 공공 미술의 완벽한 예이다.
① 진짜의 ② 거대한 ③ 전통적인 ④ 다른
→ perfect는 '완벽한, ~에 꼭 알맞은'이라는 뜻을 가진 형
용사이다.

03 ① 다음의: 다음에 나오는
② 거대한: 매우 작은
③ 계획: 당신이 하려고 결정한 것
④ 연기하다: 연극이나 영화에서 역을 맡아 공연하다
⑤ 기자: 라디오나 텔레비전에서 뉴스를 전하는 사람
→ ② huge의 영어 뜻풀이는 very large이다.

04 A: 오늘 오후에 나와 영화를 볼래?
(C) 물론이야. 영화는 몇 시에 시작하니?
(B) 오후 4시에 시작해. 우리 몇 시에 만날까?
(A) 3시 30분은 어때?
(D) 좋아!
→ 영화 보자는 제안을 수락한 후 만날 시간을 정하는 흐름으
로 배열한다.

[05-06]
A: 너는 장래에 무엇이 되고 싶니, 지호야?
B: 아직 확신이 없어, Kate.
A: 너는 무엇에 관심이 있니?
B: 나는 요리하는 것과 가르치는 것에 관심이 있어.
A: 그럼, 요리 학교에서 가르치는 것은 어때?
B: 좋은 생각이야. 너는 장래에 무엇이 되고 싶니,
Kate?

A: 나는 수의사가 되고 싶어. 나는 아픈 동물들을 돕
고 싶어.
B: 그거 멋지다. 행운을 빌어!

05 ① 너는 뭐 하고 있니?
② 너는 무엇을 잘하니?
④ 너는 무엇이 되고 싶니?
⑤ 네가 가장 좋아하는 과목은 무엇이니?
→ 지호가 I'm interested in ~.으로 관심사를 말하고 있으
므로 무엇에 관심이 있는지 묻는 말이 들어가는 것이 알맞다.

06 → ① 지호는 장래 희망에 대한 확신이 없다.
③ Kate는 지호에게 요리 학교에서 가르칠 것을 제안하고 있
다.
④ 두 사람은 관심사와 장래 희망에 대해 이야기하고 있다.
⑤ 지호가 관심 있어 하는 것은 요리하는 것과 가르치는 것이다.

07 A: 너는 장래에 무엇이 되고 싶니?
B: 나는 영화감독이 되고 싶어.
A: 왜 영화감독이 되고 싶니?
B: 나는 액션 영화를 만들고 싶어.
① 나는 노래를 잘해.
② 나는 로봇을 만들고 싶어.
④ 나는 유명한 음악가가 되고 싶어.
⑤ 나는 피아노를 치는 것에 관심이 있어.
→ Why do you ~?는 이유를 묻는 말이므로, 영화감독이
되고 싶은 이유로 알맞은 것을 고른다.

08 나는 종이꽃을 만들 것이다.
→ 조동사 will의 부정문은 will 뒤에 not을 써서 「will not+
동사원형」의 형태로 쓴다.

09 ① 나는 몇 가지 질문을 했다.
② 그들은 돈이 조금 있다.
③ 그는 우리에게 오렌지 몇 개를 주었다.
④ 탁자 위에 몇 개의 병이 있다.
⑤ 그녀는 파티에 몇 명의 친구들을 데려올까?
→ ② 수량형용사 a few는 셀 수 있는 명사의 복수형 앞에
쓰인다. money는 셀 수 없는 명사이므로 a few와 함께 쓸
수 없다.

10 • 너의 수업은 언제 시작하니?
• 나는 문제가 있을 때 항상 엄마에게 말한다.
→ '언제'라는 뜻의 의문사와 '~할 때'라는 뜻의 접속사로 쓰
이는 when이 알맞다.

11 ① 그는 멋진 집을 갖고 싶어 한다.
② Kevin은 만화책을 읽는 것을 좋아한다.
③ 그녀는 야구 경기 보는 것을 아주 좋아한다.
④ 우리 가족은 서울로 이사할 계획이다.

⑤ 나는 내 여동생과 영화를 보러 가기로 결정했다.
→ ④ plan은 to부정사를 목적어로 취하는 동사이므로 「to+동사원형」의 형태인 to move가 와야 한다.

[12-14]

Rosie 기자: 오늘 아침 거대한 빨간 공이 Bordeaux로 굴러 들어왔습니다. 공 주위의 사람들이 매우 신나고 놀라 보입니다. 그들 중 몇 명과 이야기해 보겠습니다.
Pierre(38살, 요리사): 직장으로 가는 길에, 저는 거대한 빨간 공을 봤어요! 그것은 거대한 물놀이 공처럼 보였어요. 저는 '도대체 저게 무엇일까?'라고 생각했어요. 저는 제 눈을 믿을 수 없었어요.
Nicole(14살, 학생): 저는 이 공이 정말 좋아요! 친구들과 저는 그것을 주먹으로 몇 번 쳤어요. 그러고는 우리는 공에 뛰어들어 튕겨 나오기도 했어요. 이 공은 이곳에 영원히 있지는 않을 거예요. 그러니 오늘 오세요.

12 → (A) 뒤에 형용사 보어(excited)가 있으므로 「look+형용사」 형태가 알맞다.
(B) '그들 중 몇 명'이라는 뜻으로 a few of them이 알맞다. few는 '거의 없는'이라는 뜻이다.
(C) 뒤에 명사구(a huge beach ball)가 이어지므로 '~처럼 보였다'라는 뜻의 looked like가 알맞다.

13 ① 그것은 이곳에 영원히 있을 것이다.
② 그것은 이곳에 다시 올 것이다.
④ 그것은 오랫동안 이곳에 있을 것이다.
⑤ 그것은 전 세계를 여행하지 않을 것이다.
→ 바로 뒤에 '그러니 오늘 오세요.'라는 말이 이어지고 있으므로 레드볼이 보르도에 오랫동안 있지 않을 것임을 알 수 있다.

14 → punched it, jumped into it and bounced off it에 해당하는 부분이다.

[15-17]

Rosie 기자: 레드볼의 창작자인 Kurt는 레드볼을 세계 도처로 가지고 갑니다. 그가 오늘 우리와 함께 여기 있습니다. 레드볼에 관해 우리에게 말씀해 주시겠어요?
Kurt: 물론입니다. 레드볼은 모두를 위한 것입니다. 레드볼은 사람들에게 기쁨을 가져다줍니다. 사람들은 레드볼과 함께 놀며 그 작품의 일부가 됩니다. 서로 다른 나라의 사람들은 레드볼을 다르게 즐깁니다. 시드니에서는, 사람들이 레드볼과 함께 놀았습니다. 런던에서는, 모두가 그저 레드볼을 바라보며 그것에 대해 이야기했습니다. 타이베이의 사람들은 레드볼을 어디든 따라다니며 사진을 찍었습니다.
Rosie 기자: 재미있군요. 레드볼은 왜 빨간색인가요?
Kurt: 빨간색은 에너지와 사랑의 색이에요!

15 → ⓐ '~을 보다'라는 뜻으로 look at을 쓴다. 과거의 일을 말하고 있으므로 과거형 looked가 알맞다.
ⓑ '~의 사진을 찍다'는 take pictures of로 쓴다. 동사 followed와 접속사 and로 연결된 병렬 구조이므로 take의 과거형 took로 쓴다.

16 Kurt는 레드볼을 전 세계로 가지고 가고 사람들은 그 작품의 일부가 된다. 서로 다른 나라의 사람들은 레드볼을 다르게 즐긴다.

17 ① 레드볼의 창작자는 누구인가?
② Kurt는 레드볼을 어떻게 운반하는가?
③ 사람들은 레드볼을 가지고 무엇을 하는가?
④ 레드볼은 사람들에게 무엇을 가져다주는가?
⑤ 시드니의 사람들은 레드볼을 어떻게 즐겼는가?
→ ② Kurt가 레드볼을 어떻게 운반하는지는 언급되지 않았다.

[18-20]

당신은 무엇을 하는 것을 좋아하나요? 당신은 피아노를 치는 것을 아주 좋아하나요? 당신은 텔레비전을 보는 것을 아주 좋아하나요? 자, 그러한 활동들이 당신의 장래 직업이 될 수 있습니다. 다음 사람들에 관해 읽어 봅시다. 그들은 자신에게 꼭 맞는 직업을 찾았습니다.
Rahul은 노래하는 것을 아주 좋아했어요. 그는 학교에 가는 길에 노래를 불렀어요. 그는 샤워 중에 노래했어요. 그는 심지어 잠을 자는 중에도 노래했어요! Rahul이 중학교에 다녔을 때, 그는 학교 연극에서 연기를 했어요. 그 당시에 그는 연기하는 것에도 푹 빠졌어요. Rahul은 현재 뮤지컬 배우입니다. 그는 훌륭한 가수이지만 춤은 잘 못 춰요.

18 → ⑤ 긍정문의 끝에 써서 '~도 또한, 역시'라는 뜻을 가지는 부사는 too이다. either는 의미는 같지만 부정문에서 쓰인다.

19 → 바로 앞 문장에 나온 Rahul이 중학교에 다닐 때 학교 연극에서 연기를 했던 때를 가리킨다.

20 → 대조되는 내용을 연결할 때 쓰는 but이 있으므로 노래는 잘하지만 춤은 못 춘다는 내용이 되어야 한다. have two left feet은 춤을 추는 동작이 어색할 때 사용하는 표현이다.

[21-22]

Kevin은 의사가 되고 싶어 했어요. 그는 또한 운동도 아주 좋아했어요. 현재, 그는 한 야구팀의 의사로 일합니다. Kevin은 그의 팀과 함께 전국을 여행합니다. 그는 선수들이 다쳤을 때 그들을 돌봅니다. Kevin은 선수들을 돕는 것을 아주 좋아합니다. 그는 또한 가까이에서 경기를 지켜보는 것을 아주 좋아합니다!

21 → '~할 때'라는 뜻의 접속사 when을 써서 영작한다. when이 이끄는 부사절의 동사는 get hurt, 주절의 동사는 takes care of로 쓴다.

22 → ④ Kevin이 한 야구팀의 의사로 일하고 있지만 구체적으로 어느 팀인지는 언급되어 있지 않다.

23 그녀는 방과 후에 체육관에 갈 것이다.
→ 조동사 will의 부정문은 「will not(won't)+동사원형」으로, 의문문은 「Will+주어+동사원형 ~?」으로 쓴다.

24 (1) 바구니에 <u>많은</u> 사과들이 있다.
(2) 병에 사탕 <u>몇 개</u>가 있다.
→ 개수가 많은 사과 앞에 many, 개수가 적은 사탕 앞에 a few를 써서 문장을 완성한다. a few와 many는 셀 수 있는 명사의 복수형과 함께 쓰인다.

25 (1) 나는 피곤할 때, 일찍 잠자리에 든다.
(2) 나는 잠을 잘 수 없을 때, 양을 센다.
(3) 나는 시험이 있을 때, 열심히 공부한다.
→ '~할 때'라는 뜻의 접속사 when을 이용하여 의미상 어울리는 두 문장을 연결한다.

---

7 Money Doesn't Grow on Trees

Words Test
p. 68

1 (1) 세계, 강력하게 (2) 보상 (3) 깨진, 부러진 (4) 냉장고 (5) 판매자, 파는 사람 (6) (무엇이 부서질 때 나는) 요란한 소리 (7) 중요한 (8) 값, 가격 (9) 우연한, 돌발적인 (10) 운동화

2 (1) agree (2) latest (3) blanket (4) lesson (5) sweat (6) candle (7) shopper (8) throw (9) choice (10) sign

3 (1) expensive (2) reply (3) earn (4) mad (5) backpack

4 (1) pay for (2) be proud of (3) show up (4) one by one

5 (1) broken (2) fitting room (3) up a sweat (4) play catch (5) take responsibility for

3 (1) 가격이 높은
(2) 대답으로 무언가를 말하거나 쓰거나 하다
(3) 일을 해서 돈을 얻다
(4) 매우 화가 나고 짜증이 난
(5) 어깨 끈이 있는 가방

4 (1) 너는 그 영화표에 얼마를 지불했니?
(2) 우리는 우리 문화를 자랑스러워해야 한다.
(3) 그 마술사는 무대 위로 나타날 것이다.
(4) 학생들이 한 명씩 교실에 들어왔다.

Listening&Speaking Test
pp. 72-73

01 ②　02 ⑤　03 ③　04 ②　05 (D)-(B)-(C)-(A)
06 I'm looking for a pair of jeans　07 ⑤　08 ⑤
09 ②　10 on sale, 20 dollars

01 A: 도와 드릴까요?
B: 네, 저는 아빠를 위한 넥타이를 찾고 있어요.
A: 이건 어떠세요?
B: 좋네요!
→ 상점에서 점원이 손님에게 도움이 필요한지 물을 때 Can (May) I help you?로 말한다. 물건을 권할 때는 '~은 어때요?'라는 뜻으로 How about ~?의 표현을 쓴다.

02 A: 실례합니다. <u>이 펜은 얼마인가요?</u>

B: 그것은 5달러입니다.
① 이 펜은 어떠세요?
② 펜 있나요?
③ 이 펜은 얼마나 큰가요?
④ 이 펜들은 얼마인가요?
→ 펜의 가격을 말하고 있으므로 얼마인지 묻는 말이 들어가야 한다. It's ~로 답하고 있으므로 단수인 this pen으로 묻는 것이 알맞다.

03 A: 실례합니다. 토마토 있나요?
B: 미안하지만 지금은 하나도 없어요.
① 그것들은 바로 저쪽에 있어요
② 그것들은 지금 할인 판매 중이에요
④ 우리는 많은 토마토가 있어요
⑤ 그것들은 단지 10달러예요
→ 토마토가 있는지 묻는 말에 미안하다고 답하고 있으므로 토마토가 없다는 말이 이어지는 것이 알맞다.

04 A: 도와 드릴까요?
B: 저는 재킷을 찾고 있어요.
→ 물건을 찾는 손님에게 도움이 필요한지 묻는 표현이 알맞다. ②는 '저 좀 도와 주시겠어요?'라는 뜻의 도움을 요청하는 표현으로 알맞지 않다.

05 (D) 실례합니다. 이 운동화는 얼마인가요?
(B) 15달러입니다.
(C) 좋아요. 그것을 살게요.
(A) 탁월한 선택이에요!
→ 운동화의 가격을 묻고 답한 뒤 구매를 결정하는 흐름이 자연스럽다.

06 A: 도와 드릴까요?
B: 네, 저는 청바지를 찾고 있어요.
A: 음…. 이건 어떠세요?
B: 마음에 들어요!
→ '나는 ~을 찾고 있다'라는 뜻으로 I'm looking for ~.의 표현을 사용한다. a pair of는 '한 벌'을 뜻한다.

07 이 양초는 얼마인가요?
→ How much is ~?는 가격을 묻는 표현으로 How much does ~ cost?로 바꿔 말할 수 있다.

08 A: 도와 드릴까요?
B: 네. _____
A: 그것들은 아동 도서 옆에 있어요.
① 저는 만화책을 찾고 있어요.
② 만화책을 어디에서 찾을 수 있나요?
③, ④ 만화책을 사고 싶어요.
⑤ 만화책의 가격은 얼마인가요?
→ 만화책의 위치를 알려주고 있으므로 만화책을 찾고 있다는

표현이 들어가야 한다. ⑤는 만화책의 가격을 묻는 표현이다.

[09-10]
A: 도와 드릴까요?
B: 네. 저는 티셔츠를 찾고 있어요.
A: 이건 어떠세요? 최신 유행의 스타일이에요.
B: 멋진데, 다른 색이 있나요?
A: 물론이죠. 흰색과 검은색, 빨간색이 있어요.
B: 흰색이 마음에 드네요. 얼마인가요?
A: 할인 판매 중이에요. 20달러밖에 안 해요.
B: 좋네요! 그것을 살게요.

09 ① 제가 그것을 찾을게요.
③ 저는 그것을 사지 않을 거예요.
④ 저는 그것을 원하지 않아요.
⑤ 여기 있어요.
→ 할인 판매 중이라는 점원의 말에 좋다(Perfect!)는 긍정의 답을 하고 있으므로 물건을 사겠다는 표현이 알맞다. 동사 take는 '사다, 선택하다'라는 뜻으로 쓰인다.

10 흰색 티셔츠는 할인 판매 중이다. 그것은 20달러밖에 안 한다.
→ 점원의 말 It's on sale. It's only $20.에서 알 수 있다.

Listening&Speaking 서술형 평가

p. 74

1 want to buy a doll
2 [예시 답] How much is this umbrella, 5 dollars
3 (1) I'm looking for a pair of jeans.
(2) Can I try it on?
(3) What's your size?
(4) The fitting room is right over there.
4 (1) How much is it (2) 50% off (3) take(buy) it
5 (1) They are 15 dollars.
(2) I'll take(buy) them.

1 A: 실례합니다. 저는 인형을 사고 싶어요.
B: 그것은 바로 저쪽에 있어요.
→ 점원이 인형의 위치를 알려 주고 있으므로 빈칸에는 인형을 찾는 표현이 들어가는 것이 알맞다. '~을 사고 싶다'라는 뜻으로 want to buy를 쓴다.

2 A: 이 우산은 얼마인가요?
B: 10달러였는데 지금 50퍼센트 할인 중이에요. 그것은 5달러밖에 안 해요.

→ B가 가격을 말하고 있으므로 How much is ~?로 우산의 가격을 묻는 말이 알맞다. 또한 10달러짜리 우산이 50퍼센트 할인 판매 중이므로, 현재 우산 가격이 5달러이다.

3 A: 도와 드릴까요?
B: 네, 저는 청바지를 찾고 있어요.
A: 음…. 이건 어떠세요?
B: 아주 마음에 드네요. 입어 볼 수 있나요?
A: 물론이죠. 사이즈가 어떻게 되나요?
B: 저는 보통 28사이즈를 입어요.
A: 여기 있습니다. 탈의실은 바로 저쪽에 있어요.
B: 고맙습니다.
→ (1) 점원이 도움이 필요한지 묻고 있으므로 찾고 있는 물건을 말한다.
(2) 점원이 권해 준 청바지가 마음에 든다고 했으므로 입어 볼 수 있는지 묻는 것이 자연스럽다.
(3) B가 본인의 사이즈를 말하고 있으므로 사이즈를 묻는 표현이 알맞다.
(4) 점원이 청바지를 건네준 뒤 탈의실을 안내하는 것이 자연스럽다.

4 Jenny는 배낭을 사고 싶어 한다. Andrew는 빨간색 배낭을 추천한다. Jenny는 그 배낭이 마음에 들지만, 그것은 60달러이다. Andrew가 할인 표지판을 본다. 빨간색 배낭은 50퍼센트 할인하고 있다. Jenny는 그것을 사기로 결정한다.

A: Jenny, 이 배낭 좀 봐. 예쁘지 않니?
B: 응, 예뻐 보여. 얼마니?
A: 60달러야.
B: 흠…. 너무 비싸.
A: 네 말이 맞아. 오, 봐! 50퍼센트 할인이 돼. 내가 표지판을 보지 못했어.
B: 잘됐다! 나는 그것을 사야겠어.
→ (1) 가격을 말하고 있으므로 가격을 묻는 표현이 알맞다.
(2) Andrew가 50퍼센트 할인한다는 표지판을 봤다고 했으므로 50% off가 들어가는 것이 알맞다.
(3) Jenny가 구입을 결정했으므로 I'll take it.이 알맞다.

5 A: 실례합니다. 이 운동화는 얼마인가요?
B: 15달러입니다.
A: 좋아요. 그것들을 살게요.
B: 탁월한 선택이에요! 매우 감사합니다.
→ 운동화(sneakers)의 가격을 묻고 있으므로 그림에서 운동화를 찾아 가격을 말하고, 구입을 결정하는 표현을 써서 대화를 완성한다. sneakers는 복수 명사이므로 대명사는 they, them으로 쓴다.

pp. 76-78

Grammar Test

01 (1) have to (2) will have to (3) don't have to (4) had to (5) don't have to   **02** (1) for (2) to (3) for (4) to   **03** (1) saved → save (2) has to → have to (3) walks → walk (4) has to → have to   **04** (1) made me a sweater (2) gave Julia a doll (3) showed his album to us   **05** (1) Does she have to write a diary in English? (2) They don't have to bring their food. (3) You had to clean your room.   **06** ⑤   **07** ⑤   **08** ②   **09** ③   **10** ⑤   **11** ⑤   **12** ③   **13** ⑤   **14** buy me a book, buy a book, me   **15** (1) I sent some flowers to my grandmother. (2) You have to be kind to your friends.

01 (1) 나는 내 컴퓨터를 고쳐야 한다.
(2) 그는 선생님을 만나야 할 것이다.
(3) 그들은 이 책을 읽을 필요가 없다.
(4) 그녀는 남동생을 도와줘야 했다.
(5) 우리는 그의 이름을 알 필요가 없다.
→ have to는 주어의 인칭과 수에 따라 have나 has를 사용한다. 과거형은 had to, 미래형은 will have to이고, 부정형은 don't(doesn't) have to이다.

02 (1) 나는 그녀에게 자전거를 사 줄 것이다.
(2) 그녀는 아이들에게 재미있는 이야기를 말해 줄 수 있다.
(3) 그는 그의 가족에게 파스타를 요리해 주었다.
(4) 그들은 사촌에게 사진 몇 장을 보냈다.
→ 수여동사가 3형식 문장에서 쓰일 때 buy와 cook은 전치사 for와, tell과 send는 전치사 to와 함께 쓴다.

03 (1) 그들은 돈을 모아야 한다.
(2) 그 학생들은 교복을 입어야 한다.
(3) 그는 학교에 걸어가야 하니?
(4) 그녀는 나에게 전화할 필요가 없다.
→ (1), (3) 조동사 have to 뒤에는 동사원형이 온다.
(2) The students는 복수 주어이므로 have to로 써야 한다.
(4) have to의 부정형은 「don't(doesn't) have to+동사원형」이다.

04 → (1), (2) '~에게 …을 (해) 주다'라는 뜻의 4형식 문장은 「주어+수여동사+간접목적어+직접목적어」의 어순이다.
(3) 전치사 to가 있으므로 「주어+수여동사+직접목적어+to+간접목적어」의 3형식 문장으로 배열한다.

05 (1) 그녀는 영어로 일기를 써야 한다.
(2) 그들은 음식을 가져와야 한다.
(3) 너는 방을 청소해야 한다.

→ ⑴ 조동사 have to의 의문문은 「Do+주어+have to
+동사원형 ~?」의 형태로 쓴다. 주어가 3인칭 단수이므로
Do 대신 Does를 쓴다.
⑵ have to의 부정형은 don't have to이다.
⑶ have to의 과거형은 had to이다.

06 Brian은 나에게 꽃을 조금 _____ 것이다.
① 가져다 줄 ② 보낼 ③ 줄 ④ 보여 줄 ⑤ 사 줄
→ 3형식 문장에서 수여동사 bring, send, give, show는
전치사 to와 함께 쓰이고, buy는 for와 함께 쓰인다.

07 • 나는 방과 후에 숙제를 해야 한다.
• 그녀는 버스를 타야 하니?
→ 주어가 I이므로 조동사는 have to의 형태가 알맞다. 주어
가 3인칭 단수일 때 have to의 의문문은 「Does+주
어+have to+동사원형 ~?」의 형태로 쓴다.

08 → '~에게 …을 주다'라는 뜻의 수여동사 give는 「주어+
give+간접목적어+직접목적어」의 4형식 문장으로 쓰거나,
「주어+give+직접목적어+to+간접목적어」의 3형식 문장으
로 쓴다.

09 Tom은 그의 친구에게 초콜릿 케이크를 만들어 주었
다.
→ make가 쓰인 4형식 문장은 「make+직접목적어+for+
간접목적어」의 3형식으로 바꿔 쓸 수 있다.

10 Eric은 오늘 오후에 도서관에 가야 한다.
→ 문장의 주어 Eric은 3인칭 단수이므로 doesn't have
to를 써서 부정문으로 만든다.

11 ① 그녀는 우리에게 좋은 소식을 말해 주었다.
② 그는 나에게 그의 사진들을 보여 주었다.
③ 그에게 이 편지를 줄 수 있니?
④ Jake는 그의 남동생에게 이메일을 보냈다.
⑤ 나는 반 친구에게 몇 가지 질문을 했다.
→ 수여동사 tell, show, give, send는 3형식 문장에서 전
치사 to와 함께 쓰고, ask는 of와 함께 쓴다.

12 ① 그녀는 쉬어야 하니?
② 나는 질문에 답해야 한다.
③ 내가 이 일을 끝내야 하니?
④ 우리는 선생님 말씀을 들어야 한다.
⑤ 그녀는 내일 학교에 갈 필요가 없다.
→ ① Do → Does ② has to → have to ④ listening
→ listen ⑤ has to → have to

13 ① 나는 그녀에게 새 외투를 사 주었다.
② 이 선생님은 우리에게 영어를 가르쳐 주셨다.
③ Jane은 나에게 생일 선물을 주었다.
④ 그는 나에게 물 한 컵을 가져다줄 것이다.

⑤ 그녀는 아이들에게 쿠키를 조금 만들어 주었다.
→ ⑤ 「make+간접목적어+직접목적어」 형태의 4형식 문장
으로 쓰거나, 「make+직접목적어+for+간접목적어」 형태의
3형식 문장으로 써야 한다.

14 → '~에게 …을 사 주다'라는 뜻의 수여동사 buy를 써서 4
형식 문장으로 쓰거나 전치사 for를 간접목적어 앞에 써서 3
형식 문장으로 쓴다. 직접목적어는 a book, 간접목적어는
me이다.

15 ⑴ 나는 할머니께 꽃을 좀 보내 드렸다.
⑵ 너는 친구들에게 친절해야 한다.
→ ⑴ send는 3형식 문장에서 전치사 to와 함께 쓰인다.
⑵ 조동사 have to 뒤에는 동사원형이 온다.

Grammar 서술형 평가
p. 79

1 ⑴ Bora sent a postcard to her family.
⑵ She made a sandwich for her sister.
⑶ I showed the new bicycle to my friends.
2 ⑴ doesn't have to get up
⑵ has to go camping
3 ⑴ Minsu has to play soccer with his friends at
2:00 p.m.
⑵ Minsu has to do his homework at 5:00 p.m.
4 [예시 답] ⑴ Ben gave Jane a cap. / Ben gave a
cap to Jane.
⑵ Mina sent Tony a letter. / Mina sent a letter
to Tony.
5 ⑴ for → to ⑵ buys → buy

1 ⑴ 보라는 그녀의 가족에게 엽서를 보냈다.
⑵ 그녀는 여동생에게 샌드위치를 만들어 주었다.
⑶ 나는 내 친구들에게 새 자전거를 보여 주었다.
→ 「주어+수여동사+간접목적어+직접목적어」 형태의 4형
식 문장은 「주어+수여동사+직접목적어+전치사+간접목적
어」 형태의 3형식 문장으로 바꿔 쓸 수 있다. send, show
는 전치사 to를, make는 전치사 for를 쓴다.

2 → ⑴ '~할 필요가 없다'는 뜻의 don't have to를 쓴다. 주
어가 3인칭 단수(Mr. Smith)이므로 don't 대신 doesn't로
쓴다. get up: 일어나다
⑵ '~해야 한다'는 뜻의 have to를 쓴다. 주어가 3인칭 단수
(He)이므로 has to로 쓴다. go camping: 캠핑을 가다

3 *e.g.* 민수는 오전 8시에 조깅 하러 가야 한다.
→ 「has to+동사원형」의 형태로 민수가 해야 할 일을 쓴다.

4 → ⑴ 수여동사 gave를 써서 「주어+gave+간접목적어+직접목적어」의 4형식 문장을 쓰거나 「주어+gave+직접목적어+to+간접목적어」의 3형식 문장을 쓴다.
⑵ 미나가 Tony에게 편지를 보낸 것이므로 간접목적어는 Tony, 직접목적어는 a letter이다. 「주어+sent+간접목적어+직접목적어」의 4형식 문장을 쓰거나 「주어+sent+직접목적어+to+간접목적어」의 3형식 문장을 쓴다.

5 수미는 지난주에 10,000원을 가지고 있었다. 그녀의 부모님께서 그녀에게 그 돈을 주셨다. 그녀는 책을 사야 했기 때문에 7,000원을 썼다. 그녀는 3,000원을 저축했다.
→ give는 3형식 문장에서 전치사 to와 함께 쓰인다. had to는 '~해야 했다'라는 뜻으로 뒤에는 동사원형이 온다.

Reading Test

pp. 82-84

01 ⑤　　02 ②　　03 ③　　04 ①　　05 ⑤　　06 to
07 ④　　08 ④　　09 ②　　10 ③　　11 Julie and Mike
12 ②, ③　　13 I'm very proud of you two.　　14 ①
15 ③

[01-02]

방과 후 어느 날, Julie와 Mike는 캐치볼 놀이를 하고 있었다. Mike는 지루해져서 "공을 더 세게 던져!"라고 말했다. Julie는 동의했다. 그녀는 공을 정말 세게 던졌다. 공은 Mike의 머리 위를 지나 날아갔다. 와장창! 공은 Leigh 씨의 거실 창문을 깨뜨렸다!

01 → ⓐ 빈칸 앞에 be동사 were가 있으므로 「be동사의 과거형+동사원형+-ing」 형태의 과거진행형이 알맞다.
ⓑ 글의 전체 시제가 과거이므로 throw의 과거형인 threw가 알맞다.

02 → ② Leigh 씨의 거실 창문을 깨뜨렸다는 언급은 있지만 Leigh 씨의 집이 어디에 있는지는 알 수 없다.

[03-05]

Leigh 씨가 밖으로 나왔다. Julie의 아버지 또한 그 소리를 듣고 밖으로 나왔다. Julie와 Mike는 "정말 죄송해요."라고 말했다. Julie의 아버지가 Leigh

씨에게 창문 값으로 40달러를 주었다. Leigh 씨는 "괜찮아요. 아이들이 다 그렇죠."라고 말했다.

집에서, Julie의 아버지는 "난 네게 화나지 않았단다. 하지만 너희들은 여전히 창문 값을 지불해야만 한단다."라고 말했다.

03 → '~에게 …을 주다'라는 뜻의 수여동사 give가 쓰인 4형식 문장이 알맞다.

04 → '아이들이 다 그렇다'는 뜻으로 아이들에게 어른처럼 행동하기를 기대할 수 없다는 말이다.

05 ① 화가 난 ② 지루한 ③ 신이 난 ④ 행복한 ⑤ 미안한
→ Julie와 Mike가 Leigh 씨에게 창문을 깨서 죄송하다고 말한 것으로 보아, 미안한 심정임을 알 수 있다.

[06-09]

다음 날, Julie는 Mike에게 그 나쁜 소식을 말해 주었다. Mike는 "우리가 어떻게 40달러를 벌 수 있지?"라고 물었다. Julie는 "세차를 하는 건 어때?"라고 답했다. Mike는 동의했다. "좋아! 내가 포스터를 만들게."

세차 날이 왔다. 처음에는 아무도 나타나지 않았다. 그러나 다행히도, 사람들이 한 명씩 왔다. Julie와 Mike는 땀을 흘리며 일했다. 그들은 차의 모든 작은 구석을 닦았다. 마침내 그들은 21대의 차를 닦았고 42달러를 벌었다!

06 → 수여동사 told가 쓰인 4형식 문장에서 간접목적어와 직접목적어의 위치를 바꾸고 간접목적어 Mike 앞에 전치사 to를 써서 3형식 문장으로 바꿔 쓸 수 있다.

07 → 세차 날 처음에는 아무도 나타나지 않았다가 다행히 한 명씩 왔다는 내용으로 연결되는 것이 자연스럽다.

08 → in the end는 '마침내, 결국'이라는 뜻으로, finally와 의미가 같다.

09 ① Mike는 세차를 하는 것에 동의했다.
② Julie와 Mike는 40달러를 벌었다.
③ Mike는 Julie에게서 나쁜 소식을 들었다.
④ Mike는 세차를 하기 위한 포스터를 만들었다.
⑤ Julie와 Mike는 매우 열심히 세차를 했다.
→ ② 마지막 문장에 Julie와 Mike는 21대의 차를 닦고 42달러를 벌었다고 언급되어 있다.

[10-12]

Julie와 Mike는 Julie의 아버지께 40달러를 드렸다. 그는 "너희들은 이 모든 것에서 무엇을 배웠니?"

라고 물었다. Julie가 "우리는 우리의 행동에 책임을 져야만 해요."라고 말했다. Mike는 "돈은 저절로 생기지 않아요."라고 말했다. Julie의 아버지가 미소 지었고 그들에게 돈을 돌려주었다.

10 → '~해야 한다'라는 뜻의 조동사 have to 뒤에는 동사원형이 와야 하므로 take가 알맞다.

11 → them은 Julie의 아버지가 돈을 되돌려 준 대상인 Julie와 Mike를 가리킨다.

12 → Julie는 책임감에 대해서 배웠다고 했고, Mike는 돈은 저절로 생기는 것이 아니라는 것을 배웠다고 했다.

[13-15]

　그는 "나는 너희 둘이 매우 자랑스럽구나. 너희들이 중요한 교훈을 배웠으니, 이건 너희들의 보상이란다."라고 말했다.
　처음에, Julie와 Mike는 그 돈을 간식에 쓰고 싶었다. 하지만 그들은 그 돈을 은행에 넣기로 결정했다. 왜냐고? 이것이 그들이 마지막으로 깬 유리창이 아닐 것이기 때문이다!

13 → '~을 자랑스러워하다'라는 뜻의 be proud of를 사용하여 문장을 완성한다.

14 → ⓑ 중요한 교훈을 배운 것이 원인, 보상을 받은 것이 그 결과이므로 인과관계를 나타내는 접속사 so가 알맞다.
ⓒ Julie와 Mike는 처음에 돈을 간식에 쓰고 싶었지만 결국 은행에 넣기로 결정했으므로 역접의 접속사 but이 알맞다.

15 → '이것이 그들이 마지막으로 깬 창문이 아닐 것이기 때문이다'라는 문장의 의미는 앞으로 또 창문을 깰 가능성이 있다는 의미이다.

Reading 서술형 평가　　　　　　　　p. 85

1 (1) one day after school
(2) were playing catch
(3) broke Mr. Leigh's living room window
(4) gave Mr. Leigh 40 dollars for the window

2 He made the posters.

3 (1) pay for the window　(2) to do a car wash
(3) earned

4 We have to take responsibility for our actions.

5 (1) 40 dollars　(2) to us　(3) to put　(4) bank

1 방과 후 어느 날, Julie와 Mike는 캐치볼 놀이를 하고 있었다. Mike는 지루해져서 "공을 더 세게 던져!"라고 말했다. Julie는 동의했다. 그녀는 공을 정말 세게 던졌다. 공은 Mike의 머리 위를 지나 날아갔다. 와장창! 공은 Leigh 씨의 거실 창문을 깨뜨렸다!
　Leigh 씨가 밖으로 나왔다. Julie의 아버지 또한 그 소리를 듣고 밖으로 나왔다. Julie와 Mike는 "정말 죄송해요."라고 말했다. Julie의 아버지가 Leigh 씨에게 창문 값으로 40달러를 주었다.
→ (1) 어느 날 방과 후에 일어난 일이다.
(2) Julie와 Mike는 캐치볼 놀이를 하던 중이었다.
(3) Julie가 던진 공이 Leigh 씨의 거실 창문을 깨뜨렸다.
(4) Julie의 아버지는 창문 값 40달러를 Leigh 씨에게 주었다.

[2-3]

　집에서, Julie의 아버지는 "난 네게 화나지 않았단다. 하지만 너희들은 여전히 창문 값을 지불해야만 한단다."라고 말했다.
　다음 날, Julie는 Mike에게 그 나쁜 소식을 말해 주었다. Mike가 "우리가 어떻게 40달러를 벌 수 있지?"라고 물었다. Julie는 "세차를 하는 건 어때?"라고 답했다. Mike는 동의했다. "좋아! 내가 포스터를 만들게."
　세차 날이 왔다. 처음에는 아무도 나타나지 않았다. 그러나 다행히도, 사람들이 한 명씩 왔다. Julie와 Mike는 땀을 흘리며 일했다. 그들은 차의 모든 작은 구석을 닦았다. 마침내 그들은 21대의 차를 닦았고 42달러를 벌었다!

2 Q: Mike는 세차를 위해 무엇을 만들었는가?
A: 그는 포스터를 만들었다.
→ 창문 값을 벌기 위해 세차를 하는 것이 어떻겠냐는 Julie의 제안에 Mike가 동의하면서 포스터를 만들겠다고 했다.

3 Julie와 Mike는 창문 값을 지불해야 해서, 그들은 세차를 하기로 결정했다. 그들은 열심히 일했고 42달러를 벌었다.
→ 본문의 내용과 일치하도록 알맞은 말을 찾아 빈칸을 완성한다.

[4-5]

　Julie와 Mike는 Julie의 아버지께 40달러를 드렸다. 그는 "너희들은 이 모든 것에서 무엇을 배웠니?"라고 물었다. Julie가 "우리는 우리의 행동에 책임을 져야만 해요."라고 말했다. Mike는 "돈은 저절로 생기지 않아요."라고 말했다. Julie의 아버지가 미소 지었고 그들에게 돈을 돌려주었다. 그는 "나는 너희 둘이 매우 자랑스럽구나. 너희들이 중요한 교훈을 배웠으니, 이건 너희들의 보상이란다."라고 말했다.

처음에, Julie와 Mike는 그 돈을 간식에 쓰고 싶었다. 하지만 그들은 그 돈을 은행에 넣기로 결정했다. 왜냐고? 이것이 그들이 마지막으로 깬 유리창이 아닐 것이기 때문이다!

4 → '~해야 한다'라는 뜻의 have to와 '~에 책임을 지다'라는 뜻의 take responsibility for를 사용하여 문장을 쓴다.

5 저녁에, 우리는 아빠에게 40달러를 드렸다. 놀랍게도 그는 보상으로 그 돈을 우리에게 돌려주셨다. 우리는 그 돈을 은행에 넣기로 결정했다.
→ Julie와 Mike는 Julie의 아버지께 40달러를 드렸지만 그는 그들에게 돈을 다시 돌려주었고, 그들은 그 돈을 은행에 넣기로 결정했다고 언급되어 있다.

단원 평가
pp. 86-89

01 ③ 02 ④ 03 ③ 04 ⑤ 05 ④ 06 ⑤ 07 ⑤
08 ④ 09 ② 10 ⑤ 11 ⑤ 12 ③ 13 (1) Mike will buy his brother a new toy. / Mike will buy a new toy for his brother. (2) I told Jane a funny story. / I told a funny story to Jane. 14 ② 15 ④ 16 ③
17 ③ 18 ③, ④ 19 ⑤ 20 worked up a sweat
21 ④ 22 ⑤ 23 ④ 24 ⑤ 25 ③

01 ① 팔다 – 사다 ② 던지다 – 잡다 ③ 대답하다
④ 동의하다 – 동의하지 않다 ⑤ 비싼 – 싼
→ ③은 유의어 관계이고, 나머지는 반의어 관계이다.

02 • Mary는 어제 회의에 나타나지 않았다.
• 예술가는 그의 작품을 자랑스러워한다.
→ show up은 '나타나다', be proud of는 '~을 자랑스러워하다'라는 뜻이다.

03 ① 화가 난: 매우 화가 나고 짜증이 난
② 깨진: 조각으로 갈라지거나 부서진
③ 지루한: 행복이나 흥미를 느끼는
④ 우연한: 운이나 우연으로 발생하는
⑤ 중요한: 큰 의미나 가치를 가지는
→ ③은 excited(신이 난)의 영어 뜻풀이다.

04 A: 도와 드릴까요?
B: 네, 저는 재킷을 찾고 있어요.

A: 이것은 어떠세요? 지금 할인 판매 중이에요.
B: 좋아요. 얼마인가요?
A: 30달러밖에 안 해요. 저희는 또한 예쁜 치마도 있어요.
① 신발 가게 ② 서점 ③ 식당 ④ 슈퍼마켓
⑤ 옷 가게
→ jacket, skirt와 같은 옷의 종류가 언급되고 있으므로 옷 가게에서 일어나는 대화임을 알 수 있다.

05 A: 도와 드릴까요?
B: 네. 저는 청바지를 찾고 있어요.
A: 음…. 이건 어떠세요?
B: 아주 마음에 드네요. 입어 볼 수 있나요?
A: 물론이죠. 사이즈가 얼마인가요?
B: 저는 보통 28사이즈를 입어요.
A: 여기 있습니다. 탈의실은 바로 저쪽에 있어요.
→ ④ Can I try it on?은 '그것을 입어 볼 수 있나요?'라는 뜻으로 손님이 점원에게 요청하는 말이다. Why don't you ~?는 '~하는 것은 어때요?'라는 제안의 뜻으로 점원이 손님에게 하는 말로 알맞다.

06 여자: 도와 드릴까요?
지호: 네. 저는 티셔츠를 찾고 있어요.
여자: 이건 어떠세요? 최신 유행의 스타일이에요.
지호: 멋진데, 다른 색이 있나요?
여자: 물론이죠. 흰색과 검은색, 빨간색이 있어요.
지호: 흰색이 마음에 드네요. 얼마인가요?
여자: 할인 판매 중이에요. 20달러밖에 안 해요.
지호: 좋네요! 살게요.
① 어떤 상품이 할인 판매 중인가?
② 지호는 얼마를 지불할 것인가?
③ 여자의 직업은 무엇인가?
④ 지호는 어떤 색의 티셔츠를 살 것인가?
⑤ 상점은 얼마 동안 세일을 할 것인가?
→ ⑤ 상점의 세일 기간이 얼마나 되는지는 알 수 없다.

[07-08]
A: Jenny, 이 배낭 좀 봐. 예쁘지 않니?
B: 음… 나는 색이 마음에 들지 않아.
A: 알겠어. 이 빨간 배낭은 어때?
B: 오, 예뻐 보여! 얼마니?
A: 60달러야.
B: 음…. 그건 너무 비싸네.
A: 네 말이 맞아. 오, 봐! 50퍼센트 할인이 돼. 내가 표시를 보지 못했어.
B: 잘됐다! 그걸 사야겠어.

07 → 배낭의 가격이 60달러라는 말을 듣고 망설이다가 50퍼센

트 할인 중이라는 말에 구매를 결정했으므로, 빈칸에는 너무 비싸다는 말이 들어가는 것이 알맞다.

08 ① 그들은 도서관에서 이야기하고 있다.
② Jenny는 배낭을 사지 않을 것이다.
③ Jenny는 빨간색 배낭이 마음에 들지 않는다.
④ 빨간색 배낭은 지금 30달러이다.
⑤ 상점에는 오직 빨간색 배낭만 있다.
→ ④ 빨간색 배낭은 원래 60달러이지만, 50퍼센트 할인하고 있으므로 현재 30달러이다.

09 • 밖이 매우 춥다. 나는 외투를 입어야 한다.
• Jack이 이미 식물에 물을 주었다. 너는 그것들에게 물을 줄 필요가 없다.
→ • 밖이 매우 추워서 외투를 입어야 하는 상황으로 have to가 알맞다.
• 이미 식물에 물을 주었으므로 '~할 필요가 없다'라는 뜻의 don't have to가 알맞다.

10 그녀는 그녀의 친구에게 책 한 권을 _____ 할 것이다.
→ 주어진 문장은 「주어+동사+간접목적어+직접목적어」 형태의 4형식 문장이다. see는 4형식 문장에 쓰이는 수여동사가 아니므로 빈칸에 들어갈 수 없다.

11 그는 나에게 맛있는 점심을 요리해 주었다.
→ 수여동사 cook이 쓰인 4형식 문장은 간접목적어 앞에 전치사 for를 써서 3형식 문장으로 전환한다.

12 ① 나는 거의 한 시간을 기다려야 했다.
② 그는 우체국에 가야 한다.
③ 그녀는 지금 무엇을 해야 하니?
④ 우리는 그에 대해 걱정할 필요가 없다.
⑤ 그녀는 방을 청소해야 하니?
→ ③ 조동사 have to가 쓰인 의문문은 「의문사+do(does)+주어+have to+동사원형 ~?」으로 쓴다. (has to → have to)

13 → 수여동사가 있는 문장은 「주어+수여동사+간접목적어+직접목적어」 형태의 4형식으로 쓰거나 전치사를 사용하여 3형식으로 쓸 수 있다. buy는 3형식 문장에서 전치사 for와 함께, tell은 전치사 to와 함께 쓰인다.

[14-17]
　방과 후 어느 날, Julie와 Mike는 캐치볼 놀이를 하고 있었다. Mike는 지루해져서 "공을 더 세게 던져!"라고 말했다. Julie는 동의했다. 그녀는 공을 정말 세게 던졌다. 공은 Mike의 머리 위를 지나 날아갔다. 와장창! 공은 Leigh 씨의 거실 창문을 깨뜨렸다!

　Leigh 씨가 밖으로 나왔다. Julie의 아버지 또한 그 소리를 듣고 밖으로 나왔다. Julie와 Mike는 "정말 죄송해요."라고 말했다. Julie의 아버지가 Leigh 씨에게 창문 값으로 40달러를 주었다. Leigh 씨는 "괜찮아요. 아이들이 다 그렇죠."라고 말했다.

　집에서, Julie의 아버지는 "난 네게 화나지 않았단다. 하지만 너희들은 여전히 창문 값을 지불해야만 한단다."라고 말했다.

14 ① 그것은 어려운 문제이다.
② 그가 문을 세게 찼다.
③ 사람들은 열심히 일해야 한다.
④ 그는 시험을 위해 열심히 공부했다.
⑤ 식탁에 딱딱한 사탕들이 있다.
→ ⓐ와 ②에 쓰인 hard는 '세게, 강하게'라는 뜻이다.

15 → ⓑ 글 전체의 시제가 과거이므로 fly의 과거형 flew로 쓴다.
ⓒ, ⓓ 조동사 will과 have to 뒤에는 동사원형을 쓴다.

16 → 주어진 문장에 also가 있으므로 Leigh 씨가 밖으로 나오고 Julie의 아버지 또한 나왔다는 내용으로 연결되는 것이 자연스럽다.

17 ① Julie와 Mike는 무엇을 깼는가?
② Julie의 아버지는 Julie에게 화가 났는가?
③ Leigh 씨는 그의 거실에서 무엇을 하고 있었는가?
④ Julie와 Mike는 방과 후에 무엇을 하고 있었는가?
⑤ Julie의 아버지는 Leigh 씨에게 얼마를 주었는가?
→ ③ Leigh 씨가 그의 거실에서 무엇을 하고 있었는지는 알 수 없다.

[18-21]
　다음 날, Julie는 Mike에게 그 나쁜 소식을 말해 주었다. Mike가 "우리가 어떻게 40달러를 벌 수 있지?"라고 물었다. Julie는 "세차를 하는 건 어때?"라고 답했다. Mike는 동의했다. "좋아! 내가 포스터를 만들게."

　세차 날이 왔다. 처음에는 아무도 나타나지 않았다. 그러나 다행히도, 사람들이 한 명씩 왔다. Julie와 Mike는 땀을 흘리며 일했다. 그들은 차의 모든 작은 구석을 닦았다. 마침내 그들은 21대의 차를 닦았고 42달러를 벌었다!

18 → 수여동사 tell은 「주어+tell+간접목적어+직접목적어」의 4형식 문장으로 쓰거나, 「주어+tell+직접목적어+to+간접목적어」의 3형식 문장으로 쓴다. tell의 과거형은 told이다.

19 → ⓑ 처음에는(At first) 아무도 오지 않았다가 다행히 한 명씩 왔다는 내용이다.
ⓓ 세차를 해서 그 결과 42달러를 벌었다는 내용이므로 '마침내, 결국'을 뜻하는 in the end가 알맞다.

20 → 땀을 흘리며 일하다: work up a sweat

21 → ④ 세차 날 사람들은 한 명씩(one by one) 왔다고 언급되어 있다.

[22-25]

Julie와 Mike는 Julie의 아버지께 40달러를 드렸다. 그는 "너희들은 이 모든 것에서 무엇을 배웠니?"라고 물었다. Julie가 "우리는 우리의 행동에 책임을 져야만 해요."라고 말했다. Mike는 "돈은 저절로 생기지 않아요."라고 말했다. Julie의 아버지가 미소 지었고 그들에게 돈을 돌려주었다. 그는 "나는 너희 둘이 매우 자랑스럽구나. 너희들은 중요한 교훈을 배웠으니, 이건 너희들의 보상이란다."라고 말했다.
처음에, Julie와 Mike는 그 돈을 간식에 쓰고 싶었다. 하지만 그들은 그 돈을 은행에 넣기로 결정했다. 왜냐고? 이것이 그들이 마지막으로 깬 유리창이 아닐 것이기 때문이다!

22 → ⑤ won't는 will not의 줄임말로 뒤에 동사원형을 써야 한다. (being → be)

23 → 돈은 나무에서 자라는 것처럼 저절로 생기지 않는다는 의미이다.

24 Julie의 아버지는 Julie와 Mike를 매우 자랑스러워했다.
→ I'm very proud of you two.에서 Julie 아버지의 심정을 알 수 있다.

25 → ③ Julie와 Mike가 깨뜨린 창문의 개수는 알 수 없다.

서술형 평가 완전정복
p. 90

1 (1) He showed this painting to Minsu.
(2) Kate made a pencil case for me.
(3) She will give a doll to her sister.

2 (1) She wants to buy the white sneakers.
(2) They are 25 dollars.

3 (1) Eric has to go to the library.
(2) Eric has to clean his room.

1 → 〈보기〉에 주어진 수여동사와 전치사를 사용하여 「주어+수여동사+직접목적어+전치사+간접목적어」 형태의 3형식 문장으로 쓴다.

2 A: Jenny, 이 운동화 좀 봐. 예쁘지 않니?
B: 음… 나는 색이 마음에 들지 않아.
A: 알겠어. 이 흰색 운동화는 어때?
B: 오, 예뻐 보여! 얼마니?
A: 50달러야.
B: 음…. 그건 너무 비싸네.
A: 네 말이 맞아. 오, 봐! 50퍼센트 할인이 돼. 내가 표시를 보지 못했어.
B: 잘됐어! 그걸 사야겠어.
(1) Jenny는 무슨 색 운동화를 사고 싶어 하는가?
→ 그녀는 흰색 운동화를 사고 싶어 한다.
(2) 운동화는 얼마인가?
→ 그것은 25달러이다.
→ (1) Jenny는 흰색 운동화를 마음에 들어 한다.
(2) 50달러에서 50퍼센트 할인하고 있으므로 운동화의 가격은 25달러이다.

3 e.g. Eric은 과학 숙제를 해야 한다.
(1) Eric은 도서관에 가야 한다.
(2) Eric은 방 청소를 해야 한다.
→ 조동사 have to 뒤에 동사원형을 써서 Eric이 방과 후에 해야 할 일을 쓴다. Eric은 3인칭 단수 주어이므로 has to로 쓴다.

수행 평가 완전정복　말하기
p. 91

1 [예시 답] (1) May(Can) I help you?
(2) I'm looking for a book about animals.
(3) How much is it?
(4) It's on sale.

2 [예시 답] (1) A: How much are these gloves?
B: They're 15 dollars.
A: Great! I'll take them.
(2) A: How much is this backpack?
B: It's 30 dollars.
A: It's too expensive.

1 Ⓐ 당신은 서점에 있는 판매자이다. 당신은 동물에 관한 책을 추천한다. 그 책은 할인 판매 중이다.
Ⓑ 당신은 쇼핑객이다. 당신은 동물에 관한 책을 찾고 있다.

A: 안녕하세요. 도와 드릴까요?

B: 네. 저는 동물에 관한 책을 찾고 있어요.

A: 이 책은 어떠세요?

B: 좋아요. 얼마인가요?

A: 그것은 할인 판매 중이에요. 4달러밖에 안 해요.

B: 좋네요! 그것을 살게요.

→ (1) 손님을 맞는 점원의 말로 '도와 드릴까요?'라는 표현이 알맞다. Can(May) I help you? 등으로 말한다.

(2) 물건을 찾는 손님의 말로 I'm looking for ~. 등의 표현으로 쓴다.

(3) 가격을 말하고 있으므로 얼마인지 묻는 표현이 알맞다.

(4) 책이 할인 판매 중이므로 on sale의 표현을 쓴다.

[평가 점수 적용 예시]

평가 영역		점수
언어 사용	0	모든 문장에 틀린 단어, 문법, 어순이 있다.
	1	두세 문장에 틀린 단어, 문법, 어순이 있다.
	2	한 문장에 틀린 단어, 문법, 어순이 있다.
	3	모든 문장의 단어, 문법, 어순이 정확하다.
내용 이해	0	모든 문장에서 두 사람의 역할에 알맞은 표현을 전혀 사용하지 못했다.
	1	두 사람의 역할에 알맞은 표현을 한두 문장에서 사용했다.
	2	두 사람의 역할에 알맞은 표현을 세 문장에서 사용했다.
	3	두 사람의 역할에 알맞은 표현을 모든 문장에서 사용했다.
유창성	0	말을 하지 못하고 하려는 의지가 없다.
	1	말 사이에 끊어짐이 많다.
	2	말 사이에 끊어짐이 약간 있다.
	3	말에 막힘이 없고 자연스럽다.
과제 완성도	0	물건을 사고파는 상황에 적절한 말을 하나도 말하지 못했다.
	1	물건을 사고파는 상황에 적절한 말을 1~2개 말했다.
	2	물건을 사고파는 상황에 적절한 말을 3개 말했다.
	3	물건을 사고파는 상황에 적절한 말을 모두 말했다.

2 *e.g.* A: 이 농구공은 얼마인가요?

B: 20달러입니다.

A: 좋네요! 그것을 살게요.

→ 물건의 가격을 물을 때 How much is(are) ~?로 묻고, 가격을 말할 때는 구체적인 금액을 넣어 It's(They're) ~.로 말한다. 장갑의 경우 두 짝이 하나를 이루기 때문에 복수형으로 쓴다.

[평가 점수 적용 예시]

평가 영역		점수
언어 사용	0	대화의 모든 문장에 틀린 단어, 문법, 어순이 있다.
	1	2개의 대화에 틀린 단어, 문법, 어순이 있다.
	2	1개의 대화에 틀린 단어, 문법, 어순이 있다.
	3	모든 대화의 단어, 문법, 어순이 정확하다.
내용 이해	0	모든 그림에 일치하는 표현으로 물건의 가격을 묻고 답하는 대화를 전혀 하지 못했다.
	1	하나의 그림에 일치하는 표현으로 물건의 가격을 묻고 답하는 대화를 했다.
	2	모든 그림에 일치하는 표현으로 물건의 가격을 묻고 답했지만 어색한 표현이 있다.
	3	모든 그림에 일치하는 표현으로 물건의 가격을 묻고 답하는 대화를 했다.
유창성	0	말을 하지 못하고 하려는 의지가 없다.
	1	말 사이에 끊어짐이 많다.
	2	말 사이에 끊어짐이 약간 있다.
	3	말에 막힘이 없고 자연스럽다.
과제 완성도	0	제시된 조건을 전혀 충족하지 못하고 대화를 했다.
	1	제시된 조건 중 1개를 충족해서 대화를 했다.
	2	제시된 조건을 모두 충족했지만 어색한 문장이 있다.
	3	제시된 조건을 모두 충족해서 대화를 했다.

수행 평가 완전정복 쓰기

1 My mom made me delicious food. My grandfather gave me some books. My brother wrote me a birthday card.

2 [예시 답] (1) Jane has to go hiking with her family this weekend. Jane doesn't have to go to school this weekend.

(2) Minju has to take care of her sister this weekend. Minju doesn't have to study math this weekend.

(3) Andy and Mike have to do their English homework this weekend. Andy and Mike don't have to finish the school project this weekend.

1 오늘은 내 생일이었다. 나는 가족들과 좋은 시간을 보냈다. 아빠는 나에게 시계를 사 주셨다. 엄마는 나에게 맛있는 음식을 만들어 주셨다. 할아버지는 나에게 책 몇 권을 주셨다. 남동생은 나에게 생일 카드를 써 주었다. 나는 정말 행복했다.

→ 수여동사 make, give, write를 사용하여 「주어+수여동사+간접목적어+직접목적어」의 4형식 문장을 쓴다. 과거의 일을 서술하고 있으므로 동사는 과거형으로 쓴다.

[평가 점수 적용 예시]

평가 영역		점수
언어 사용	0	모든 문장에 틀린 단어나 문법, 어순이 있다.
	1	두 문장에 틀린 단어나 문법, 어순이 있다.
	2	한 문장에 틀린 단어나 문법, 어순이 있다.
	3	모든 문장의 단어, 문법, 어순이 정확하다.
내용 이해	0	모든 문장에서 4형식 문형을 전혀 쓰지 못했다.
	1	1개의 문장에서 4형식 문형을 정확하게 썼다.
	2	2개의 문장에서 4형식 문형을 정확하게 썼다.
	3	모든 문장에서 4형식 문형을 정확하게 썼다.
과제 완성도	0	제시된 조건을 하나도 충족하지 못했다.
	1	제시된 조건 중 1개를 충족했다.
	2	제시된 조건 중 2개를 충족했다.
	3	제시된 조건을 모두 충족했다.

2 → '~해야 한다'라는 뜻의 조동사 have to와 '~할 필요가 없다'라는 뜻의 don't have to를 활용하여 문장을 영작한다. 주어가 3인칭 단수일 경우 has to, doesn't have to로 쓴다.

[평가 점수 적용 예시]

평가 영역		점수
언어 사용	0	모든 항목에 틀린 단어나 문법, 어순이 있다.
	1	2개의 항목에 틀린 단어나 문법, 어순이 있다.
	2	1개의 항목에 틀린 단어나 문법, 어순이 있다.
	3	모든 항목의 단어, 문법, 어순이 정확하다.
내용 이해	0	모든 항목에서 표의 내용과 일치하는 표현을 전혀 쓰지 못했다.
	1	1개의 항목에서 표의 내용과 일치하는 표현을 썼다.
	2	2개의 항목에서 표의 내용과 일치하는 표현을 썼다.
	3	모든 항목에서 표의 내용과 일치하는 표현을 썼다.
과제 완성도	0	제시된 조건을 하나도 충족하지 못했다.
	1	제시된 조건 중 1개를 충족했다.
	2	제시된 조건 중 2개를 충족했다.
	3	제시된 조건을 모두 충족했다.

8 The Way to Korea

Words Test p. 94

1 (1) 뼈 (2) 인기 있는, 대중적인 (3) 양초 (4) 진한, 풍부한; 부유한 (5) 등산가, 산악인 (6) 전통 (7) 미끄러운, 미끈거리는 (8) 형형색색의 (9) 인삼 (10) 무엇보다도

2 (1) way (2) whole (3) during (4) really (5) mean (6) carry (7) someday (8) piece (9) taste (10) seaweed

3 (1) boring (2) recommend (3) review (4) expect (5) ginseng

4 (1) Give thanks (2) these days (3) be born (4) a bowl of

5 (1) careful (2) culture (3) piece (4) afraid (5) colorful

3 (1) 재미있지 않은
(2) 어떤 사람 또는 어떤 것이 좋다고 말하다
(3) 책, 연극 등에 관한 누군가의 의견을 쓴 글
(4) 어떤 일이 일어나거나 어떤 것이 올 것이라고 생각하다
(5) 약으로 쓰이는 풀

4 (1) 부모님께 감사해라.
(2) 나는 요즘 요리에 흥미가 있다.
(3) 그녀의 아이는 다음 달에 태어날 것이다.
(4) 한국인들은 설날에 떡국 한 그릇을 먹는다.

Listening&Speaking Test pp. 98-99

01 ② 02 ⑤ 03 ③ 04 ⑤ 05 (C)-(B)-(A)-(D)
06 ④ 07 ⑤ 08 ② 09 ⑤ 10 watches popular Korean dramas and shows

01 A: 이 영화에 대해 어떻게 생각하니?
B: 나는 재미있다고 생각해.
→ What do you think about ~?은 '너는 ~에 대해 어떻게 생각하니?'라는 뜻으로 상대방의 의견을 묻는 표현이다.

02 A: 지게에 대해 좀 더 말해 주겠니?
B: 물론이야. 그것은 한국의 전통 배낭이야.
→ 지게에 대한 구체적인 설명이 이어지고 있으므로 요청에 승낙하는 표현인 Of course.가 알맞다.

03
A: 나는 세계 음식 동아리에 가입했어.
B: 세계 음식 동아리? <u>그것에 대해 좀 더 말해 주겠니?</u>
A: 물론이야. 우리는 매주 다른 나라들의 음식을 만들어.
① 세계 음식 동아리가 무엇이니?
② 너는 그것에 대해 알고 싶니?
④ 그곳에서 어떤 음식을 만드니?
⑤ 그 동아리에 대해 어떻게 생각하니?
→ 동아리에 관한 자세한 정보가 이어지고 있으므로 추가 정보를 요청하는 질문이 오는 것이 알맞다.

04
A: 그 책에 대해 어떻게 생각하니?
B: 나는 흥미롭다고 생각해.
① 너는 왜 그 책을 좋아하니?
② 너는 어떤 책을 좋아하니?
③ 너는 왜 그 책을 읽었니?
④ 네가 가장 좋아하는 책은 무엇이니?
→ What do you think about ~?은 상대방의 의견을 묻는 말로 How do you feel about ~?으로 바꿔 쓸 수 있다.

05
(C) 플로어볼이 무엇이니?
(B) 그것은 일종의 스포츠야.
(A) 그것에 대해 좀 더 말해 주겠니?
(D) 그것은 체육관 안의 바닥에서 하는 아이스하키와 비슷해.
→ 플로어볼이 무엇인지 묻고 답한 후 그것에 대한 자세한 정보를 요청하는 흐름으로 배열한다.

06
① A: hopscotch가 무엇이니?
B: 그것은 일종의 놀이야.
② A: 너는 무엇을 읽고 있니?
B: 나는 '해리포터'를 읽고 있어.
③ A: 나와 영화 '에베레스트산'을 볼래?
B: 좋아. 그것에 대해 좀 더 말해 주겠니?
④ A: 그 그림에 대해 어떻게 생각하니?
B: 응, 그것은 색이 다채로워.
⑤ A: 나는 '찰리와 초콜릿 공장'이 재미있다고 생각해.
B: 정말? 나는 지루하다고 생각해.
→ ④ What do you think about ~?은 상대방의 의견을 묻는 말이다. '무엇'이라는 뜻의 의문사 What이 있으므로 Yes로 답할 수 없다.

07
그 뮤지컬에 대해 어떻게 생각하니?
① 나에게는 그렇게 재미있지 않아.
② 나는 매우 재미있다고 생각해.
③ 나는 훌륭하다고 생각하지 않아.
④ 내 의견으로는 재미있어.

⑤ 나는 네 의견에 동의해.
→ ⑤ 뮤지컬에 대한 의견을 묻는 말에 상대방의 의견에 동의한다는 대답은 알맞지 않다.

[08-10]
A: 이봐, Alice. 나는 요즘 한국어 수업을 듣고 있어.
B: 멋지네, Brian. 수업은 어떠니?
A: 지루해. (→ 좋아.) 수업 중에 시간이 빨리 지나가.
B: 정말? 그 수업에 대해 좀 더 말해 주겠니?
A: 물론이지. 우리는 매 수업마다 인기 있는 한국 드라마와 쇼를 봐.
B: 재미있는 수업 같구나!

08
→ ② Brian이 수업 중에 시간이 빨리 지나간다고 했으므로 수업이 지루하다고 말하는 것은 어색하다. (→ It's great.)

09
→ 두 사람은 Brian이 듣고 있는 한국어 수업에 관해 이야기하고 있다. Alice가 듣고 싶어 하는 수업은 언급되지 않았다.

10
Brian은 그의 한국어 수업 시간에 무엇을 하는가?
→ 그는 <u>인기 있는 한국 드라마와 쇼를 본다.</u>
→ Brian은 매 수업마다 인기 있는 한국 드라마와 쇼를 본다고 했다.

Listening&Speaking 서술형평가
p. 100

1 Can you tell me more about it

2 [예시 답] I think Hanbok is very beautiful. / I think Hanbok is colorful.

3 [예시 답] (1) I'm from Brazil. / I come from Brazil.
(2) What do you think about(of) it

4 (1) She saw Ganggangsullae.
(2) She thinks it's very beautiful.

5 (1) I think it's interesting.
(2) I think it's boring.

1
A: 피냐타는 무엇이니?
B: 그것은 일종의 종이 인형이야.
A: 그것에 대해 좀 더 말해 주겠니?
B: 멕시코의 아이들은 생일에 그것을 가지고 놀아.
→ 추가 정보를 요청할 때 사용하는 표현인 Can you tell me more about it?으로 배열한다.

2 → 한복에 대한 자신의 의견을 I think ~.의 표현으로 쓴다.

3 안녕. 나는 브라질에서 온 Sophia야. 나는 K-pop의 열성 팬이야. 나는 그것이 정말 대단하다고 생각해. 나는 많은 한국 노래를 부를 수 있어.

A: 안녕, Sophia. 너는 어디에서 왔니?

B: 나는 브라질에서 왔어.

A: 너는 K-pop을 좋아하니?

B: 응, 나는 K-pop의 열성 팬이야.

A: 너는 그것에 대해 어떻게 생각하니?

B: 나는 그것이 정말 대단하다고 생각해. 나는 많은 한국 노래를 부를 수 있어.

→ (1) '~에서 오다, ~ 출신이다'라는 뜻으로 「be(come) from+국가명」을 쓴다.

(2) K-pop이 대단하다고 자신의 의견을 말하고 있으므로 상대방의 의견을 묻는 말인 What do you think about(of) ~? 등이 와야 한다.

4 A: 보라야, 연휴 동안 무엇을 했니?

B: 나는 해남에서 열린 한국 문화 축제에 갔어. 나는 그곳에서 강강술래를 봤어.

A: 강강술래가 무엇이니?

B: 그것은 한국 전통 무용의 한 종류야.

A: 그것에 대해 좀 더 말해 주겠니?

B: 여성들이 큰 원을 그린 채 함께 노래를 부르고 춤을 춰. 나는 강강술래가 매우 아름답다고 생각해.

A: 재미있겠다. 나도 언젠가 보고 싶어.

(1) 보라는 해남의 한국 문화 축제에서 무엇을 했는가?

　　→ 그녀는 강강술래를 봤다.

(2) 강강술래에 대한 보라의 의견은 무엇인가?

　　→ 그녀는 그것이 매우 아름답다고 생각한다.

5 Jimmy: Kate, 무엇을 읽고 있니?

Kate: 나는 '샬롯의 거미줄'을 읽고 있어.

Jimmy: 그것에 대해 어떻게 생각하니?

Kate: 나는 재미있다고 생각해.

Jimmy: 정말? 나는 지루하다고 생각해.

→ Kate는 읽고 있는 책이 재미있다고 생각하고, Jimmy는 그것이 지루하다고 생각한다는 내용의 대화를 완성한다.

Grammar Test pp. 102-104

01 (1) older (2) happier (3) hotter (4) more expensive (5) better (6) smaller **02** (1) reading (2) going (3) watching (4) to play **03** (1) younger (2) easier (3) bigger (4) more interesting **04** (1) more heavy → heavier (2) to have → having (3) very → much(even, still, far, a lot) **05** (1) eating (2) taller than (3) colder than **06** ④ **07** ③ **08** ④ **09** ③ **10** ② **11** ① **12** ③ **13** ③ **14** ⑤ **15** it is much tastier than pizza

01 → (1), (6) 형용사에 -er을 붙인다.

(2) 「자음+y」로 끝나는 형용사는 y를 i로 바꾸고 -er을 붙인다.

(3) 「단모음+단자음」으로 끝나는 형용사는 마지막 자음을 한 번 더 쓰고 -er을 붙인다.

(4) 3음절 이상의 형용사는 앞에 more를 쓴다.

(5) good의 비교급은 불규칙 변화형인 better이다.

02 (1) 나는 이 책을 읽는 것을 끝낼 것이다.

(2) 우리 엄마는 여행 가는 것을 포기하셨다.

(3) 그들은 뮤지컬 보는 것을 즐긴다.

(4) 우리는 방과 후에 축구를 하고 싶지 않다.

→ finish, give up, enjoy는 동명사를 목적어로 취하고, want는 to부정사를 목적어로 취한다.

03 (1) 나는 우리 언니보다 더 어리다.

(2) 이 문제는 저 문제보다 더 쉽다.

(3) 내 차는 네 차보다 더 크다.

(4) 이 책은 저 책보다 더 재미있다.

→ (1) 대부분의 형용사의 비교급은 -er을 붙여 만든다.

(2) 「자음+y」로 끝나는 형용사는 y를 i로 고치고 -er을 붙인다.

(3) 「단모음+단자음」으로 끝나는 형용사는 마지막 자음을 한 번 더 쓰고 -er을 붙인다.

(4) 3음절 이상의 형용사는 앞에 more를 붙인다.

04 (1) 코끼리는 토끼보다 더 무겁다.

(2) 그는 가족과 함께 저녁 먹는 것을 즐긴다.

(3) 비행기는 기차보다 훨씬 더 빠르다.

→ (1) heavy는 「자음+y」로 끝나는 형용사로 y를 i로 고치고 -er을 붙여 비교급 형태를 만든다.

(2) enjoy는 동명사를 목적어로 취하는 동사이다.

(3) very는 비교급 앞에서 비교급을 강조하는 부사로 쓰일 수 없다.

05 → (1) stop은 동명사를 목적어로 취해 '~하는 것을 그만두다'라는 뜻을 가진다.

(2), (3) 비교급 문장은 「비교급+than」의 형태로 '~보다 더 …한'이라는 뜻을 나타낸다.

06 → ④ thin은 「단모음+단자음」으로 끝나는 형용사이므로 비교급을 만들 때 마지막 자음을 한 번 더 쓰고 -er을 붙여야 한다. (→ thinner)

07 John은 그의 친구들과 산책하는 것을 끝마쳤다.
→ finish는 「동사원형+-ing」 형태의 동명사를 목적어로 취한다.

08 민수는 호민이보다 더 인기가 있다.
→ 비교급 문장에 more가 쓰인 것으로 보아, 3음절 이상의 형용사 popular가 들어가는 것이 알맞다.

09 ① Mary는 이 소설을 읽는 것을 포기했다.
② 너는 시 읽는 것을 연습했니?
③ 나는 여가 시간에 책을 읽기를 바란다.
④ 그는 영어 신문 읽는 것을 즐긴다.
⑤ 나는 매우 피곤해서 그 책 읽는 것을 그만두었다.
→ give up, practice, enjoy, stop은 동명사를 목적어로 취하는 동사이고, hope는 to부정사를 목적어로 취하는 동사이다.

10 → than 뒤에 비교 대상인 mine을 넣어 「비교급+than ~」의 형태로 쓴다. pretty는 「자음+y」로 끝나는 형용사이므로 y를 i로 바꾸고 -er을 붙여 비교급을 만든다.

11 나는 영어가 수학보다 훨씬 더 쉽다고 생각한다.
→ a lot, even, far, much는 비교급 앞에서 '훨씬'이라는 뜻으로 쓰인다. many는 비교급을 수식할 수 없다.

12 ① 빨간 공은 파란 공보다 더 크다.
② 빨간 공은 파란 공보다 더 무겁다.
③ 빨간 공은 파란 공보다 더 작다.
④ 파란 공은 빨간 공보다 더 크지 않다.
⑤ 파란 공은 빨간 공보다 더 작다.
→ 빨간 공과 파란 공의 크기를 비교한 문장을 찾는다. 빨간 공이 파란 공보다 더 작다고 묘사한 ③이 가장 적절하다.

13 ① 그들은 노래 부르는 것을 좋아한다.
② 그는 음악 듣는 것을 그만두었다.
③ 창문을 열어도 될까요?
④ 미나는 공원에서 사진 찍는 것을 좋아한다.
⑤ 그녀는 작년에 피아노를 치기 시작했다.
→ ③ mind는 '꺼리다'라는 뜻의 동사로 동명사를 목적어로 취한다. (to open → opening)

[14-15]
한국인들은 비가 오는 날에 김치전을 먹는 것을 즐긴다. 그것은 피자처럼 생겼지만, 피자보다 훨씬 더

맛있다. 김치전은 그 속에 김치가 들어 있기 때문에 맵다. 하지만 너는 정말 좋아할 것이다.

14 → enjoy는 동명사를 목적어로 취하는 동사이다.

15 → 비교급 구문으로 tastier than ~을 쓰고, 비교급 앞에 '훨씬'이라는 뜻의 강조 부사 much를 써서 영작한다.

Grammar 서술형 평가
p. 105

1 (1) Tony finished doing his homework.
(2) He enjoys going fishing.
(3) I like spending(to spend) time with my family.
2 (1) to eat (2) much(even, still, far, a lot) healthier
(3) eating
3 [예시 답] Sumin is shorter than Minsu. / Minsu is heavier than Sumin. / Sumin is lighter than Minsu. 등
4 (1) is more expensive than the blue hat(one)
(2) is much bigger than Korea
5 (1) hotter than Seoul (2) colder than Jeju

1 → finish, enjoy 뒤에는 동명사를 목적어로 쓰고, like 뒤에는 동명사나 to부정사를 목적어로 써서 영작한다.

2 → (1) want는 to부정사를 목적어로 쓰는 동사이다.
(2) '건강에 좋은'이라는 뜻의 형용사 healthy의 비교급은 healthier이고, 앞에 비교급 강조 부사인 much, even, still, far, a lot 중 하나를 쓴다.
(3) '~하는 것을 멈추다'라는 뜻으로 stop 뒤에 동명사를 쓴다.

3 → 키를 비교할 때는 taller(더 큰), shorter(더 작은)를 쓰고, 몸무게를 비교할 때는 heavier(더 무거운), lighter(더 가벼운)를 써서 비교하는 문장을 만든다.

4 (1) 노란색 모자는 파란색 모자보다 더 비싸다.
(2) 중국은 한국보다 훨씬 더 크다.
→ (1) expensive의 비교급인 more expensive를 사용하여 「비교급+than ~」으로 쓴다.
(2) 비교급 강조 부사인 much를 bigger 앞에 써서 「much+비교급+than ~」으로 쓴다.

5 (1) 제주는 여름에 <u>서울보다 더 덥다.</u>
(2) 서울은 겨울에 <u>제주보다 더 춥다.</u>
→ 기온을 비교하는 문장이므로 형용사 hot, cold의 비교급을 이용하여 「비교급+than ~」으로 쓴다.

Reading Test

01 ②　02 ①　03 ④　　04 (A) Making　(B) having
05 ④　06 ③　07 ③　08 ②　09 ②　10 miyeokguk
11 ④　12 ⑤　13 ②　14 ②　15 이열치열

[01-03]

특별한 날: 설날(새해 첫날)
　한국인들은 어떻게 한 살을 더 먹을까요? 그들에게는 특별한 방법이 있습니다. 그들은 설날에 떡이 들어간 수프인 떡국을 먹습니다. 떡국을 먹는 것은 한 살을 더 먹는 것을 의미합니다.

01 → 설날에 떡국을 먹는 것은 나이를 한 살 더 먹는다는 것을 의미하므로 '나이를 더 먹은'이라는 뜻의 older가 알맞다.

02 → 동명사 주어(Eating)는 단수 취급하므로 단수 동사 means가 알맞다.

03 → 한국에서 설날에 먹는 특별한 음식인 떡국을 소개하는 내용의 글이다.

[04-05]

특별한 날: 추석
　추석 동안에, 한국인들은 송편을 만들어 먹습니다. 그들은 송편으로 그 해에 감사를 드립니다. 예쁜 송편을 만드는 것은 언젠가 예쁜 아이를 갖는 것을 의미합니다.

04 → (A) 문장의 주어 자리이므로 주어 역할을 할 수 있는 동명사가 알맞다.
(B) mean의 목적어로 동명사를 써서 '~을 의미하다'라는 뜻을 나타낸다.

05 ① 송편은 무엇인가?
② 한국에서 추석은 언제인가?
③ 송편의 맛은 어떠한가?
④ 한국인들은 추석에 무엇을 먹는가?
⑤ 한국인들은 어떻게 예쁜 송편을 만드는가?

→ ④ 한국인들은 추석에 송편을 만들어 먹는다고 언급되어 있다.

[06-08]

Ted의 리뷰
　이 요리는 미역국이에요. 해초 수프의 일종이에요. 저는 처음에 두려웠어요. <u>하지만 그 국을 먹었을 때 진한 맛이 났어요.</u> 미역이 입안에서 돌아다녔어요. 그것은 기름보다 더 미끌미끌했어요! 그건 저에게 새로운 맛이었지만 저는 맛있게 먹었어요. 무엇보다 밥 한 공기와 잘 어울렸어요.

06 → 미역국을 먹기 전에는 두려웠지만, 먹고 난 후 진한 맛이 난다는 것을 알게 되었다는 흐름이 자연스럽다.

07 → '~보다 더 …한'이라는 뜻의 비교급 구문으로 「비교급+than」의 형태로 써야 한다. slippery는 앞에 more를 붙여 비교급을 만든다.

08 → ② 마지막 문장에 미역국이 밥과 잘 어울렸다고 언급되어 있다.

[09-10]

　한국인들은 생일에 미역국을 먹어요. 이 전통은 어머니들에게서 비롯되었어요. 아이가 태어난 후에, 어머니는 건강을 위해 미역국을 먹어요. 하지만 한국인들은 어떻게 그 안에 초를 꽂을까요?

09 → This tradition은 앞 문장에 언급된 내용으로, 한국인들이 생일에 미역국을 먹는다는 것을 가리킨다.

10 → 마지막 문장은 생일 케이크에 초를 꽂는 서양의 풍습과 연관시켜 하는 우스갯말로 대명사 it이 가리키는 것은 미역국(miyeokguk)이다.

[11-13]

Kelly의 리뷰
　이 닭 요리는 삼계탕이에요. 하지만 세 마리의 닭을 기대하지는 마세요. 여기서 '삼'은 숫자 3이 아니라 인삼을 의미해요. 요리를 봤을 때 제 입은 딱 벌어졌어요. 제 앞에 닭 한 마리가 통째로 있었어요! 우리나라의 닭고기 수프는 그 안에 작은 닭고기 조각들이 들어 있어요.

11 ① 지루한　② 무서워하는　③ 걱정하는　④ 놀란
⑤ 화난
→ ⓐ는 '입이 딱 벌어졌다'라는 뜻으로 Kelly가 삼계탕을 보고 놀란 모습을 표현한 말이다.

정답 및 해설 **39**

12 ① 부드러운 ② 작은 ③ 짧은 ④ 단단한, 딱딱한
⑤ 전체의, 통째로 된
→ Kelly의 나라에서 먹는 닭고기 수프에는 작은 닭고기 조각들이 들어 있다는 말이 이어지므로, 닭 한 마리가 통째로 있는 삼계탕을 보고 놀랐다는 내용이 자연스럽다.

13 → 삼계탕의 '삼'이 숫자 3이 아니라 인삼을 의미한다는 것에서 삼계탕에 들어가는 재료를 알 수 있다.

[14-15]

매우 뜨거운 삼계탕을 조심하세요. 그것은 태양보다 더 뜨거워요! 고기는 매우 부드러웠어요. 고기가 뼈에서 떨어져서 제 입안으로 날아들어 갔어요. 삼계탕은 닭고기 수프보다 훨씬 더 맛있어요. 많은 한국인들은 정말 무더운 날에 삼계탕을 즐겨 먹어요. 이열치열 같아요. 저는 고맙지만 사양이에요. 저는 추운 날에 삼계탕을 먹어 보는 것을 권해요.

14 → ⓐ hot은 「단모음+단자음」으로 끝나는 형용사이므로 t를 한 번 더 쓰고 -er을 붙여 비교급 형태로 만든다.
ⓑ tasty는 「자음+y」로 끝나는 형용사이므로 y를 i로 고치고 -er을 붙여 비교급 형태로 만든다.

15 → 열은 열로써 다스린다는 뜻의 사자성어는 '이열치열'이다.

Reading 서술형 평가   p. 111

1 (1) 떡국 (2) 한 살을 더 먹는 것
(3) 송편 (4) 그 해에 감사드리는 것
2 [예시 답] (1) It's a kind of seaweed soup.
(2) had a rich taste (3) eating it
3 Koreans eat it on their birthdays.
4 There was a whole chicken in front of me
5 (1) ginseng (2) hot days (3) a cold day

1
한국인들은 어떻게 한 살 더 먹을까요? 그들에게는 특별한 방법이 있습니다. 그들은 설날에 떡이 들어간 수프인 떡국을 먹습니다. 떡국을 먹는 것은 한 살을 더 먹는 것을 의미합니다.

추석 동안에, 한국인들은 송편을 만들어 먹습니다. 그들은 송편으로 그 해에 감사를 드립니다. 예쁜 송편을 만드는 것은 언젠가 예쁜 아이를 갖는 것을 의미합니다.

→ 한국인들이 설날에 떡국을 먹는 것은 한 살 더 먹는 것을 의미하고, 추석에 송편을 만들어 먹는 것은 그 해에 감사를 드리기 위해서이다.

[2-3]

이 요리는 미역국이에요. 해초 수프의 일종이에요. 저는 처음에 두려웠어요. 하지만 그 국을 먹었을 때 진한 맛이 났어요. 미역이 입안에서 돌아다녔어요. 그것은 기름보다 더 미끌미끌했어요! 그건 저에게 새로운 맛이었지만 저는 맛있게 먹었어요. 무엇보다 밥 한 공기와 잘 어울렸어요. 한국인들은 생일에 미역국을 먹어요.

2 A: 나는 미역국을 먹었어.
B: 미역국? 그게 무엇이니?
A: 해초 수프의 한 종류야.
B: 어땠어?
A: 그것은 진한 맛이 났어.
B: 너는 미역국이 좋았니?
B: 응, 나는 그것을 먹는 것을 즐겼어.
→ 글쓴이는 미역국은 해초 수프의 일종이고, 진한 맛이 난다고 했다. 또한 자신에게 새로운 맛이었지만 미역국을 먹는 것을 즐겼다고 했다.

3 Q: 한국인들은 언제 미역국을 먹는가?
→ 한국인들은 그들의 생일에 미역국을 먹는다.

[4-5]

이 닭 요리는 삼계탕이에요. 하지만 세 마리의 닭을 기대하지는 마세요. 여기서 '삼'은 숫자 3이 아니라 인삼을 의미해요. 요리를 봤을 때 제 입은 딱 벌어졌어요. 제 앞에 닭 한 마리가 통째로 있었어요! 우리나라의 닭고기 수프는 그 안에 작은 닭고기 조각들이 들어 있어요. 매우 뜨거운 삼계탕을 조심하세요. 그것은 태양보다 더 뜨거워요! 고기는 매우 부드러웠어요. 고기가 뼈에서 떨어져서 제 입안으로 날아들어 갔어요. 삼계탕은 닭고기 수프보다 훨씬 더 맛있어요. 많은 한국인들은 정말 무더운 날에 삼계탕을 즐겨 먹어요. 이열치열 같아요. 저는 고맙지만 사양이에요. 저는 추운 날에 삼계탕을 먹어 보는 것을 권해요.

4 → '~가 있었다.'라는 뜻의 There was ~. 구문으로 배열한다. '~ 앞에'는 in front of로 쓴다.

5 → (1) 삼계탕의 '삼'은 인삼을 의미한다고 했다.
(2), (3) 한국인들은 삼계탕을 매우 더운 날에 먹지만, 글쓴이는 추운 날에 먹을 것을 권하고 있다.

단원 평가

01 ④　02 ⑤　03 ⑤　04 ②　05 Can you tell me more about it　06 ④　07 ④　08 ②　09 ③　10 ③　11 ④　12 ④　13 (1) to worry → worrying (2) very → much, still, a lot 등 (3) famous → more famous　14 ④　15 ③　16 ⑤　17 ②　18 ⑤　19 It was more slippery than oil　20 ③　21 ④　22 ③　23 ④　24 ③　25 ③

01 저 과일들은 매우 맛있고 건강에 좋다.
　① 진한, 풍부한 ② 신선한 ③ 인기 있는
　④ 맛있는 ⑤ 가장 좋아하는
　→ tasty는 '맛있는'이라는 뜻으로 delicious와 유의어이다.

02 • 좋은 영화를 좀 추천해 주시겠어요?
　• 나는 이 소설을 그녀에게 추천하고 싶다. 그녀는 그 이야기를 좋아할 것이다.
　① 보다 ② 기대하다 ③ 결정하다 ④ 의미하다

03 ① 처음에는, 영화가 지루했다.
　② 나는 공연을 하는 동안 잠들었다.
　③ 나는 우리 팀에게 감사를 드리고 싶다.
　④ 그녀의 아들은 밥 한 그릇을 먹는 것을 끝냈다.
　⑤ 무엇보다도, 나는 추운 날씨를 좋아하지 않는다.
　→ ⑤ above all은 '무엇보다도'라는 뜻이다.

04 A: 그 뮤지컬에 대해 어떻게 생각하니?
　B: 나는 매우 재미있다고 생각해.
　① 너는 왜 그 뮤지컬을 봤니?
　② 그 뮤지컬에 대한 네 의견은 무엇이니?
　③ 너는 그 뮤지컬에 대해 무엇을 알고 있니?
　④ 그 뮤지컬에 대해 어떻게 알게 되었니?
　⑤ 어떤 종류의 뮤지컬을 보고 싶니?
　→ What do you think about ~?은 상대방의 의견을 묻는 표현으로 What's your opinion on ~?으로 바꿔 쓸 수 있다.

[05-07]
Alex: 보라야, 연휴 동안 무엇을 했니?
보라: 나는 해남에서 열린 한국 문화 축제에 갔어. 나는 그곳에서 강강술래를 봤어.
Alex: 강강술래가 뭐니?
보라: 한국 전통 무용의 한 종류야.
Alex: 그것에 관해 좀 더 말해 줄래?
보라: 여성들이 함께 큰 원을 그린 채 노래를 부르고 춤을 춰. 나는 강강술래가 매우 아름답다고 생각해.
Alex: 재미있겠다. 나도 언젠가 보고 싶어.

05 → '그것에 관해 좀 더 말해 줄래?'라는 뜻으로 추가 정보를 요청할 때 Can you tell me more about it?으로 말한다.

06 ① 나는 잘 모르겠어.
　② 나는 그것이 마음에 들지 않아.
　③ 나는 그것이 지루하다고 생각해.
　⑤ 나는 그것이 좋은 아이디어라고 생각하지 않아.
　→ 빈칸 뒤에 언젠가 강강술래를 보고 싶다는 내용이 이어지므로 '재미있겠다.'로 긍정의 답을 하는 것이 알맞다.

07 ① 강강술래는 무엇인가?
　② 보라는 해남에서 무엇을 봤는가?
　③ Alex는 무엇을 보고 싶어 하는가?
　④ Alex는 연휴 동안 무엇을 했는가?
　⑤ 보라는 강강술래에 대해 어떻게 생각하는가?
　→ ④ Alex가 연휴 동안 한 일은 언급되지 않았다.

08 너는 무엇을 읽고 있니?
　(B) 나는 '찰리와 초콜릿 공장'을 읽고 있어.
　(A) 그것에 대해 어떻게 생각하니?
　(D) 나는 매우 재미있다고 생각해.
　(C) 정말? 나는 지루하다고 생각해.
　→ 읽고 있는 책에 대한 의견을 말하는 내용으로 상대방의 의견을 묻고 답하는 순서로 배열한다.

09 → enjoy는 동명사를 목적어로 취하는 동사이다. 주어가 3인칭 단수이고 현재시제이므로 enjoy에 -s를 붙여 쓴다.

10 ① 일찍 일어나는 것은 쉽지 않다.
　② 그녀는 아빠에게 말하는 것을 좋아한다.
　③ Mike는 한국 음식을 먹고 싶어 한다.
　④ 아침에 비가 그쳤다.
　⑤ 그의 직업은 동물을 돌보는 것이다.
　→ ③ want는 to부정사를 목적어로 취하는 동사이다.
　(eating → to eat)

11 첼로는 바이올린보다 더 크다.
　① 첼로는 작다.
　② 첼로와 바이올린은 크다.
　③ 바이올린은 첼로보다 더 크다.
　④ 바이올린은 첼로보다 더 작다.
　⑤ 첼로와 바이올린은 크기가 같다.
　→ 첼로와 바이올린의 크기를 비교한 문장으로, 첼로가 바이올린보다 더 크다는 것은 곧 바이올린이 첼로보다 더 작다는 것을 의미한다.

12 ① 그녀는 Kelly보다 더 친절하다.
　② Sam은 Tom보다 더 똑똑하다.
　③ 저 상자는 네 가방보다 더 무겁다.

④ 그것은 닭고기 수프보다 더 맛있다.

⑤ 비행기는 배보다 더 빠르다.

→ ① more kind → kinder ② more smarter → smarter ③ heavyer → heavier ⑤ more fast → faster

13 (1) 나는 기말고사에 대해 걱정하는 것을 멈추었다.

(2) 그는 그의 여동생보다 훨씬 더 크다.

(3) Ted는 Lisa보다 더 유명하다.

→ (1) stop은 동명사를 목적어로 써서 '~하는 것을 그만두다'라는 뜻을 갖는다. stop 뒤에 to부정사가 올 경우 '~하기 위해 멈추다'라는 뜻이 된다.

(2) very는 비교급을 수식할 수 없다. 비교급 강조 부사인 much, far, still, even, a lot 중 하나를 쓴다.

(3) than이 있으므로 비교급 문장이 되어야 한다. 형용사 famous의 비교급은 more famous이다.

[14~17]

특별한 날: 설날(새해 첫날)

한국인들은 어떻게 한 살을 더 먹을까요? 그들에게는 특별한 방법이 있습니다. 그들은 설날에 떡이 들어간 수프인 떡국을 먹습니다. 떡국을 먹는 것은 한 살을 더 먹는 것을 의미합니다.

특별한 날: 추석

추석 동안에, 한국인들은 송편을 만들어 먹습니다. 그들은 송편으로 그 해에 감사를 드립니다. 예쁜 송편을 만드는 것은 언젠가 예쁜 아이를 갖는 것을 의미합니다.

14 → ④ 두 개의 동사가 접속사 and로 연결되어 있는 병렬구조이다. make가 현재시제이므로 ate 또한 현재시제로 써야 한다. (ate → eat)

15 ① Jane은 노래를 잘 부른다.

② 그녀는 TV 보는 것을 즐긴다.

③ 내 남동생은 지금 오고 있다.

④ 걷는 것은 건강에 좋다.

⑤ 내 취미는 음악을 듣는 것이다.

→ ⓐ는 동사 means의 목적어로 쓰인 동명사이다. ①은 전치사 at의 목적어로, ②는 동사 enjoys의 목적어로, ④는 문장 전체의 주어로, ⑤는 보어로 쓰인 동명사이다. ③은 「be동사+동사원형+-ing」의 현재진행형 문장에 쓰인 현재분사이다.

16 ① 한국인들이 가장 좋아하는 음식

② 많은 나라들의 전통

③ 한국 문화에서 인기 있는 음식

④ 여러 종류의 한국 축제

⑤ 한국의 특별한 날을 위한 특별한 음식

→ 한국의 특별한 날인 명절과 그날 먹는 음식에 관한 내용의 글이다.

17 → ② 예쁜 송편을 만드는 것은 언젠가 예쁜 아이를 갖는다는 것을 의미한다고 언급되어 있다.

[18~21]

Ted의 리뷰

이 요리는 미역국이에요. 해초 수프의 일종이에요. 저는 처음에 두려웠어요. 하지만 그 국을 먹었을 때 진한 맛이 났어요. 미역이 입안에서 돌아다녔어요. 그것은 기름보다 더 미끌미끌했어요! 그건 저에게 새로운 맛이었지만 저는 맛있게 먹었어요. 무엇보다 밥 한 공기와 잘 어울렸어요. 한국인들은 생일에 미역국을 먹어요. 이 전통은 어머니들에게서 비롯되었어요. 아이가 태어난 후에, 어머니는 건강을 위해 미역국을 먹어요. 하지만 한국인들은 어떻게 그 안에 초를 꽂을까요?

18 ① 그는 친절한 사람이다.

② 그녀는 착하고 친절하다.

③ 그녀는 왜 너에게 친절하니?

④ 친구들에게 친절해라.

⑤ 그것은 어떤 종류의 동물인가?

→ ⓐ와 ⑤의 kind는 '종류'라는 의미의 명사로 사용되었고, 나머지는 '친절한'이라는 의미의 형용사로 사용되었다.

19 → '~보다 더 …한'이라는 뜻의 「비교급+than ~」 구문으로 쓴다. slippery는 앞에 more를 써서 비교급을 나타낸다.

20 → 주어진 문장의 This tradition은 한국인들이 생일에 미역국을 먹는다는 내용을 가리킨다. 따라서 ③에 들어가는 것이 자연스럽다.

21 ① 미역국은 무엇인가?

② 미역국의 맛은 어떠했는가?

③ Ted는 미역국 먹는 것을 즐겼는가?

④ 한국인들은 어떻게 미역국에 초를 꽂는가?

⑤ 어머니는 아이가 태어난 후에 무엇을 먹는가?

→ ④ 미역국에 어떻게 초를 꽂는지에 관한 방법은 언급되지 않았다.

[22~25]

Kelly의 리뷰

이 닭 요리는 삼계탕이에요. 하지만 세 마리의 닭을 기대하지는 마세요. 여기서 '삼'은 숫자 3이 아니라 인삼을 의미해요. 요리를 봤을 때 제 입은 딱 벌어졌어요. 제 앞에 닭 한 마리가 통째로 있었어요! 우리나라의 닭고기 수프는 그 안에 작은 닭고기 조각들이 들어 있어요. 매우 뜨거운 삼계탕을 조심하세요. 그것은 태양보다 더 뜨거워요! 고기는 매우 부드러웠어요. 고기가 뼈에서 떨어져서 제 입안으로 날아들어 갔어요. 삼계탕은 닭고기 수프보다 훨씬 더 맛있어요. 많은 한국인들은 정말 무더운 날에 삼계탕을 즐겨 먹어요. 이열치열 같아요. 저는 고맙지만 사양이에요. 저는 추운 날에 삼계탕을 먹어 보는 것을 권해요.

22 → ⓒ는 the chicken soup in my country를 가리키고, 나머지는 samgyetang을 가리킨다.

23 → ④ a lot of는 비교급 강조 부사가 아니다. 비교급 앞에서 비교급을 수식할 수 있는 부사인 much, still, even, far, a lot 중 하나를 써야 한다.

24 → ③ 삼계탕이 건강에 좋은 이유는 언급되지 않았다.

25 ① 한국인들은 무더운 날에 삼계탕을 먹는다.
② 삼계탕의 고기는 매우 부드러웠다.
③ Kelly는 무더운 날에 삼계탕을 먹는 것을 좋아한다.
④ 삼계탕은 인삼이 들어간 닭 요리이다.
⑤ 삼계탕의 '삼'은 숫자 3을 의미하지 않는다.
→ ③ Kelly는 한국인들이 더운 날에 삼계탕을 즐겨 먹는 것을 보고 No thanks.라고 말했다. 오히려 추운 날에 먹어 볼 것을 권하고 있다.

서술형 평가 완전정복   p. 116

1 [예시 답] (1) enjoys listening to music
(2) likes taking(to take) pictures
(3) loves swimming(to swim)

2 (1) It's a Korean traditional backpack.
(2) Can you tell me more
(3) What do you think

3 (1) Koreans enjoy eating kimchijeon.
(2) it is more delicious than pizza

1 (1) Mary는 음악 듣는 것을 즐긴다.
(2) Jane은 사진 찍는 것을 좋아한다.
(3) Tom은 수영하는 것을 아주 좋아한다.
→ 동사 enjoy, like, love 뒤에 동명사를 써서 그림에 알맞은 문장을 완성한다. like와 love는 동명사와 to부정사를 모두 목적어로 취할 수 있다.

2 A: 너는 어떤 것을 소개하고 싶니?
B: 나는 지게를 소개하고 싶어.

A: 지게가 무엇이니?
B: 그것은 한국의 전통 배낭이야.
A: 그것에 대해 좀 더 말해 주겠니?
B: 물론이지. 사람들은 많은 다양한 것들을 그 위에 올려 운반했어. 너는 그것에 대해서 어떻게 생각하니?
A: 나는 매우 흥미롭다고 생각해.
→ (1) 지게가 무엇인지 묻는 질문에 한국의 전통 배낭이라고 답한다.
(2) 지게에 관한 구체적인 설명을 하고 있으므로 추가 정보를 요청하는 표현인 Can you tell me more about it?을 쓴다.
(3) I think ~.로 답하고 있으므로 의견을 묻는 말인 What do you think about ~?으로 쓴다.

3 여러분은 비가 오는 날에 어떤 음식을 즐기나요? 한국인들은 김치전을 먹는 것을 즐겨요. 그것은 피자처럼 생겼어요. 그러나 피자보다 더 맛있어요. 김치전은 그 속에 김치가 들어 있기 때문에 매워요. 하지만 여러분은 정말 좋아할 거예요. 비가 오는 날에 김치전을 먹어 보는 것은 어때요?
→ (1) 동사 enjoy 뒤에 동명사 eating을 목적어로 써서 영작한다.
(2) 「형용사의 비교급+than」 구문을 쓴다. delicious는 3음절 이상의 형용사이므로 more를 붙여 비교급을 만든다.

수행 평가 완전정복   말하기   p. 117

1 [예시 답] (1) I think it's mysterious.
(2) In my opinion, it's interesting.
(3) I don't think it's good for my health.

2 [예시 답] I want to introduce Hanbok. It's Korean traditional clothing. Koreans wear it on New Year's Day. I think it's beautiful.

1 e.g. 너는 이 책에 대해 어떻게 생각하니?
→ 나는 그것이 매우 흥미진진하다고 생각해.
→ I think ~. / I don't think ~. / In my opinion, ~. 등으로 자신의 의견을 말할 수 있다.
[평가 점수 적용 예시]

평가 영역		점수
언어 사용	0	모든 문장에 틀린 단어, 문법, 어순이 있다.
	1	두 문장에 틀린 단어, 문법, 어순이 있다.
	2	한 문장에 틀린 단어, 문법, 어순이 있다.
	3	모든 문장의 단어, 문법, 어순이 정확하다.

	0	모든 대상에 대해 자신의 의견을 적절하게 말하지 못했다.
내용 이해	1	1개의 대상에 대해 자신의 의견을 적절하게 말했다.
	2	2개의 대상에 대해 자신의 의견을 적절하게 말했다.
	3	모든 대상에 대해 자신의 의견을 적절하게 말했다.
유창성	0	말을 하지 못하고 하려는 의지가 없다.
	1	말 사이에 끊어짐이 많다.
	2	말 사이에 끊어짐이 약간 있다.
	3	말에 막힘이 없고 자연스럽다.
과제 완성도	0	모든 질문에 완전한 문장으로 답하지 못했다.
	1	1개의 질문에 완전한 문장으로 답했다.
	2	2개의 질문에 완전한 문장으로 답했다.
	3	모든 질문에 완전한 문장으로 답했다.

2   *e.g.* 나는 한글을 소개하고 싶다. 그것은 한국의 알파벳이다. 세종대왕이 1443년에 그것을 창제했다. 우리는 매년 10월 9일 한글날을 기념한다. 나는 그것이 위대하다고 생각한다.

→ 소개하고 싶은 한국 문화를 고른 후 그것의 정의와 부연 설명, 자신의 의견을 추가하여 말한다. '나는 ~을 소개하고 싶다'는 I want to introduce ~. 또는 I'd like to introduce ~.의 표현을 사용한다.

[평가 점수 적용 예시]

평가 영역		점수
언어 사용	0	모든 문장에 틀린 단어, 문법, 어순이 있다.
	1	두세 문장에 틀린 단어, 문법, 어순이 있다.
	2	한 문장에 틀린 단어, 문법, 어순이 있다.
	3	모든 문장의 단어, 문법, 어순이 정확하다.
내용 이해	0	모든 질문에 대한 답을 전혀 포함하지 않고 말했다.
	1	2개의 질문에 대한 답을 포함하여 말했다.
	2	3개의 질문에 대한 답을 포함하여 말했다.
	3	모든 질문에 대한 답을 포함하여 말했다.
유창성	0	말을 하지 못하고 하려는 의지가 없다.
	1	말 사이에 끊어짐이 많다.
	2	말 사이에 끊어짐이 약간 있다.
	3	말에 막힘이 없고 자연스럽다.
과제 완성도	0	모든 질문에 적절한 대답으로 말하지 못했다.
	1	2개의 질문에 적절한 대답으로 한국 문화를 소개했다.
	2	3개의 질문에 적절한 대답으로 한국 문화를 소개했다.
	3	모든 질문에 적절한 대답으로 한국 문화를 소개했다.

1 [예시 답] (1) The apple is smaller than the watermelon.

(2) The apple is bigger than the strawberry.

(3) The lemon is more expensive than the apple.

(4) The lemon is cheaper than the watermelon.

2 [예시 답] hotteok, It looks like a pancake, but it is much tastier than a pancake. It has sugar, honey and peanuts in it. Koreans usually enjoy eating it during winter. How about trying some hotteok?

1   *e.g.* 수박은 레몬보다 더 크다.

→ bigger, smaller, more expensive, cheaper와 같이 크기와 가격을 나타내는 형용사의 비교급 표현을 활용하여 그림을 설명한다. 비교급 구문은 「형용사의 비교급+than」의 형태로 쓴다.

[평가 점수 적용 예시]

평가 영역		점수
언어 사용	0	모든 문장에 틀린 단어, 문법, 어순이 있다.
	1	두세 문장에 틀린 단어, 문법, 어순이 있다.
	2	한 문장에 틀린 단어, 문법, 어순이 있다.
	3	모든 문장의 단어, 문법, 어순이 정확하다.
내용 이해	0	모든 문장에서 비교급 표현을 전혀 쓰지 못했다.
	1	한 문장에서 비교급 표현을 정확하게 썼다.
	2	두세 문장에서 비교급 표현을 정확하게 썼다.
	3	모든 문장에서 비교급 표현을 정확하게 썼다.
과제 완성도	0	제시된 조건을 하나도 충족하지 못했다.
	1	제시된 조건 중 1개를 충족했다.
	2	제시된 조건 중 2개를 충족했다.
	3	제시된 조건을 모두 충족했다.

2   → 주어진 항목을 모두 포함하여 한국 음식을 소개하는 글을 쓴다. 동사 enjoy 뒤에는 동명사를 쓰는 것에 유의한다.

[평가 점수 적용 예시]

평가 영역		점수
언어 사용	0	모든 문장에 틀린 단어, 문법, 어순이 있다.
	1	두세 문장에 틀린 단어, 문법, 어순이 있다.
	2	한 문장에 틀린 단어, 문법, 어순이 있다.
	3	모든 문장의 단어, 문법, 어순이 정확하다.
내용 이해	0	표의 내용을 전혀 포함하지 않고 글을 썼다.
	1	표의 내용을 1~2개 포함하여 글을 썼다.
	2	표의 내용을 3~4개 포함하여 글을 썼다.
	3	표의 내용을 모두 포함하여 글을 썼다.

Special Lesson

2 Charlotte's Web

Reading (**Test**)   pp. 124-126

01 ②   02 ②   03 ②   04 ④   05 No one likes spiders.   06 ③   07 ③   08 ③   09 to you   10 농부들이 Wilbur에게 많은 음식을 주는 것   11 ④   12 ⓐ to be ⓑ to help   13 ③   14 ②   15 ③

[01-03]

Wilbur: 안녕하세요. 저는 Wilbur예요. 이름이 뭐예요?
Charlotte: 내 이름은 Charlotte이야.
Wilbur: Charlotte. 멋진 이름이네요.
Charlotte: 고마워. 나도 그렇게 생각해.
Wilbur: 거미줄이 정말 멋지네요.
Charlotte: 고마워. 음. 너의 꼬리는… 음… 정말 돌돌 말려 있구나.
Wilbur: 고마워요! 저와 친구가 되지 않을래요, Charlotte?
Charlotte: 물론이지. 왜 안 되겠니?
Wilbur: 야호!

01 ① 소설 ② 희곡 ③ 일기 ④ 편지 ⑤ 시
→ 등장인물의 대사로 이루어진 글이므로 희곡임을 알 수 있다.

02 ① Charlotte 역시 Wilbur를 좋아한다.
② Charlotte은 자신의 이름이 멋지다고 생각한다.
③ Charlotte은 Wilbur의 친구가 되고 싶어 한다.
④ Charlotte은 자신의 거미줄이 정말 멋지다고 생각한다.
⑤ Wilbur는 Charlotte이 멋진 이름을 가졌다고 생각한다.
→ ⓐ는 Charlotte의 이름이 멋지다고 한 Wilbur의 말에 동의하는 표현이다.

03 ① 고마워. ② 왜 안 되겠니? ③ 잘 모르겠어.
④ 그러고 싶지 않아. ⑤ 나는 그렇게 생각하지 않아.
→ 친구가 되어 달라는 요청에 Sure.라고 긍정의 답을 했으므로 요청에 승낙하는 표현이 이어지는 것이 알맞다.

[04-06]

Wilbur는 새로운 친구가 생겼다. 그는 매우 행복했다. 하지만 다른 동물들은 똑같이 생각하지 않았다.

Templeton: Wilbur가 방금 저 거미와 친구가 된 거니?

Goose: 그런 것 같아. 믿을 수가 없어.

Gander: 그는 아무것도 몰라. 그저 어리석은 돼지일 뿐이야.

Templeton: 이봐, Wilbur. 아무도 거미를 좋아하지 않아.

Wilbur: 네? 이해가 안 돼요. 왜죠?

Goose: 그녀는 <u>무섭게</u> 생겼잖아.

Gander: 그래. 저 텁수룩한 다리를 봐. <u>으으으!</u>

Wilbur: 저는 그녀가 아름답다고 생각해요.

04 → ⓐ는 앞에서 Templeton이 한 말을 가리킨다. 즉 Wilbur가 거미와 친구가 되었다는 사실을 말한다.

05 → '아무도 ~ 않다'라는 뜻의 no one을 주어로 쓰고 likes를 동사로 쓴다. no one은 단수 취급하므로 동사도 단수 동사로 쓴다.

06 ① 살찐 ② 멋진, 근사한 ③ 무서운 ④ 아름다운
⑤ 똑똑한
→ 거미를 싫어하는 이유를 말하는 문장으로, 바로 뒤에 Gander가 텁수룩한 다리를 보라고 하면서 불쾌함을 표현했다. 따라서 scary(무서운)가 알맞다.

[07-10]

Sheep: 돼지에게 잘해 줘. 그는 어쨌든 시간이 많지 않아.

Wilbur: 무슨 말이에요? 저는 시간이 많아요.

Sheep: 농부들이 너에게 많은 음식을 주잖아. 그런 데에는 이유가 있어.

Wilbur: 그들이 저를 좋아하기 때문이에요?

Sheep: 어리석은 돼지구나. 그들은 너를 크리스마스 만찬을 위해 준비하고 있어.

Wilbur: 좋네요! 저는 크리스마스도 좋아하고 만찬도 좋아해요.

Templeton: 네가 그 크리스마스 만…

Goose & Gander: (Templeton에게) 쉿! 그쯤 해 둬. 더 이상 말하지 마.

07 → ⓑ 뒤에 단수 명사 a reason이 있으므로 There is가 알맞다. There is(are) ~.는 '~가 있다.'라는 뜻이다.

08 → Sheep은 Wilbur가 곧 크리스마스 만찬이 될 것이므로 시간이 많지 않다고 말했다.

09 → 「give+간접목적어+직접목적어」 형태의 4형식 문장을 「give+직접목적어+to+간접목적어」 형태의 3형식 문장으로 바꿔 쓸 수 있다.

10 → 바로 앞 문장에 언급된 농부들이 Wilbur에게 한 행동, 즉 농부들이 Wilbur에게 많은 음식을 준다는 것을 가리킨다.

[11-12]

Wilbur는 나중에 농부의 계획을 알게 되었다. 그는 몹시 슬펐다. 그는 크리스마스 만찬이 되고 싶지 않았다. 그래서 Charlotte은 Wilbur를 돕기로 결심했다. 밤새 그녀는 거미줄을 쳤다. 아침에 그녀의 거미줄에는 두 단어가 있었다. 농장 사람들은 매우 놀랐다.

11 → Charlotte이 밤새 거미줄을 쳤고, 아침에 그녀의 거미줄에 두 단어가 있었다는 내용으로 이어지는 것이 시간의 흐름상 자연스럽다.

12 → want와 decide는 to부정사를 목적어로 취하는 동사이다.

[13-15]

Lurvy: 그나저나 '50ME 돼지'가 무슨 뜻이지? 여기에 돼지는 한 마리뿐이잖아.

Fern: 그 말이 아니에요, Lurvy. '평범하지 않은 돼지'라고 쓰여 있어요.

Lurvy: 이런, 네가 맞아, Fern! Wilbur는 확실히 평범하지 않은 돼지야.

Fern: 제가 말했잖아요, 삼촌! Wilbur는 평범한 돼지가 아니에요. 우리는 그를 해쳐선 안 돼요.

Mr. Zuckerman: 아니. Wilbur는 평범한 돼지야. 하지만 거미는 평범한 거미가 아니네.

Mrs. Zuckerman: 글쎄, 한 가지는 확실해. 이것은 평범한 이야기가 아니야.

13 → some은 구어체에서 긍정적인 의미로 '굉장한, 대단한'의 뜻을 나타낸다.

14 → 바로 앞 문장의 Wilbur를 가리킨다.

15 ① Zuckerman 씨는 Lurvy의 삼촌이었다.
② SOME PIG는 평범한 돼지를 의미했다.
③ Fern은 Wilbur가 평범하지 않은 돼지라고 생각했다.
④ Fern은 그들이 거미를 해치면 안된다고 말했다.
⑤ Lurvy는 Wilbur가 평범한 돼지라고 생각했다.
→ ③ Fern의 말 Wilbur is not an ordinary pig.에서 그의 생각을 알 수 있다.

Reading 서술형 평가

1 farm, a spider

2 He felt bored.

3 ① 무서워 보인다. ② 다리에 털이 많다.

4 He doesn't know anything.

5 Christmas dinner, to help, SOME PIG, surprised

[1-2]

Wilbur는 Zuckerman 씨의 농장에 있는 어린 돼지였다. 그는 지루했고 친구를 만들고 싶어 했다. 하지만 다른 모든 동물들은 너무 바빴다. 그러던 어느 날, 그는 거미를 만났다.

Wilbur:　안녕하세요. 저는 Wilbur예요. 이름이 뭐예요?

Charlotte: 내 이름은 Charlotte이야.

Wilbur:　Charlotte. 멋진 이름이네요.

Charlotte: 고마워. 나도 그렇게 생각해.

Wilbur:　거미줄이 정말 멋지네요.

Charlotte: 고마워. 음. 너의 꼬리는… 음… 정말 똘똘 말려 있구나.

1 → 이 글의 배경은 Zuckerman 씨의 농장이고, 등장인물은 어린 돼지 Wilbur와 거미 Charlotte이다.

2 Q: Wilbur는 Charlotte을 만나기 전에 기분이 어땠는가?
A: 그는 지루했다.
→ Wilbur는 거미를 만나기 전에 지루함을 느껴서 친구를 만들고 싶어 했다.

[3-4]

Templeton: Wilbur가 방금 저 거미와 친구가 된 거니?

Goose:　그런 것 같아. 믿을 수가 없어.

Gander:　그는 아무것도 몰라. 그저 어리석은 돼지일 뿐이야.

Templeton: 이봐, Wilbur. 아무도 거미를 좋아하지 않아.

Wilbur:　네? 이해가 안 돼요. 왜죠?

Goose:　그녀는 무섭게 생겼잖아.

Gander:　그래. 저 텁수룩한 다리를 봐. 으으으!

3 → Goose는 거미가 무서워 보인다고 했고, Gander는 텁수룩한 다리에 불쾌함을 표현했다.

4 → 주어가 3인칭 단수이므로 know의 부정은 doesn't know로 쓴다. anything은 부정문에서 '아무것도'라는 뜻으로 쓰인다.

5 Wilbur는 나중에 농부의 계획을 알게 되었다. 그는 몹시 슬펐다. 그는 크리스마스 만찬이 되고 싶지 않았다. 그래서 Charlotte은 Wilbur를 돕기로 결심했다. 밤새 그녀는 거미줄을 쳤다. 아침에 그녀의 거미줄에는 두 단어가 있었다. 농장 사람들은 매우 놀랐다.

Lurvy: 그나저나 '50ME 돼지'가 무슨 뜻이지? 여기에 돼지는 한 마리뿐이잖아.

Fern: 그 말이 아니에요, Lurvy. '평범하지 않은 돼지'라고 쓰여 있어요.

Lurvy: 이런, 네가 맞아, Fern! Wilbur는 확실히 평범하지 않은 돼지야.

Fern: 제가 말했잖아요, 삼촌! Wilbur는 평범한 돼지가 아니에요. 우리는 그를 해쳐선 안 돼요.

→ Wilbur는 크리스마스 만찬이 되고 싶지 않았다. 그래서 Charlotte은 그를 돕기로 결심했고, 거미줄에 두 단어 'SOME PIG'를 썼다. 농장 사람들은 매우 놀랐다.

01 ④   **02** ②   **03** (1) whole   (2) curly   (3) rich   (4) silly   **04** ②   **05** ⑤   **06** She went to a Korean culture festival in Haenam.   **07** ⑤   **08** ⑤   **09** ④   **10** her sister a pen / a pen to her sister   **11** ⑤   **12** ④   **13** ①   **14** ③   **15** ③   **16** 2, 42   **17** ③   **18** ⑤   **19** ④   **20** ⑤   **21** She looks scary.   **22** ③   **23** (1) He doesn't have to go to school tomorrow. (2) Do I have to clean my room? (3) I will show this picture to my friends.   **24** (1) Amy is(runs) faster than Kate. (2) Tom is taller than Mike.   **25** (1) sing → singing (2) reading → to read

01 그녀는 평범한 사람들에 관한 이야기를 쓴다.
① 무서운 ② 특별한 ③ 인기 있는 ⑤ 유명한
→ ordinary는 '평범한'이라는 뜻으로 common과 유의어이다.

02 → ② come up with: ~을 생각해 내다

03 (1) 케이크 한 조각이 아니라 통째로 주세요.
(2) 어렸을 때 내 머리는 곱슬머리였다.
(3) 이 초콜릿은 진한 맛이 난다.
(4) 어리석은 질문을 하지 마라. 사람들이 너를 비웃을 것이다.

04 A: 무엇을 도와 드릴까요?
B: 저는 셔츠를 찾고 있어요.
A: 셔츠는 저쪽에 있어요.
B: 감사합니다.
① 저를 도와주시겠어요?
③ 그것을 입어 보는 게 어때요?
④ 무엇을 할 것인가요?
⑤ 멋진 셔츠를 추천해 주시겠어요?
→ 셔츠를 찾고 있는 손님에게 위치를 알려 주고 있는 상황으로 점원이 손님에게 건네는 말인 ②가 알맞다.

[05-06]
Alex: 보라야, 연휴 동안 무엇을 했니?
보라: 나는 해남에서 열린 한국 문화 축제에 갔어. 나는 그곳에서 강강술래를 봤어.
Alex: 강강술래가 뭐니?
보라: 한국 전통 무용의 한 종류야.
Alex: 그것에 대해 좀 더 말해 주겠니?
보라: 여성들이 큰 원을 그린 채 함께 노래를 부르고 춤을 춰. 나는 강강술래가 매우 아름답다고 생각해.
Alex: 재미있겠다. 나도 언젠가 보고 싶어.

05 ① 보라는 해남에 갔다.
② Alex는 강강술래를 보고 싶어 한다.
③ 보라는 Alex에게 강강술래에 대해 말해 준다.
④ Alex는 강강술래에 대해 몰랐다.
⑤ 보라는 언젠가 Alex와 함께 강강술래를 보러 갈 것이다.
→ ⑤ Alex가 언젠가 강강술래를 보고 싶다고 말했지만 보라가 함께 갈 것인지는 알 수 없다.

06 보라는 연휴 동안 어디에 갔는가?
→ 그녀는 해남에서 열린 한국 문화 축제에 갔다.
→ 보라의 첫 번째 말에서 그녀가 연휴 때 갔던 곳을 알 수 있다.

07 여자: 도와 드릴까요?
지호: 네. 저는 티셔츠를 찾고 있어요.
여자: 이건 어떠세요? 최신 유행의 스타일이에요.
지호: 멋진데, 다른 색이 있나요?
여자: 물론이죠. 흰색과 검은색, 빨간색이 있어요.
지호: 흰색이 마음에 드네요. 얼마인가요?
여자: 할인 판매 중이에요. 20달러밖에 안 해요.
지호: 음…. 너무 비싸네요. (→ 좋네요! 살게요.)
여자: 탁월한 선택이에요. 정말 감사합니다.
→ 너무 비싸다고 망설이는 말에 탁월한 선택이라는 말이 이어지는 것은 어색하다. 구매를 결정하는 표현인 Perfect! I'll take it.이 오는 것이 자연스럽다.

08 ① 그는 나에게 엽서를 보냈다.
② 그녀는 친구에게 케이크를 만들어 주었다.
③ 나는 엄마께 꽃을 몇 송이 드렸다.
④ 아빠는 나에게 웃긴 이야기를 말해 주셨다.
⑤ 그는 부모님께 편지를 썼다.
→ ⑤는 「주어+동사+직접목적어+전치사+간접목적어」 형태의 3형식 문장이고, 나머지는 모두 「주어+수여동사+간접목적어+직접목적어」 형태의 4형식 문장이다.

09 ① 러시아는 캐나다보다 더 크다.
② 책이 영화보다 더 낫다.
③ 건강은 돈보다 더 중요하다.
④ 새 집은 예전 집보다 더 크다.
⑤ 레몬은 사과보다 더 비싸다.
→ ④ big은 「단모음+단자음」으로 끝나는 형용사이므로 마지막 자음을 한 번 더 쓰고 -er을 붙여 비교급 형태를 만든다. (biger → bigger)

10 소미는 그녀의 여동생에게 펜을 줄 것이다.
→ 수여동사 give가 쓰였으므로 동사의 뒤에 「간접목적어+직접목적어」 또는 「직접목적어+to+간접목적어」의 어순으로 쓴다.

11 ① 그녀는 사진 찍는 것을 아주 좋아한다.
② 그녀는 웃는 것을 멈출 수 없었다.
③ 그녀는 새 가방을 사고 싶어 한다.
④ 그는 자전거 타는 것을 포기했다.
⑤ 그들은 함께 수영하는 것을 마쳤다.
→ ⑤ finish는 동명사를 목적어로 취하는 동사이다. (to swim → swimming)

[12-13]
　　방과 후 어느 날, Julie와 Mike는 캐치볼 놀이를 하고 있었다. Mike는 지루해져서 "공을 더 세게 던져!"라고 말했다. Julie는 동의했다. 그녀는 공을 정말 세게 던졌다. 공은 Mike의 머리 위를 지나 날아갔다. 와장창! 공은 Leigh 씨의 거실 창문을 깨뜨렸다!
　　Leigh 씨가 밖으로 나왔다. Julie의 아버지 또한 그 소리를 듣고 밖으로 나왔다. Julie와 Mike는 "정말 죄송해요."라고 말했다. Julie의 아버지가 Leigh 씨에게 창문 값으로 40달러를 주었다. Leigh 씨는 "괜찮아요. 아이들이 다 그렇죠."라고 말했다.
　　집에서 Julie의 아버지는 "난 네게 화나지 않았단다. 하지만 너희들은 여전히 창문 값을 지불해야만 한단다."라고 말했다.

12 → Julie가 공을 던지고 난 후 공이 Mike의 머리 위로 날아갔다는 흐름이 자연스럽다.

13 → '~해야 한다'라는 의미의 조동사 have to 뒤에는 동사원형이 온다.

[14-16]
　　다음 날, Julie는 Mike에게 그 나쁜 소식을 말해 주었다. Mike가 "우리가 어떻게 40달러를 벌 수 있지?"라고 물었다. Julie는 "세차를 하는 건 어때?"라고 답했다. Mike는 동의했다. "좋아! 내가 포스터를 만들게."
　　세차 날이 왔다. 처음에는 아무도 나타나지 않았다. 그러나 다행히도, 사람들이 한 명씩 왔다. Julie와 Mike는 땀을 흘리며 일했다. 그들은 차의 모든 작은 구석을 닦았다. 마침내 그들은 21대의 차를 닦았고 42달러를 벌었다!

14 → ⓐ 처음에는 아무도 오지 않았지만 이후에 사람들이 한 명씩 왔다고 했으므로 '다행히도'라는 뜻의 luckily가 알맞다.
ⓑ Julie와 Mike가 열심히 일해서 42달러를 벌었기 때문에 어떤 일이 끝내 이루어졌을 때 사용하는 표현인 finally가 알맞다.

15 → ① Julie가 Mike에게 세차를 제안했다.
② Julie와 Mike는 40달러가 필요했다.
④ 세차 날 처음에는 아무도 오지 않았지만 그 이후에 한 명씩 왔다.
⑤ Mike가 포스터를 만들겠다고 했다.

16 각 차의 세차비는 2달러였다. Julie와 Mike는 42달러를 벌었다.
→ 21대를 세차하여 42달러를 벌었으므로 한 대당 2달러임을 알 수 있다.

[17-19]
　　이 요리는 미역국이에요. 해초 수프의 일종이에요. 저는 처음에 두려웠어요. 하지만 그 국을 먹었을 때 진한 맛이 났어요. 미역이 입안에서 돌아다녔어요. 그것은 기름보다 더 미끌미끌했어요! 그건 저에게 새로운 맛이었지만 저는 맛있게 먹었어요. 무엇보다 밥 한 공기와 잘 어울렸어요. 한국인들은 생일에 미역국을 먹어요. 이 전통은 어머니들에게서 비롯되었어요. 아이가 태어난 후에, 어머니는 건강을 위해 미역국을 먹어요. 하지만 한국인들은 어떻게 그 안에 초를 꽂을까요?

17 → (A) than이 있으므로 형용사의 비교급 형태를 써야 한다. slippery는 앞에 more를 붙여서 비교급을 만든다.
(B) enjoy는 동명사를 목적어로 취하는 동사이다.
(C) 접속사 after가 이끄는 부사절의 시제가 현재이므로 주절의 동사도 현재형으로 써야 한다.

18 ① 나중에　② 어쨌든, 하여간　③ 마침내
④ 예를 들어
→ above all: 무엇보다도

19 → ④ 미역이 미끈거려서 싫어하는 사람이 많다는 내용은 언급되지 않았다.

[20-22]
　　Wilbur는 새로운 친구가 생겼다. 그는 매우 행복했다. 하지만 다른 동물들은 똑같이 생각하지 않았다.
Templeton: Wilbur가 방금 저 거미와 친구가 된 거니?
Goose: 그런 것 같아. 믿을 수가 없어.
Gander: 그는 아무것도 몰라. 그저 어리석은 돼지일 뿐이야.
Templeton: 이봐, Wilbur. 아무도 거미를 좋아하지 않아.
Wilbur: 네? 이해가 안 돼요. 왜죠?

Goose: 그녀는 무서워 보여.

Gander: 그래. 저 텁수룩한 다리를 봐. 으으으!

Wilbur: 저는 그녀가 아름답다고 생각해요.

Templeton: 너는 안경이 필요한 것 같구나.

Wilbur: 걱정은 고맙지만, 내 눈은 좋아요. 그녀는 아름답고 다정해요.

20 → 이 문장에서 동사 get은 '이해하다'라는 뜻으로 쓰였다. 따라서 understand로 바꿔 쓸 수 있다.

21 → '~하게 보이다'라는 뜻의 동사 look 뒤에 형용사 보어 scary를 쓴다. 주어는 she로 3인칭 단수이므로 look에 -s를 붙여 쓴다.

22 ① Wilbur는 왜 행복했나?
② Wilbur는 누구와 친구가 되었나?
③ Templeton은 왜 Wilbur를 좋아하지 않았나?
④ Gander는 Wilbur에 대해 어떻게 생각했나?
⑤ Wilbur는 거미에 대해 어떻게 생각했나?
→ ③ Templeton이 Wilbur를 싫어하는지에 대해서는 알 수 없다.

23 (1) 그는 내일 학교에 가야 한다.
(2) 나는 내 방을 청소해야 한다.
(3) 나는 내 친구들에게 이 사진을 보여 줄 것이다.
→ (1) 조동사 have to의 부정형은 don't have to로 '~할 필요가 없다'라는 뜻이다. 주어가 3인칭 단수이므로 don't 대신 doesn't로 써야 한다.
(2) 조동사 have to의 의문문은 「Do+주어+have to+동사원형 ~?」의 형태로 쓴다.
(3) 수여동사 show는 3형식 문장에서 전치사 to와 함께 쓰인다.

24 → (1) Amy가 Kate보다 앞서서 달리고 있으므로 Kate보다 더 빠르다는 의미의 문장을 쓴다. 「형용사(부사)의 비교급+than」 구문을 사용한다.
(2) Tom이 Mike보다 키가 더 크다는 의미의 문장을 쓴다. tall의 비교급은 taller이다.

25 → enjoy는 동명사를 목적어로 쓰고, learn은 to부정사를 목적어로 쓰는 동사이다.

---

pp. 132-135

01 ④ 02 ③ 03 ④ 04 ⑤ 05 ⑤ 06 ② 07 How much are 08 ⑤ 09 ⑤ 10 ④ 11 ③ 12 gave 40 dollars to Julie's father 13 ③ 14 ② 15 ⑤ 16 ② 17 ① 18 ⓐ tastier ⓒ trying 19 ④ 20 ② 21 SOME PIG 22 ⑤ 23 (1) Mary bought an ice cream for him. (2) We have to save the earth. 24 (1) eating Korean food (2) playing soccer with his friends 25 (1) longer than the red pencil (2) bigger than the baseball

01 ① 어리석은 ② 사다 ③ 화가 난
④ 곱슬곱슬한 – 곧은 ⑤ 놀란
→ ④는 반의어 관계이고, 나머지는 유의어 관계이다.

02 • 그는 공을 매우 세게 쳤다.
• 우리는 수업 중에 열심히 공부해야 한다.
① 늦게 ② 높이 ④ 가까이 ⑤ 빠르게
→ hard는 부사로 쓰이면 '세게, 열심히'의 뜻을 가진다.

03 ① 대답하다 ② (돈을) 벌다 ③ 의미하다
④ 동의하다 ⑤ 기대하다
→ '어떤 것에 대해 같은 의견을 가지다'는 agree의 영어 뜻풀이다.

04 A: 도와 드릴까요?
B: 네, 저는 모자를 찾고 있어요.
A: 이것은 어때요?
B: 좋아 보이네요.
① 고맙지만 괜찮아요.
② 저는 도움이 필요 없어요.
③ 저는 그냥 둘러보는 거예요.
④ 탈의실은 어디에 있나요?
→ 점원이 물건을 권하고 있으므로 도움을 제안하는 말에 긍정으로 답하면서 찾는 물건을 언급하는 것이 알맞다.

[05-06]
A: 이봐, Alice. 나는 요즘 한국어 수업을 듣고 있어.
B: 멋지네, Brian. 수업은 어떠니?
A: 좋아. 수업 중에 시간이 빨리 지나가.
B: 정말? 그 수업에 대해 좀 더 말해 주겠니?
A: 물론이지. 우리는 매 수업마다 인기 있는 한국 드라마와 쇼를 봐.
B: 재미있는 수업 같구나!

05 ① 그 수업은 어떠니?
② 그 수업에 대해 어떻게 생각하니?
③ 어떤 수업을 듣고 있니?

④ 그 수업에 대해 알고 싶니?
→ Sure.로 긍정의 답을 한 후 한국어 수업에 관해 설명하고 있으므로 Brian에게 추가 정보를 요청하는 표현이 들어가는 것이 알맞다.

06 ① Brian은 그의 수업에 대해 어떻게 느끼는가?
② Brian의 수업은 몇 시에 시작하는가?
③ Brian은 요즘 어떤 수업을 듣고 있는가?
④ Brian은 수업 중에 무엇을 하는가?
⑤ Alice는 Brian의 수업에 대해 어떻게 생각하는가?
→ ② Brian의 수업이 몇 시에 시작하는지는 언급되지 않았다.

07 A: 실례합니다. 이 운동화는 얼마인가요?
B: 20달러입니다.
A: 좋네요. 살게요.
→ B가 가격을 말하고 있고, 복수형 sneakers가 쓰였으므로 How much are ~?로 가격을 묻는 말이 와야 한다.

08 ① 나는 영화 보는 것을 즐긴다.
② John은 뮤지컬 보는 것을 좋아한다.
③ 우리 엄마는 TV 보는 것을 끝마치셨다.
④ 그는 운동 경기 보는 것을 좋아한다.
⑤ 아빠는 그 쇼를 보기를 바라신다.
→ hope는 to부정사를 목적어로 취하고, 나머지 문장에 쓰인 동사들은 동명사를 목적어로 취한다.

09 그녀는 새 컴퓨터를 사야 한다.
→ 조동사 have to의 의문문은 「Do+주어+have to+동사원형 ~?」의 형태이다. 주어가 she로 3인칭 단수이므로 Do 대신 Does를 쓴다.

10 ① 진호는 수진이보다 키가 더 크다.
② 진호는 수진이보다 더 무겁다.
③ 수진이는 진호보다 키가 더 작다.
④ 수진이는 진호보다 더 무겁다.
⑤ 수진이는 진호보다 더 어리다.
→ ④ 수진이의 몸무게는 40kg이고, 진호의 몸무게는 60kg 이므로 진호가 더 무겁다는 것을 알 수 있다.

11 자동차는 자전거보다 훨씬 더 비싸다.
→ much는 비교급을 수식하는 부사로 even, far, still, a lot 등으로 바꿔 쓸 수 있다.

[12-13]
Julie와 Mike는 Julie의 아버지께 40달러를 드렸다. 그는 "너희들은 이 모든 것에서 무엇을 배웠니?"라고 물었다. Julie가 "우리는 우리의 행동에 책임을 져야만 해요."라고 말했다. Mike는 "돈은 저절로 생

기지 않아요."라고 말했다. Julie의 아버지가 미소를 지었고 그들에게 돈을 돌려주었다. 그는 "나는 너희 둘이 매우 자랑스럽구나. 너희들은 중요한 교훈을 배웠으니, 이건 너희들의 보상이란다."라고 말했다.
처음에, Julie와 Mike는 그 돈을 간식에 쓰고 싶었다. 하지만 그들은 그 돈을 은행에 넣기로 결정했다. 왜냐고? 이것이 그들이 마지막으로 깬 유리창이 아닐 것이기 때문이다!

12 → 수여동사 give와 전치사 to가 있으므로 「주어+동사+직접목적어+to+간접목적어」 형태의 3형식 문장으로 쓴다.

13 → (A) 조동사 have to 뒤에는 동사원형이 온다.
(B), (C) want와 decide는 to부정사를 목적어로 취하는 동사이다.

[14-16]
특별한 날: 설날(새해 첫날)
한국인들은 어떻게 한 살을 더 먹을까요? 그들에게는 특별한 방법이 있습니다. 그들은 설날에 떡이 들어간 수프인 떡국을 먹습니다. 떡국을 먹는 것은 한 살을 더 먹는 것을 의미합니다.
특별한 날: 추석
추석 동안에, 한국인들은 송편을 만들어 먹습니다. 그들은 송편으로 그 해에 감사를 드립니다. 예쁜 송편을 만드는 것은 언젠가 예쁜 아이를 갖는 것을 의미합니다.

14 → 한국인들이 나이 한 살을 더 먹는 특별한 방법은 바로 다음 문장에 나와 있다. 즉 설날에 떡국을 먹는 것이다.

15 → ⓑ 특정한 날 앞에는 전치사 on을 쓴다.
ⓒ '~ 동안'의 뜻으로 전치사 during을 쓴다.

16 ① 떡국은 무엇인가?
② 송편은 무엇으로 만들어지는가?
③ 떡국을 먹는 것은 무엇을 의미하는가?
④ 한국인들은 새해 첫날 무엇을 먹는가?
⑤ 예쁜 송편을 만드는 것은 무엇을 의미하는가?
→ ② 송편을 만드는 재료는 언급되지 않았다.

[17-19]
이 닭 요리는 삼계탕이에요. 하지만 세 마리의 닭을 기대하지는 마세요. 여기서 '삼'은 숫자 3이 아니라 인삼을 의미해요. 요리를 봤을 때 제 입은 딱 벌어졌어요. 제 앞에 닭 한 마리가 통째로 있었어요! 우리나라의 닭고기 수프는 그 안에 작은 닭고기 조각들이 들어있어요. 매우 뜨거운 삼계탕을 조심하세요. 그것은 태양보다 더 뜨거워요! 고기는 매우 부드러웠어요. 고기

가 뼈에서 떨어져서 제 입안으로 날아들어 갔어요. 삼계탕은 닭고기 수프보다 훨씬 더 맛있었어요. 많은 한국인들은 정말 무더운 날에 삼계탕을 즐겨 먹어요. 이열치열 같아요. 저는 고맙지만 사양이에요. 저는 추운 날에 삼계탕을 먹어 보는 것을 권해요.

17 → 세 마리의 닭을 기대하지 말라는 이유로 sam이 숫자 3이 아니라 인삼을 의미한다는 내용으로 이어지는 것이 자연스럽다.

18 → ⓐ 「비교급+than」 구문이므로 형용사 tasty의 비교급 tastier를 쓴다.
ⓒ recommend는 동명사를 목적어로 취하는 동사이다.

19 → '이열치열'에 해당하는 내용은 한국인들이 무더운 날에 뜨거운 삼계탕을 먹는다는 것이다.

[20-22]

　　Wilbur는 나중에 농부의 계획을 알게 되었다. 그는 몹시 슬펐다. 그는 크리스마스 만찬이 되고 싶지 않았다. 그래서 Charlotte은 Wilbur를 돕기로 결심했다. 밤새 그녀는 거미줄을 쳤다. 아침에 그녀의 거미줄에는 두 단어가 있었다. 농장 사람들은 매우 놀랐다.
Lurvy: 내가 무엇을 보고 있는 거지?
Fern: 제 눈을 믿을 수 없어요.
Mrs. Zuckerman: 어떻게 그게 가능할 수 있지?
Mr. Zuckerman: 나도 모르겠어.
Lurvy: 그나저나 '50ME 돼지'가 무슨 뜻이지? 여기에 돼지는 한 마리뿐이잖아.
Fern: 그 말이 아니에요, Lurvy. '평범하지 않은 돼지'라고 쓰여 있어요.
Lurvy: 이런, 네가 맞아, Fern! Wilbur는 확실히 평범하지 않은 돼지야.

20 ① 슬픈 – 지루한 ② 슬픈 – 놀란
③ 기쁜 – 걱정하는 ④ 행복한 – 슬픈
⑤ 신이 난 – 놀란
→ ⓐ Wilbur는 크리스마스 만찬이 되고 싶지 않았다는 내용이 이어지므로 농부의 계획을 알게 된 후 슬펐다는 말이 알맞다.
ⓑ 빈칸 뒤에 등장인물들이 거미줄에 쓰여진 두 단어를 보고 놀라서 하는 대화가 이어지므로 surprised가 알맞다.

21 Charlotte의 거미줄에 있던 두 단어는 무엇인가?
→ 그것들은 '평범하지 않은 돼지'이다.
→ Fern의 말에서 Charlotte의 거미줄에 SOME PIG가 쓰여 있음을 알 수 있다.

22 → ① Charlotte은 밤새 거미줄을 쳤다.
② Fern은 거미줄의 두 단어를 보고 자신의 눈을 믿을 수 없다고 했다.
③ Lurvy는 Wilbur가 평범하지 않은 돼지라고 했다.
④ Wilbur는 농부가 크리스마스 만찬으로 자신을 생각하고 있다는 계획을 알게 된 후 슬퍼했다.

23 → (1) '~에게 …을 사 주다'라는 뜻의 동사 buy를 써서 「주어+동사+직접목적어+for+간접목적어」 형태의 3형식 문장을 쓴다. buy의 과거형은 bought이다.
(2) '~해야 한다'라는 뜻의 조동사 have to 뒤에 동사원형 save를 써서 영작한다.

24 (1) Mike는 한국 음식 먹는 것을 즐긴다.
(2) Mike는 친구들과 축구 하는 것을 즐긴다.
→ 동사 enjoys 뒤에 동명사 eating, playing을 써서 문장을 완성한다.

25 책상 위에 연필 두 자루가 있다. 파란색 연필은 빨간색 연필보다 더 길다. 책상 아래에는 두 개의 공이 있다. 농구공은 야구공보다 더 크다.
→ (1) 형용사 long의 비교급 longer를 써서 두 연필의 길이를 비교한다.
(2) 형용사 big의 비교급 bigger를 써서 두 공의 크기를 비교한다. big은 「단모음+단자음」으로 끝나기 때문에 마지막 자음을 한 번 더 쓰고 -er을 붙여 비교급을 만든다.

01 ④ 02 ⑤ 03 ② 04 ⑤ 05 ⑤ 06 ③ 07 I'm interested in making movies. 08 ⑤ 09 ④ 10 ③ 11 ③ 12 will come → comes 13 ① 14 everyone, different 15 ⑤ 16 ④ 17 ④ 18 ③ 19 ② 20 ③ 21 (A) Be (B) lots of (C) preparing 22 ① 23 (1) Mike will come up with a good plan. (2) I want to show him this painting. 24 (1) loves to play(playing) the violin (2) likes to play(playing) baseball with his friends (3) enjoys listening to music 25 (1) He is an actor in musicals. (2) He acted in a school play when he was in middle school.

01 • Jane은 이 과일의 달콤한 맛을 좋아한다.
  • 나는 이 초콜릿 케이크를 맛보고 싶다.
  ① 맛있는 ② ~하게 보이다 ③ 맛
  ⑤ 소리; ~처럼 들리다
  → taste는 명사로 '맛', 동사로 '맛보다'라는 뜻으로 쓰인다.

02 ① 미끄러운 도로를 조심해라.
  ② 나는 점심으로 케이크 한 조각을 먹었다.
  ③ 나는 무서운 영화를 보는 것을 좋아하지 않는다.
  ④ 우리는 전 세계 모든 곳을 여행할 수 있다.
  ⑤ 그는 어리석어서 그 어려운 문제를 해결할 수 있었다.
  → ⑤ 어려운 문제를 해결할 수 있었다는 말이 이어지므로 '영리한'이라는 뜻의 clever나 smart가 알맞다.

03 ① 전체의: 완전하고 가득한
  ② (돈을) 벌다: 어떤 것에 돈을 지불하다
  ③ 해초: 바다에서 나는 식물의 한 종류
  ④ 다르게: 동일하지 않은 방법으로
  ⑤ 창작자: 새로운 것을 만드는 사람
  → ② earn은 '(돈을) 벌다'라는 뜻으로 영어 뜻풀이는 to get money for work이다.

04 ① A: 너는 무엇에 관심이 있니?
    B: 나는 요리하는 것에 관심이 있어.
  ② A: 너는 장래에 무엇이 되고 싶니?
    B: 나는 디자이너가 되고 싶어.
  ③ A: 이 신발을 신어 볼 수 있나요?
    B: 물론이에요. 사이즈가 어떻게 되나요?
  ④ A: 이 배낭은 얼마인가요?
    B: 그것은 할인 판매 중이에요. 30달러밖에 안 해요.
  ⑤ A: 그 책에 대해 어떻게 생각하세요?
    B: 그것에 대해 좀 더 말해 주세요.

→ ⑤ 책에 대한 의견을 묻는 말에 추가 정보를 요청하는 대답은 적절하지 않다.

[05-06]
  A: 드디어 금요일이야, Mike.
  B: 소미야, 너는 주말에 무엇을 할 거니?
  A: 나는 Blue Boys 콘서트에 갈 거야. 나는 록 음악의 열혈 팬이야.
  B: 멋지다! 콘서트는 어디에서 하니?
  A: 올림픽 공원에서. 너는 어때? 너는 주말에 계획이 있니?
  B: 음, 나는 친구와 자전거를 탈 거야.

05 ① 나는 친구와 자전거를 탈 수 있어
  ② 나는 친구와 자전거 타는 것을 좋아해
  ③ 나는 친구와 자전거를 타야 해
  ④ 나는 친구와 자전거를 타고 싶어
  ⑤ 나는 친구와 자전거를 탈 계획이야
  → I'm going to ~.로 주말 계획을 말하고 있으므로 '나는 ~할 계획이다.'라는 뜻의 I'm planning to ~.로 바꿔 쓸 수 있다.

06 → ③ 두 사람은 금요일에 대화를 나누고 있고, 소미는 금요일이 아니라 주말에 콘서트에 갈 것이다.

07 → '나는 ~에 관심이 있다.'라는 뜻으로 I'm interested in ~.의 표현을 쓴다. 전치사 in 뒤에는 make의 동명사 형태인 making을 쓰는 것에 유의한다.

08 • 수민이는 정오 전에 돌아오기로 결정했다.
  • 오늘 아침에 눈이 그쳤다.
  → decide는 to부정사를 목적어로, stop은 동명사를 목적어로 취한다.

09 나무에 많은 새들이 있다.
  → '많은'이라는 뜻의 a lot of 뒤에 셀 수 있는 명사의 복수형이 쓰였으므로 many로 바꿔 쓸 수 있다. much 또한 '많은'이라는 뜻이지만 셀 수 없는 명사와 함께 쓰인다.

10 ① Jerry는 새로운 회사에서 일할 것이다.
  ② 우리는 여기서 신발을 신을 필요가 없다.
  ③ 엄마는 나에게 샌드위치를 만들어 주셨다.
  ④ 내 남동생은 나보다 훨씬 더 무겁다.
  ⑤ Mary는 그에게 좋은 소식을 말해 주고 싶었다.
  → ③ make가 3형식 문장에서 쓰일 때 전치사 for를 써서 「make+직접목적어+for+간접목적어」의 형태로 쓴다. (to → for)

11 → '~보다 더 …한'이라는 뜻의 비교급 구문을 고른다. 형용사 hot의 비교급은 hotter이고, than 뒤에 비교 대상인 the sun이 온다.

12 그녀가 돌아오면, 나는 그녀에게 그 소식을 말해 줄 것이다.
→ 주절이 미래의 의미일 경우에도 when이 이끄는 시간 부사절에서는 현재시제가 미래시제를 대신한다.

[13-14]
Rosie 기자: 레드볼은 높이가 4.57미터이고 무게가 113킬로그램입니다. 그것은 공공 미술의 완벽한 예입니다. 공공 미술은 미술관에서 뛰쳐나옵니다. 그것은 공원과 거리 같은 곳으로 갑니다. 레드볼의 창작자인 Kurt는 레드볼을 세계 도처로 가지고 갑니다. 그가 오늘 우리와 함께 여기 있습니다. 레드볼에 관해 우리에게 말씀해 주시겠어요?

Kurt: 물론입니다. 레드볼은 모두를 위한 것입니다. 레드볼은 사람들에게 기쁨을 가져다줍니다. 사람들은 레드볼과 함께 놀며 그 작품의 일부가 됩니다. 서로 다른 나라의 사람들은 레드볼을 다르게 즐깁니다. 시드니에서는, 사람들이 레드볼과 함께 놀았습니다. 런던에서는, 모두가 그저 레드볼을 바라보며 그것에 대해 이야기했습니다. 타이베이의 사람들은 레드볼을 어디든 따라다니며 사진을 찍었습니다.

13 → ⓐ 높이가 몇인지 말할 때 단위 명사(meters) 뒤에 형용사 tall을 쓴다.
ⓑ 무게를 말할 때 「weigh+숫자+단위 명사」의 형태로 쓰며, 주어가 3인칭 단수이므로 동사 weigh 뒤에 -s를 붙여 쓴다.

14 공공 미술은 <u>모두</u>를 위한 것이다. 레드볼은 공공 미술의 완벽한 예이다. 우리는 그것을 <u>다른(다양한)</u> 방식으로 즐길 수 있다.
→ 레드볼은 모두를 위한 공공 미술의 한 종류이고, 각 나라 사람들은 다양한 방식으로 레드볼을 즐긴다고 했다.

[15-16]
Kevin은 의사가 되고 싶어 했어요. 그는 또한 운동도 아주 좋아했어요. 현재, 그는 한 야구팀의 의사로 일합니다. Kevin은 그의 팀과 함께 전국을 여행합니다. 그는 선수들이 다쳤을 때 그들을 돌봅니다. Kevin은 선수들을 돕는 것을 아주 좋아합니다. 그는 또한 가까이에서 경기를 지켜보는 것을 아주 좋아합니다!

15 ① 너의 생일은 언제니?
② 너는 언제 아침을 먹니?
③ 나는 언제 가야 할지 모른다.

④ 나는 그가 언제 도착할지 알고 싶다.
⑤ 나는 어렸을 때 운동하는 것을 좋아했다.
→ 본문과 ⑤의 when은 '~할 때'를 뜻하는 접속사로 쓰였고, 나머지는 '언제'라는 뜻의 의문사로 쓰였다.

16 → ① Kevin은 의사가 되고 싶어 했다.
② Kevin은 야구팀의 의사로 일한다.
③ Kevin은 그의 팀과 함께 전국을 여행한다.
⑤ Kevin은 가까이에서 경기를 보는 것을 좋아한다.

[17-18]
집에서 Julie의 아버지는 "난 네게 화나지 않았단다. 하지만 너희들은 여전히 창문 값을 지불해야만 한단다."라고 말했다.
다음 날, Julie는 Mike에게 그 나쁜 소식을 말해 주었다. Mike가 "우리가 어떻게 40달러를 벌 수 있지?"라고 물었다. Julie는 "세차를 하는 건 어때?"라고 답했다. Mike는 동의했다. "좋아! 내가 포스터를 만들게."
세차 날이 왔다. <u>처음에는 아무도 나타나지 않았다.</u> 그러나 다행히도, 사람들이 한 명씩 왔다. Julie와 Mike는 땀을 흘리며 일했다. 그들은 차의 모든 작은 구석을 닦았다. 마침내 그들은 21대의 차를 닦았고 42달러를 벌었다!

17 → Julie가 Mike에게 전한 나쁜 소식은 앞 문장의 Julie의 아버지가 Julie에게 한 말에서 알 수 있다.

18 → 처음에는 아무도 오지 않았지만, 다행히 한 사람씩 왔다는 내용으로 연결되는 것이 자연스럽다.

[19-20]
이 닭 요리는 삼계탕이에요. 하지만 세 마리의 닭을 기대하지는 마세요. 여기서 '삼'은 숫자 3이 아니라 인삼을 의미해요. 요리를 봤을 때 제 입은 딱 벌어졌어요. 제 앞에 닭 한 마리가 통째로 있었어요! 우리나라의 닭고기 수프는 그 안에 작은 닭고기 조각들이 들어 있어요. 매우 뜨거운 삼계탕을 조심하세요. 그것은 태양보다 더 뜨거워요! 고기는 매우 부드러웠어요. 고기가 뼈에서 떨어져서 제 입안으로 날아들어 갔어요. 삼계탕은 닭고기 수프보다 훨씬 더 맛있었어요. 많은 한국인들은 정말 무더운 날에 삼계탕을 즐겨 먹어요. 이열치열 같아요. 저는 고맙지만 사양이에요. 저는 추운 날에 삼계탕을 먹어 보는 것을 권해요.

19 → (A) 글쓴이 앞에 닭 한 마리가 통째로 있었다는 내용이 이어지므로 요리를 봤을 때의 경험을 이야기하고 있음을 알 수 있다.
(B) 삼계탕이 태양보다 더 뜨겁다는 내용이 이어지고 있다.

(C) 고기가 뼈에서 쉽게 떨어졌다고 했으므로 부드럽다는 것을 알 수 있다.

20 ① 삼계탕은 어떤 종류의 음식인가?
② 삼계탕의 '삼'은 무엇을 의미하는가?
③ 왜 삼계탕은 전 세계적으로 인기 있는가?
④ 많은 한국인들은 언제 삼계탕을 즐겨 먹는가?
⑤ 글쓴이는 여름에 삼계탕 먹는 것을 좋아하는가?
→ ③ 삼계탕이 전 세계적으로 인기가 있는 이유는 언급되지 않았다.

[21-22]
Sheep: 돼지에게 잘해줘. 그는 어쨌든 시간이 많지 않아.
Wilbur: 무슨 말이에요? 저는 시간이 많아요.
Sheep: 농부들이 너에게 많은 음식을 주잖아. 그런 데에는 이유가 있어.
Wilbur: 그들이 저를 좋아하기 때문에요?
Sheep: 어리석은 돼지구나. 그들은 너를 크리스마스 만찬을 위해 준비하고 있어.
Wilbur: 좋네요! 저는 크리스마스도 좋아하고 만찬도 좋아해요.
Templeton: 네가 그 크리스마스 만…
Goose & Gander: (Templeton에게) 쉿! 그쯤 해 둬. 더 이상 말하지 마.

21 → (A) 동사원형으로 시작하는 명령문의 형태로 Be가 알맞다.
(B) 뒤에 셀 수 없는 명사 food가 쓰였으므로 lots of가 알맞다. lots of는 셀 수 있는 명사와 셀 수 없는 명사를 모두 수식할 수 있다. many는 셀 수 있는 명사의 복수형과 함께 쓰인다.
(C) be동사 are가 있고, '준비하고 있다'라는 뜻을 나타내야 하므로 현재진행형으로 쓰는 것이 알맞다. 현재진행형은 「be동사+동사원형+-ing」의 형태이다.

22 → ① 농부들이 음식을 많이 주는 것은 Wilbur를 좋아해서가 아니라 Wilbur를 크리스마스 만찬으로 준비하고 있기 때문이다.

23 → (1) 조동사 will 뒤에 '~을 생각해 내다'라는 뜻의 표현인 come up with를 배열한다.
(2) want의 목적어는 to show이고, show 뒤에 간접목적어 him, 직접목적어 this painting의 순서로 배열한다.

24 (1) Eric은 바이올린 연주하는 것을 아주 좋아한다.
(2) John은 친구들과 야구하는 것을 좋아한다.
(3) Sally는 음악 듣는 것을 즐긴다.
→ love와 like는 to부정사와 동명사를 모두 목적어로 취할 수 있고, enjoy는 동명사를 목적어로 취한다. 주어가 모두 3인칭 단수이므로 동사 뒤에 -s를 붙여 쓴다.

25 Rahul은 노래하는 것을 아주 좋아했어요. 그는 학교에 가는 길에 노래를 불렀어요. 그는 샤워 중에 노래했어요. 그는 심지어 잠을 자는 중에도 노래했어요! Rahul이 중학교에 다녔을 때, 그는 학교 연극에서 연기를 했어요. 그 당시에 그는 연기하는 것에도 푹 빠졌어요. Rahul은 현재 뮤지컬 배우입니다. 그는 훌륭한 가수이지만 춤은 잘 못 춰요.
(1) Rahul의 직업은 무엇인가?
→ 그는 뮤지컬 배우이다.
(2) Rahul은 언제 학교 연극에서 연기를 했는가?
→ 그는 중학교에 다녔을 때 학교 연극에서 연기를 했다.
→ (1) Rahul is now an actor in musicals.에서 Rahul의 직업을 알 수 있다.
(2) Rahul이 학교 연극에서 연기를 한 것은 그가 중학교에 다녔을 때이다.

01 ②	02 ④	03 ⑤	04 ⑤	05 ③	06 ④	07 ①
08 ③	09 ④	10 ③	11 ⑤	12 ②	13 ④	14 ①
15 ⑤	16 ③	17 ③	18 ⑤	19 ②	20 ⑤	

01 M: You need this on a rainy day. This will protect you from getting wet. Don't forget to take this with you when it rains.

남: 여러분은 비 오는 날에 이것이 필요합니다. 이것은 여러분이 비에 젖는 것으로부터 보호해 줄 것입니다. 비가 올 때 이것을 가지고 다니는 것을 잊지 마세요.

02 M: Jane, what do you want to be in the future?
W: I like animals, so I want to be a vet.
M: Sounds great. You'll be a great vet.

남: Jane, 앞으로 무엇이 되고 싶니?
여: 나는 동물을 좋아해서 수의사가 되고 싶어.
남: 멋지다. 너는 훌륭한 수의사가 될 거야.

03 W: Good morning, everyone. It is sunny now in Seoul, but it will rain a lot in the afternoon. Tomorrow, the rain will stop, but it will be very windy.

여: 여러분, 안녕하세요. 서울은 현재 화창하지만 오후에는 비가 많이 오겠습니다. 내일은 비가 그치겠지만 바람이 많이 불겠습니다.

04 W: Ted, do you like painting?
M: No, not really.
W: Then, what are you interested in?
M: I'm interested in taking pictures.

여: Ted, 그림 그리는 것을 좋아하니?
남: 아니, 별로.
여: 그러면, 무엇에 관심 있니?
남: 나는 사진 찍는 것에 관심 있어.

05 M: Look! David Brown is coming out! He's my favorite player.
W: I like him, too. He's a smart player.
M: I think so, too. He's also very fast.
W: I agree! I'm so excited about today's game.

남: 봐! David Brown이 나오고 있어! 그는 내가 가장 좋아하는 선수야.
여: 나도 그를 좋아해. 그는 영리한 선수야.
남: 나도 그렇게 생각해. 그는 매우 빠르기도 해.
여: 나도 동의해! 오늘 경기가 정말 기대된다.

06 M: Hello, everyone. I'll explain about our field trip tomorrow. We're going to meet in front of the science museum at 9 a.m. Then, we're going to look around the museum for three hours. Don't forget to bring your pens or pencils.

남: 여러분, 안녕하세요. 내일 있을 현장학습에 대해 설명하겠어요. 우리는 과학관 앞에서 오전 9시에 만날 거예요. 그러고 나서 과학관을 3시간 동안 둘러볼 거예요. 펜이나 연필을 가져오는 것을 잊지 마세요.

07 W: Do you have any plans for tomorrow, Andy?
M: No, I don't. Why?
W: My friends and I are going to go on a picnic. Do you want to join us?
M: I'd love to, but I need to do my history homework. Have a good time, Jenny.

여: 내일 무슨 계획이 있니, Andy?
남: 아니, 없어. 왜?
여: 친구들과 나는 소풍을 갈 거야. 너도 함께 할래?
남: 그러고 싶지만, 나는 역사 숙제를 해야 해. 좋은 시간 보내렴, Jenny.

08 ① W: Are you interested in music?
M: Not really. I'm interested in sports.
② W: What do you think about the movie?
M: I think it is boring.
③ W: What do you want to be in the future?
M: I want to be a pianist.
④ W: What are you going to do this weekend?
M: I'm going to go on a trip.
⑤ W: What are you interested in?
M: I'm interested in pop music.

① 여: 너는 음악에 관심 있니?
남: 아니, 별로. 나는 운동에 관심 있어.
② 여: 너는 그 영화에 대해 어떻게 생각하니?
남: 지루하다고 생각해.
③ 여: 너는 앞으로 무엇이 되고 싶니?
남: 나는 피아노 연주가가 되고 싶어.
④ 여: 이번 주말에 무엇을 할 거니?
남: 여행을 갈 거야.
⑤ 여: 너는 무엇에 관심 있니?
남: 나는 대중음악에 관심 있어.

09 W: Our camping trip to Chuncheon is today.
M: It'll be so much fun! Did you check the weather forecast?
W: Yes, I did. It'll rain all day today.
M: Oh, that's too bad.

여: 오늘은 우리가 춘천으로 캠핑 여행 가는 날이야.

남: 정말 재미있을 거야! 일기예보를 확인했니?

여: 응, 했어. 오늘 하루 종일 비가 올 거야.

남: 아, 정말 아쉽다.

10 W: What are you going to do this Saturday, Hajun?

M: My sister and I are going to go hiking.

W: That sounds like fun.

M: Do you want to join us, Jenny?

W: Sure, I'd love to.

여: 이번 주 토요일에 무엇을 할 거니, 하준아?

남: 여동생과 나는 등산을 갈 거야.

여: 참 재미있겠다.

남: 너도 같이 갈래, Jenny?

여: 물론이야, 그렇게.

11 W: It's already Tuesday. We need to do our history project.

M: I know, but I can't do it on Wednesday and Saturday this week.

W: What are you going to do on Wednesday and Saturday?

M: I'm going to go see a doctor on Wednesday, and I'm going to visit my grandfather on Saturday.

여: 벌써 화요일이야. 우리는 역사 과제를 해야 해.

남: 알아, 하지만 나는 이번 주 수요일과 토요일에는 할 수가 없어.

여: 수요일과 토요일에 무엇을 할 거니?

남: 수요일에는 진찰 받으러 갈 예정이고, 토요일에는 할아버지를 찾아뵐 거야.

12 [Telephone rings.]

M: Hello. This is Nick. Can I talk to Susan?

W: Hi, Nick. This is Susan speaking.

M: Oh, hi. Are you going to stay at home tomorrow?

W: Yes, I am.

M: How about coming to my birthday party?

W: Sure. See you tomorrow.

[전화벨이 울린다.]

남: 여보세요. 저 Nick인데요. Susan 있나요?

여: 안녕, Nick. 나야.

남: 아, 안녕. 내일 집에 있을 예정이니?

여: 응.

남: 내 생일 파티에 오는 거 어때?

여: 물론이지. 내일 보자.

13 ① W: Are you going to eat out?

M: No, I'm going to eat at home.

② W: Can you please carry this box?

M: Sure, I can.

③ W: What's the weather like today?

M: It's sunny and warm.

④ W: What do you think of this T-shirt?

M: I don't think so.

⑤ W: What are you interested in?

M: I'm interested in making clothes.

① 여: 너는 외식할 거니?

남: 아니, 집에서 먹을 거야.

② 여: 이 상자 좀 들어 주겠니?

남: 물론이야.

③ 여: 오늘 날씨가 어떠니?

남: 화창하고 따뜻해.

④ 여: 이 티셔츠에 대해 어떻게 생각하니?

남: 나는 그렇게 생각하지 않아.

⑤ 여: 너는 무엇에 관심 있니?

남: 나는 옷을 만드는 데 관심 있어.

14 W: Our school trip is tomorrow!

M: I know. I'm so excited!

W: Did you check the weather forecast for tomorrow?

M: Yes. It'll be sunny and hot.

W: Sounds great. We'll have so much fun!

여: 우리의 수학여행이 내일이야!

남: 알아. 정말 기대돼!

여: 내일 일기예보는 확인해 봤니?

남: 응. 화창하고 더울 거야.

여: 좋다. 정말 재미있을 거야!

15 ① Is your mom a teacher?

② Do you speak English?

③ Why do you want to be a teacher?

④ Who wants to be a teacher in the future?

⑤ What do you want to be in the future?

질문: 너는 앞으로 무엇이 되고 싶니?
응답: 나는 영어 선생님이 되고 싶어.

① 너희 엄마는 교사시니?

② 너는 영어를 할 줄 아니?

③ 너는 왜 교사가 되고 싶니?

④ 누가 앞으로 교사가 되고 싶니?

16 W: How about going to the movies this Sunday?

M: Sure, I'd love to. Where do you want to meet?

W: Let's meet at the Star Theater.
M: OK. What time should we meet?
W: Let's meet at 11 a.m.
M: How about 30 minutes earlier? I want to have some snacks before the movie.
W: Sounds good!

여: 이번 주 일요일에 영화 보러 가는 거 어때?
남: 좋아, 그러자. 어디에서 만날까?
여: 스타 극장에서 만나자.
남: 좋아. 몇 시에 만날까?
여: 오전 11시에 만나자.
남: 30분 더 일찍 만나는 건 어때? 영화 시작 전에 간식을 좀 먹고 싶어.
여: 좋아!

17 M: Excuse me. How much is this red pen?
W: It's 2 dollars.
M: What about this blue pen?
W: It's a dollar.
M: Then I'll take some blue ones. Please give me three blue pens.

남: 실례합니다. 이 빨간색 펜은 얼마인가요?
여: 2달러입니다.
남: 이 파란색 펜은 얼마인가요?
여: 1달러입니다.
남: 그러면 파란색 펜을 몇 개 살게요. 파란색 펜 세 개 주세요.

18 M: My name is Kim Minsu. I'll tell you about my future dream. I want to be a writer. I love reading books, and I'm interested in writing short stories. For my future dream, I read a lot of books and practice writing every day.

남: 제 이름은 김민수입니다. 제 장래 희망에 대해 말씀 드리겠습니다. 저는 작가가 되고 싶습니다. 저는 책 읽는 것을 정말 좋아하고, 단편 소설 쓰는 것에 관심이 있습니다. 저는 제 장래 희망을 위해 책을 많이 읽고 매일 작문 연습을 합니다.

19 W: What's the weather like in Seoul? I'm going to go there this evening.
M: It's windy and cold. You should wear warm clothes.
W: OK, I will. Thanks.

여: 서울은 날씨가 어떠니? 오늘 저녁에 그곳에 갈 거야.
남: 바람이 불고 추워. 너는 따뜻한 옷을 입어야겠다.
여: 그래, 그럴게. 고마워.

① 재미있게 보내!

③ 나는 의사가 되고 싶어.
④ 정말? 무엇이 문제니?
⑤ 그 말을 들으니 기쁘다.

20 W: I'm so excited about today's baseball game!
M: Me, too! Which team will win the game?
W: I think the Greens will win.
M: Really? Why do you think so?
W: I think they have better teamwork.

여: 오늘 야구 경기가 정말 기대돼!
남: 나도! 어느 팀이 이길까?
여: Greens가 이길 것 같아.
남: 정말? 왜 그렇게 생각하니?
여: 나는 그들이 팀워크가 더 좋다고 생각해.

① 미안하지만 안 돼.
② 나도 그렇게 생각해.
③ 나는 네 말에 동의하지 않아.
④ 이건 대단한 경기가 될 거야!

듣기 평가 2회

01 ②	02 ④	03 ③	04 ④	05 ①	06 ⑤	07 ⑤
08 ③	09 ④	10 ⑤	11 ②	12 ②	13 ③	14 ④
15 ①	16 ②	17 ④	18 ⑤	19 ③	20 ②	

01 W: What's the weather like in Busan? I'm going to go there this afternoon.
M: It's raining. You should take an umbrella.
W: OK, I will. Thanks.
여: 부산은 날씨가 어떠니? 오늘 오후에 그곳에 갈 예정이야.
남: 비가 오고 있어. 너는 우산을 가져가야겠다.
여: 그래, 그럴게. 고마워.

02 W: Tim, what are you going to do this weekend?
M: I'm going to go to the beach. What about you, Sujin?
W: I'm going to go to Mt. Jiri with my family.
M: That sounds like fun.
여: Tim, 이번 주말에 무엇을 할 거니?
남: 해변에 갈 거야. 너는 어때, 수진아?
여: 나는 가족과 함께 지리산에 갈 거야.
남: 재미있겠다.

03 ① W: You don't look well. What's wrong?
M: I have a cold.
② W: Excuse me. Where is the gym?
M: It's over there. It's next to the library.
③ W: Why don't you play soccer with me?
M: That sounds good.
④ W: What do you think about the stadium?
M: I think it looks strange.
⑤ W: What are you going to do this Saturday?
M: I'm going to play baseball with my friends.
① 여: 너 안 좋아 보인다. 무슨 일 있어?
남: 감기에 걸렸어.
② 여: 실례합니다. 체육관이 어디인가요?
남: 저쪽에 있어요. 도서관 옆에 있어요.
③ 여: 나랑 같이 축구 하는 게 어때?
남: 좋아.
④ 여: 경기장에 대해 어떻게 생각하니?
남: 이상하게 생긴 것 같아.
⑤ 여: 이번 주 토요일에 무엇을 할 거니?
남: 친구들과 야구를 할 거야.

04 M: Do you have any plans for this weekend, Semi?

W: Yes. My family is going to go to Sokcho. We're going to swim in the sea.
M: That sounds fun. Enjoy your trip!
남: 이번 주말에 무슨 계획 있니, 세미야?
여: 응. 우리 가족은 속초에 갈 거야. 우리는 바다에서 수영을 할 거야.
남: 재미있겠다. 즐거운 여행하렴!

05 W: What are you going to do tomorrow?
M: I'm going to ride my bike in the park. Do you want to join me?
W: Sure, I'd love to. What time should we meet?
M: Let's meet at 11 in the morning.
W: Alright. See you then.
여: 내일 무엇을 할 거니?
남: 공원에서 자전거를 탈 거야. 함께 탈래?
여: 물론, 그러고 싶어. 몇 시에 만날까?
남: 오전 11시에 만나자.
여: 좋아. 그때 보자.

06 W: Are you still studying, Andy?
M: Yes. The test is tomorrow.
W: But it's already 11. Why don't you go to bed?
M: Is it that late? But I think I have to study for one more hour.
W: I see.
여: 아직도 공부하는 중이니, Andy?
남: 네. 시험이 내일이에요.
여: 하지만 벌써 11시야. 잠자리에 들지 그래?
남: 그렇게 늦었어요? 하지만 한 시간 더 공부해야 할 것 같아요.
여: 알겠다.

07 M: What do you want to be in the future?
W: I want to be a star.
M: Do you want to become a singer? You like to sing and dance.
W: Well, I also like to act, so I want to perform in musicals in the future.
남: 너는 앞으로 무엇이 되고 싶니?
여: 나는 스타가 되고 싶어.
남: 가수가 되고 싶니? 너는 노래하고 춤추는 것을 좋아하잖아.
여: 글쎄, 나는 연기하는 것도 좋아해. 그래서 앞으로 뮤지컬에서 공연하고 싶어.

08 W: Your birthday is in next week, isn't it?
M: My birthday? It's the day after tomorrow.
W: Oh, what's the date today?
M: It's November 5th.

여: 네 생일이 다음주지, 그렇지 않니?

남: 내 생일? 모레야.

여: 아, 오늘이 며칠이지?

남: 11월 5일이야.

09 M: Did you finish packing?

W: I think so. I packed a T-shirt, a jacket, and sunglasses.

M: Did you pack a hat and an umbrella, too?

W: I packed a hat, but I won't bring an umbrella. It won't rain.

남: 짐은 다 쌌니?

여: 그런 것 같아. 티셔츠, 재킷, 그리고 선글라스를 쌌어.

남: 모자랑 우산도 쌌니?

여: 모자는 쌌는데 우산은 가져가지 않을 거야. 비가 오지 않을 거야.

10 W: Hey, Jiho. Which section are you going to?

M: I'm going to the baker's section.

W: Oh, do you want to be a baker?

M: Yes, I do. What about you, Jenny?

W: I'm interested in making clothes, so I'm going to the fashion designer's section now.

여: 안녕, 지호야. 너는 어느 구역으로 가고 있니?

남: 나는 제빵사 구역에 가고 있어.

여: 아, 너는 제빵사가 되고 싶니?

남: 응, 그래. 너는 어때, Jenny?

여: 나는 옷 만드는 데 관심이 있어서 지금 패션 디자이너 구역에 가고 있어.

11 M: Is there anything I can do for you?

W: I have a question about today's lesson.

M: Actually, I have a meeting now. Can you come to see me during the next break?

W: Sure, I will.

남: 무엇을 도와줄까?

여: 오늘 수업에 대해 질문이 있어요.

남: 사실은, 지금 내가 회의가 있단다. 다음 쉬는 시간에 오겠니?

여: 네, 그럴게요.

12 [*Cell phone rings.*]

W: Hello.

M: Hey, Mina. What are you doing?

W: I'm studying for the test. Did you finish packing?

M: Almost done. Can I borrow your camera? Mine is broken.

W: Sure. Please handle it carefully.

[휴대 전화가 울린다.]

여: 여보세요.

남: 안녕, 미나야. 뭐 하고 있니?

여: 시험공부를 하고 있어. 짐은 다 쌌니?

남: 거의 다 했어. 네 카메라를 빌릴 수 있을까? 내 것은 고장 났어.

여: 물론이야. 조심해서 다루렴.

13 M: What do you want to eat?

W: I want to have a sandwich and juice. How about you?

M: I'll have a hamburger, French fries, and a Coke.

W: French fries are not good for your diet.

M: All right. I'll just have a hamburger and a Diet Coke, then.

남: 무엇을 먹고 싶니?

여: 나는 샌드위치와 주스를 먹을래. 너는?

남: 나는 햄버거, 감자튀김, 그리고 콜라를 먹을래.

여: 감자튀김은 다이어트에 좋지 않아.

남: 알았어. 그러면 그냥 햄버거와 다이어트 콜라를 먹을게.

14 W: I'm sorry for being late.

M: That's okay. Did you get up late?

W: No. I couldn't find my tickets, so I was looking for them.

M: All right. The movie starts soon. Let's hurry.

여: 늦어서 미안해.

남: 괜찮아. 늦게 일어났니?

여: 아니. 표를 찾을 수가 없어서 찾고 있었어.

남: 알았어. 영화가 곧 시작해. 서두르자.

15 M: Excuse me. Where is the post office?

W: Go straight one block and turn left. It'll be on your right, next to the library.

M: Thank you.

W: You're welcome.

남: 실례합니다. 우체국이 어디죠?

여: 한 블록 쭉 가셔서 왼쪽으로 도세요. 오른편 도서관 옆에 있을 거예요.

남: 감사합니다.

여: 천만에요.

16 W: What do you want to do when we get there?

M: I'd like to do all kinds of water sports, like water skiing or scuba diving.

W: Well, I'm more interested in the traditional culture there. Why don't we learn their traditional dance together?

M: All right. Let's do that first.

여: 그곳에 도착하면 무엇을 하고 싶니?

남: 수상 스키나 스쿠버 다이빙 같은 모든 종류의 수상 스포츠를 하고 싶어.

여: 글쎄, 나는 그곳의 전통 문화에 더 관심이 많아. 같이 전통 무용을 배우지 않을래?

남: 좋아. 그것을 먼저 하자.

17 M: Today, I want to talk to you about dreams. I was always interested in dancing, but I couldn't go to dancing school. But I never gave up my dream, and I finally became a famous dancer.

남: 오늘 저는 여러분에게 꿈에 대해 이야기하고 싶습니다. 저는 무용에 항상 관심이 있었지만 무용 학교에 갈 수 없었습니다. 하지만 저는 꿈을 결코 포기하지 않았고, 마침내 유명한 무용수가 되었습니다.

① 자유롭게 춤춰라.

② 매일 운동해라.

③ 친구의 말에 귀 기울여라.

④ 당신의 꿈을 포기하지 마라.

⑤ 매일 아침 일찍 일어나라.

18 W: Your friend asks you to return some books to the library, but you are very busy because you have to study for an exam. What will you say to your friend?

여: 친구가 당신에게 책 몇 권을 도서관에 반납해 달라고 부탁을 한다. 하지만 당신은 시험공부를 해야 해서 매우 바쁘다. 당신은 친구에게 뭐라고 말하겠는가?

① 너는 책 읽는 것을 좋아하니?

② 내가 시험공부 하는 것을 좀 도와주겠니?

③ 물론이지. 나는 오늘 오후에 도서관에 갈 거야.

④ 나는 도서관에 가고 있어. 같이 갈래?

⑤ 미안하지만 나는 시험공부를 해야 해.

19 W: Minsu, what do you want to be in the future?

M: I want to be a fashion designer.

W: That's cool. Why do you want to be a fashion designer?

M: I'm interested in making clothes.

여: 민수야, 앞으로 무엇이 되고 싶니?

남: 패션 디자이너가 되고 싶어.

여: 멋지다. 왜 패션 디자이너가 되고 싶니?

남: 나는 옷을 만드는 데 관심이 있거든.

① 나는 쇼핑하러 가는 것을 좋아하지 않아.

② 나는 훌륭한 영화감독이 될 거야.

④ 그는 내가 가장 좋아하는 패션 디자이너야.

⑤ 나는 패션쇼를 볼 거야.

20 M: It's lunch time. Where should we eat?

W: How about an Italian restaurant over there?

M: I like it. The food is very delicious.

W: You're right, and the restaurant is clean.

M: OK. Let's go there, then.

남: 점심시간이야. 어디서 먹을까?

여: 저기에 있는 이탈리아 식당은 어때?

남: 좋아. 음식이 아주 맛있지.

여: 맞아, 그리고 식당이 매우 깨끗해.

남: 그래. 그럼 거기로 가자.

① 좋은 생각이야.

③ 너는 이탈리아 음식을 좋아하니?

④ 그곳은 다음에 가는 게 어때?

⑤ 그 식당에 대해 어떻게 생각하니?

01 ⑤ 02 ① 03 ② 04 ③ 05 ⑤ 06 ⑤ 07 ②
08 ⑤ 09 ③ 10 ③ 11 ② 12 ③ 13 ④ 14 ①
15 ⑤ 16 ④ 17 ① 18 ② 19 ② 20 ④

01 ① There is no one in the field.
② The trees have a lot of leaves.
③ Some people are skiing.
④ A girl is making a snowman.
⑤ Some people are having a snowball fight.
① 들판에 아무도 없다.
② 나무들은 잎이 무성하다.
③ 몇몇 사람들이 스키를 타고 있다.
④ 한 여자아이가 눈사람을 만들고 있다.
⑤ 몇몇 사람들이 눈싸움을 하고 있다.

02 W: I think I need some exercise.
M: How about playing badminton with me?
W: I don't have a racket. Can we just go jogging?
M: All right. Let's start from tomorrow morning.
여: 나는 운동이 좀 필요한 것 같아.
남: 나랑 같이 배드민턴 치는 것은 어때?
여: 나는 라켓이 없어. 우리 그냥 조깅하러 갈까?
남: 그래. 내일 아침부터 시작하자.

03 W: Good morning, everyone. Today, it will snow a lot in the afternoon. Tomorrow, we will have a nice day, but it will be much colder than today.
여: 여러분, 안녕하세요. 오늘은 오후에 눈이 많이 오겠습니다. 내일은 날씨가 맑겠으나 오늘보다 훨씬 더 추울 예정입니다.

04 W: When are you going to come to the party?
M: The party starts at 4, right?
W: Yes. Can you come a little earlier?
M: Sure. I'll be there at 3:30.
여: 너는 파티에 언제 올 거니?
남: 파티는 4시에 시작하지, 그렇지?
여: 그래. 좀 더 일찍 올 수 있니?
남: 물론이야. 3시 30분에 갈게.

05 W: What are you going to do during the vacation?
M: I want to learn how to paint.
W: Do you want to become an artist?
M: I'm not sure, but I like painting.
여: 방학 동안에 무엇을 할 거니?
남: 그림 그리는 것을 배우고 싶어.

여: 너는 예술가가 되고 싶니?
남: 잘 모르겠어. 하지만 나는 그림 그리는 것이 좋아.

06 W: What's the problem?
M: My dog Bolt doesn't eat at all.
W: How old is he?
M: He's one year old.
W: Let me check. I think he has to take some medicine.
여: 무슨 문제가 있나요?
남: 제 개 Bolt가 전혀 먹지 않아요.
여: 몇 살인가요?
남: 한 살입니다.
여: 한번 볼게요. 약을 좀 먹어야 할 것 같아요.

07 M: How may I help you?
W: I want to check out this history book.
M: Can I see your library card, please?
W: Yes. Here you are.
남: 무엇을 도와 드릴까요?
여: 이 역사책을 빌리고 싶어요.
남: 도서관 카드를 보여 주시겠어요?
여: 네. 여기 있어요.

08 ① W: Where should we meet?
M: Let's meet in front of the bank.
② W: Why don't you take a rest?
M: OK, I will.
③ W: Can you please buy a book for me?
M: Sure. Which one do you want?
④ W: What's the weather like?
M: It's hot and humid.
⑤ W: Are you going to go shopping with me?
M: No problem. I'm busy now.
① 여: 어디서 만날까?
남: 은행 앞에서 만나자.
② 여: 좀 쉬는 게 어때?
남: 그래, 그럴게.
③ 여: 나를 위해서 책을 한 권 사 주겠니?
남: 물론이지. 어떤 책을 원해?
④ 여: 날씨가 어때?
남: 덥고 습해.
⑤ 여: 나랑 쇼핑하러 갈래?
남: 물론이야. 나는 지금 바빠.

09 W: Can I ask you a favor?
M: Sure. What is it?
W: My family is going to go hiking tomorrow. So can you please take care of my cat, Coco?

M: No problem. I'll feed her and play with her.
W: Thank you so much.

여: 부탁 좀 해도 될까?
남: 물론이야. 뭔데?
여: 우리 가족이 내일 등산하러 갈 거야. 그래서 말인데 우리
    고양이 코코를 좀 돌봐 주겠니?
남: 물론이야. 먹이도 주고 놀아 줄게.
여: 정말 고마워.

10 ① Do you like watching movies?
    ② Where do you usually watch movies?
    ③ Where should we meet?
    ④ What time shall we make it?
    ⑤ What are you going to do tomorrow?

질문: 어디에서 만날까?
응답: 극장 앞에서 만나자.

① 너는 영화 보는 것을 좋아하니?
② 너는 주로 어디에서 영화를 보니?
④ 우리 몇 시로 정할까?
⑤ 내일 무엇을 할 거니?

11 W: Danny, you don't look well today. Are you
        OK?
    M: Not really.
    W: What's wrong?
    M: My back hurts. I fell down the stairs yesterday.
    W: That's too bad. I hope you get better soon.

여: Danny, 오늘 안 좋아 보인다. 괜찮니?
남: 사실은 별로야.
여: 무슨 일이야?
남: 허리가 아파. 어제 계단에서 떨어졌거든.
여: 안됐구나. 곧 낫길 바랄게.

12 M: Would you like to order?
    W: Yes. I'll have the salad and pasta, please.
    M: How about a bowl of soup?
    W: No, thank you.

남: 주문하시겠어요?
여: 네. 샐러드와 파스타를 주세요.
남: 수프는 어떠세요?
여: 아니요, 괜찮아요.

13 M: Do you have any plans for this weekend?
    W: Nothing special.
    M: Then, how about going roller-skating with
        me?
    W: That sounds like fun. Where should we
        meet?

M: Let's meet in front of the school at 2 p.m.
W: OK. See you then.

남: 이번 주말에 무슨 계획 있니?
여: 특별한 계획 없어.
남: 나랑 롤러스케이트 타러 가는 게 어때?
여: 재미있겠다. 어디에서 만날까?
남: 학교 앞에서 오후 2시에 만나자.
여: 좋아. 그때 보자.

14 [*Cell phone rings.*]
    W: Hi, Minho. What's up?
    M: Hi, Jisu. What's the weather like in Seoul?
        I'm going to go there this evening.
    W: It's very cold here. You should wear a warm
        jacket.
    M: OK, I will.
    W: Ah, don't forget to wear a winter scarf and
        gloves.
    M: OK. Thanks.

[휴대 전화가 울린다.]
여: 안녕, 민호야. 무슨 일이니?
남: 안녕, 지수야. 서울은 날씨가 어떠니? 오늘 저녁에 그곳에
    가려고 하거든.
여: 여기는 매우 추워. 너는 따뜻한 재킷을 입어야겠다.
남: 알겠어, 그럴게.
여: 아, 목도리 하고 장갑 끼는 것도 잊지 마.
남: 알겠어. 고마워.

15 M: Do you mind opening the window?
    W: The heater is on. Is it too warm?
    M: I just want some fresh air.
    W: Then, can you just go out for a second? I
        don't like the cold air.
    M: OK, I will.

남: 창문을 좀 열어도 될까?
여: 난방기를 틀어 놨어. 너무 덥니?
남: 그냥 신선한 공기가 좀 필요해서.
여: 그러면 그냥 잠시 나갔다 오겠니? 나는 찬 공기를 안 좋
    아해.
남: 알았어, 그럴게.

16 M: Let me introduce myself. My name is
        Andrew Kim. I'm fourteen years old. I live
        in Jeonju. I love playing soccer, and I'm a
        member of my school soccer team.

남: 제 소개를 할게요. 제 이름은 Andrew Kim입니다. 저는
    14살이에요. 저는 전주에 살아요. 축구하는 것을 매우 좋
    아하고, 학교 축구팀의 선수입니다.

17
W: You look happy.

M: Yes. My brother came back from America last week. And he gave me a new camera.

W: Great! Did you tell him to buy it for you?

M: No, I didn't. He bought it for me as a birthday present although my birthday is next month.

여: 너 기분 좋아 보인다.

남: 응. 형이 지난주에 미국에서 돌아왔어. 그리고 나에게 새 카메라를 줬어.

여: 좋겠다! 네가 사 달라고 말했니?

남: 아니. 내 생일이 다음 달인데, 생일 선물로 사 주었어.

18
W: What's the purpose of your visit?

M: I'm visiting my grandparents in Philadelphia.

W: How long are you going to stay in America?

M: I'm going to stay here until November 13th.

W: So you'll be staying here for 9 days.

M: Yes.

여: 방문 목적이 무엇인가요?

남: 필라델피아에 계시는 조부모님을 방문할 거예요.

여: 미국에서 얼마나 오래 머무를 예정인가요?

남: 11월 13일까지 여기에 있을 예정이에요.

여: 그러면 9일 동안이군요.

남: 네.

19
W: Tom, what do you want to be when you grow up?

M: I don't know.

W: Well, are you interested in sports?

M: Not really.

W: Then, what are you interested in?

M: I like cooking.

W: How about becoming a chef?

여: Tom, 너는 자라서 무엇이 되고 싶니?

남: 모르겠어.

여: 음, 운동에 관심 있니?

남: 아니, 별로.

여: 그러면 무엇에 관심 있니?

남: 나는 요리하는 걸 좋아해.

여: 요리사가 되는 것은 어때?

① 걱정하지 마. 너는 그것을 할 수 있어.

③ 스포츠 동아리에 가입하지 그러니?

④ 그래서, 네가 가장 좋아하는 음식이 스파게티로구나.

⑤ 너는 훌륭한 축구 선수가 될 것 같아.

20
W: Look at all these things. Where did you get them?

M: I love collecting things. I got them when I travelled to other countries.

W: Wow! That's amazing!

M: Do you collect something, too?

W: Yes, I do. I collect coins.

여: 이 물건들 좀 봐. 어디에서 구한 거야?

남: 나는 물건 모으는 것을 아주 좋아해. 다른 나라들을 여행할 때 구한 것들이야.

여: 와! 멋지다!

남: 너도 무언가를 수집하니?

여: 응, 그래. 나는 동전을 수집해.

① 나도 여행을 무척 좋아해.

② 그것은 좋은 취미야.

③ 너는 무엇을 수집하니?

⑤ 나는 전 세계를 여행했어.

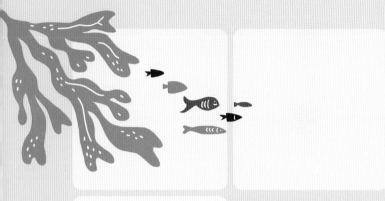

MIDDLE SCHOOL ENGLISH
교과서 평가문제집
1-❷

정답 및 해설

대한민국 대표 영단어 뜯어먹는 시리즈

중등

날짜별 음원
QR 제공

중학 영단어 시리즈 ▶ 새 교육과정 중학 영어 교과서 완벽 분석

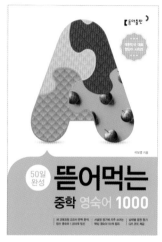

예비중 ~ 중학 1학년
중학 기초 영단어 1200개
+ 기능어 100개

중학 1~3학년
중학 필수 영단어 1200개
+ 고등 기초 영단어 600개
+ Upgrading 300개

중학 1~3학년
중학 필수 영숙어 1000개
+ 서술형이 쉬워지는 숙어 50개

고등

날짜별 음원
QR 제공

수능 영단어 시리즈 ▶ 새 교육과정 고등 영어 교과서 및 수능 기출문제 완벽 분석

예비고 ~ 고등 3학년
수능 필수 영단어 1800개
+ 수능 1등급 영단어 600개

고등 2~3학년
수능 주제별 영단어 1800개
+ 수능 필수 어원 90개
+ 수능 적중 어휘 150개

예비고 ~ 고등 3학년
수능 빈도순 영숙어 1200개
+ 수능 필수 구문 50개

영어 실력과 내신 점수를 함께 높이는
중학 영어 클리어, 빠르게 통하는 시리즈

 문법 영문법 클리어 | LEVEL 1~3

문법 개념과 내신을 한 번에 끝내다!

- 중등에서 꼭 필요한 핵심 문법만 담아 시각적으로 정리
- 시험에 꼭 나오는 출제 포인트부터 서술형 문제까지 내신 완벽 대비

 쓰기 문법+쓰기 클리어 | LEVEL 1~3

영작과 서술형을 한 번에 끝내다!

- 기초 형태 학습부터 문장 영작까지 단계별로 영작 집중 훈련
- 최신 서술형 유형과 오류 클리닉으로 서술형 실전 준비 완료

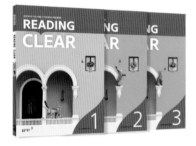

 독해 READING CLEAR | LEVEL 1~3

문장 해석과 지문 이해를 한 번에 끝내다!

- 핵심 구문 32개로 어려운 문법 구문의 정확한 해석 훈련
- Reading Map으로 글의 핵심 및 구조 파악 훈련

 듣기 LISTENING CLEAR | LEVEL 1~3

듣기 기본기와 듣기 평가를 한 번에 끝내다!

- 최신 중학 영어듣기능력평가 완벽 반영
- 1.0배속/1.2배속/받아쓰기용 음원 별도 제공으로 학습 편의성 강화

 실전 문법 빠르게 통하는 영문법 핵심 1200제 | LEVEL 1~3

실전 문제로 내신과 실력 완성에 빠르게 통한다!

- 대표 기출 유형과 다양한 실전 문제로 내신 완벽 대비
- 시험에 자주 나오는 실전 문제로 실전 풀이 능력 빠르게 향상